de Bibliotheek
Breda Prinsenbeek

D0636517

KILLERSINSTINCT

Van Joseph Finder zijn verschenen:

De Moskou Club*
Het Orakel Project
Het Uur Nul
De Krijgsraad (High Crimes)*
Paranoia
Bedrijfsongeval
Killersinstinct

*In POEMA-POCKET verschenen

JOSEPH FINDER

KILLERSINSTINCT

Uitgeverij Luitingh

Oorspronkelijke titel: *Killer Instinct*
Vertaling: Hugo Kuipers
Omslagontwerp: Edd, Amsterdam
Omslagfotografie: Anna Peisl/Zefa/Corbis

ISBN 90 245 5388 1 / 9789024553884
NUR 332

www.boekenwereld.com

Voor Emma, mijn baseballfan

Als de leerling klaar is, verschijnt de meester
BOEDDHISTISCH GEZEGDE

PROLOOG

IK HAD NOOIT eerder met een vuurwapen geschoten.

Sterker nog: voor deze avond had ik er nooit een in mijn handen gehad.

Het was een colt .45 semiautomatisch pistool, en het lag zwaar en log in mijn hand. De kolf was ruw. Ik kon het wapen niet rustig houden. Toch was ik dicht genoeg bij hem om een kogel in het midden van zijn borst te pompen. Deed ik dat niet, doodde ik hem nu niet, dan zou hij mij doden. Dat stond vast. Ik was geen partij voor hem; dat wisten we allebei.

Het was midden in de nacht, en we waren de enigen op de twintigste verdieping, waarschijnlijk in het hele gebouw. Het labyrint van gangen en kamers buiten mijn eigen kamer was donker. Al die mensen die voor mij en met mij werkten, zou ik waarschijnlijk nooit terugzien.

Mijn hand beefde, maar ik haalde de trekker over.

Nog maar een paar dagen geleden zou je in mij een succesvolle manager hebben gezien. Een man met een belangrijke baan, getrouwd met een mooie vrouw. Een man voor wie alles op rolletjes liep.

Bij gevaar dacht ik aan naar bed gaan zonder mijn tanden te poetsen.

Nu dacht ik dat ik de volgende morgen niet zou beleven.

Waar ging het mis? Hoe lang geleden was dat? In de eerste klas, toen ik Sean Herlihy met een sneeuwbal raakte? In de vierde klas, toen ik als de op twee na laatste voor het kickballteam werd uitgekozen?

Nee, ik kan je precies vertellen wanneer het begon.

Dat was tien maanden geleden.

DEEL EEN

1

Oké, ik ben een idioot.

De Acura ging een greppel in omdat ik te veel dingen tegelijk probeerde te doen. Op weg naar huis had ik 'The Bends' van Radiohead aanstaan, en hard ook, en ik reed veel te snel, want zoals gewoonlijk was ik laat. Ik had mijn linkerhand op het stuur en drukte met de duim van mijn rechterhand op de knopjes van mijn BlackBerry om te kijken of er e-mail was, in de hoop eindelijk een order van een heel grote nieuwe klant in de wacht te slepen. De meeste e-mails waren reacties op het vertrek van de adjunct-directeur Verkoop, Crawford, die het schip opeens verliet om voor Sony te gaan werken. Toen ging mijn mobieltje. Ik liet de BlackBerry op de zitting vallen en pakte het op.

Omdat ik aan de ringtone kon horen dat het mijn vrouw Kate was, zette ik de muziek niet zachter. Ik nam aan dat ze alleen maar belde om te horen wanneer ik thuiskwam van mijn werk, dan kon ze het eten klaarmaken. De laatste paar maanden was ze op de tahoetoer – tahoe en bruine rijst en kool, dat soort dingen. Het moest wel heel goed voor je zijn, want het smaakte beroerd. Maar dat zou ik nooit tegen haar zeggen.

Maar daar belde ze niet voor. Ik hoorde meteen aan Kates stem dat ze had gehuild, en al voordat ze iets zei, wist ik waarom.

'DiMarco heeft gebeld,' zei ze. DiMarco was onze arts in de ivf-kliniek in Boston. Hij probeerde Kate al een jaar of twee zwanger te maken. Ik had er niet veel fiducie in, en trouwens, persoonlijk kende ik niemand die ooit een baby in een reageerbuis had gemaakt en twijfelde dus aan de hele procedure. Technologie, vond ik, moest je gebruiken om flatscreen plasmamonitors te maken, geen baby's. Evengoed was het of ik een stomp in mijn maag kreeg.

Het ergste was nog de uitwerking die dit op Kate zou hebben. Ze was tegenwoordig al gek genoeg van de hormooninjecties. Nu zou ze helemaal door het lint gaan.

'Ik vind het heel erg,' zei ik.

'Ze laten het ons niet eindeloos proberen, weet je,' zei ze. 'Ze kijken steeds naar hun slagingspercentage, en dat halen wij omlaag.'

'Katie, het is nog maar onze derde poging met ivf. We hebben toch maar zo'n tien procent kans per cyclus? We gaan gewoon door, schat.'

'Maar wat doen we als het niet werkt?' Kates stem klonk schril en gesmoord, en binnen in mij trok zich iets samen. 'Gaan we dan naar Californië voor een donor-ei? Dat kan ik niet aan. Adoptie? Jason, ik kan je bijna niet horen.'

Adoptie was mij best. Geen adoptie ook. Maar ik ben niet helemaal van de pot gerukt en dus besloot ik de muziek wat zachter te zetten. Er moest een of ander knopje op het stuur zitten waarvan ik nooit had geweten waar het voor diende, en dus drukte ik nu met de duim van mijn stuurhand op allerlei knopjes, maar het volume ging juist omhoog, totdat Radiohead door de auto schetterde.

'Kate,' zei ik, maar op dat moment besefte ik dat de auto eerst met twee en toen met vier wielen in de berm terecht was gekomen. Ik liet de telefoon vallen, greep met beide handen het stuur vast en gaf er een ruk aan, maar het was te laat.

Er was een hard *ka-tsjunk* te horen. Ik draaide aan het stuur, trapte op de rem.

Een misselijkmakend, knerpend metaalgeluid. Ik vloog naar voren, tegen het stuur aan, en toen naar achteren. Plotseling lag de auto op zijn kant. De motor brulde en de wielen wervelden door de leegte.

Ik wist meteen dat ik niet ernstig gewond was, maar ik kon wel een paar ribben hebben gekneusd. Gek is dat: ik dacht meteen aan die griezelige oude zwart-witfilms over auto-ongelukken die ze in de jaren vijftig en zestig ter afschrikking aan aankomende automobilisten lieten zien, films met lugubere titels als *Het laatste schoolfeest* en *Gemechaniseerde dood*, uit de tijd dat alle politieagenten stekeltjeshaar hadden en van die breedgerande Canadese Mountie-hoeden droegen. Iemand in mijn studentenflat had een videoband met die voorlichtingsfilmpjes over ongelukken met dodelijke afloop. Als je daarnaar keek, schrok je je kapot. Ik kon niet geloven dat iemand die in die tijd leerde autorijden *Het laatste schoolfeest* zag en daarna nog achter het stuur wilde zitten.

Ik draaide de sleutel om, zette de muziek uit en bleef enkele ogenblikken in stilte zitten, voordat ik het mobieltje van de vloer van de auto pakte om de hulpdienst te bellen.

Maar de lijn was nog open en ik hoorde Kate gillen.

'Hé,' zei ik.

'Jason, ben je ongedeerd?' Ze was in alle staten. 'Wat is er gebéúrd?'

'Ik mankeer niets, schat.'

'Jason, godnogaantoe, had je daarnet een óngeluk?'

'Maak je geen zorgen, liefje. Ik ben... ik mankeer niets. Er is niets aan de hand. Maak je geen zorgen.'

Drie kwartier later stopte er een knalrode sleepwagen met M.E. WALSH TOW op de zijkant. De chauffeur liep met een metalen klembord naar me toe. Het was een grote kerel met brede schouders en een rafelig sikje. Om zijn hoofd had hij een kleurrijke doek die aan de achterkant was dichtgeknoopt en hij droeg zijn lange haar, bruin met vlekjes grijs, in een 'mullet', dus kort van voren en opzij maar met een staart tot op zijn rug. Hij had een zwartleren Harley-Davidson-jasje aan.

'Hé, dat is klote,' zei de man.

'Bedankt voor je komst,' zei ik.

'Niks geen dank,' zei Harley. 'Laat me raden. Je praatte in je mobieltje.'

Ik knipperde met mijn ogen, aarzelde een fractie van een seconde en zei toen schaapachtig: 'Ja.'

'Die rotdingen zijn hartstikke link.'

'Ja, dat is zo,' zei ik. Alsof ik zonder mijn mobieltje in leven kon blijven. Maar hij leek me niet echt het type voor een mobiele telefoon. Hij reed in een sleepauto en op een motor. Waarschijnlijk had hij een bakkie in die wagen zitten, bij zijn pruimtabak en zijn cd's van de Allman Brothers. En een rol toiletpapier in het dashboardkastje. Zo'n kerel die zijn gras maait en dan een auto vindt. Die denkt dat de laatste vier woorden van het volkslied 'Heren, start uw motoren' zijn.

'Je mankeert niks?' zei hij.

'Nee, ik ben ongedeerd.'

Hij reed de sleepwagen achteruit naar mijn auto en maakte de lier aan de Acura vast. Hij zette het elektrische takelding aan en begon mijn auto uit de greppel te trekken. Gelukkig zaten we op een tamelijk leeg stuk weg – ik neem altijd deze binnenweg van mijn kantoor in Framingham naar de Massachusetts Pike – en kwamen er dus niet te veel auto's voorbij. Ik zag een gele sticker met 'steun onze troepen' op de zijkant van de truck, en op de voorruit een van die zwartwitstickers voor krijgsgevangenen en vermisten. Ik kon maar beter geen kritiek op de Irakoorlog uitoefenen, tenzij ik wilde dat die kerel met zijn blote handen mijn strottenhoofd verbrijzelde.

'Stap in,' zei hij.

In de cabine van de sleepwagen rook het naar muffe sigarenrook en benzine. Een sticker van de Special Forces op het dashboard. Ik begon al helemaal warm te lopen voor de oorlog.

'Wou je naar een bepaald schadebedrijf?' vroeg hij. Ik kon hem amper verstaan, zo hard gierde het hydraulische mechanisme.

Ik had een vriend die altijd aan zijn auto zat te sleutelen. Die zou het weten, maar ik kon nog geen carburateur van een kariboe onderscheiden. 'Ik krijg niet vaak ongelukken,' zei ik.

'Nou, je ziet er niet uit als iemand die onder de motorkap kruipt om zelf de olie te verversen,' zei Harley. 'Ik weet wel een schadebedrijf,' zei hij. 'Hier in de buurt. Laten we gaan.'

Onder het rijden zeiden we niet veel. Ik maakte een paar opmerkingen om een gesprek met Harley te beginnen, maar het was net of ik een natte lucifer aanstreek.

Normaal gesproken kon ik met iedereen over alles praten: sport, kinderen, honden, tv-programma's, noem maar op. Ik was verkoper bij een van de grootste elektronicabedrijven ter wereld, zo'n concern als Sony en Panasonic. De divisie waarvoor ik werkte, maakte van die mooie grote flatscreen lcd- en plasma-tv's en monitors waar zoveel mensen naar hunkerden. Heel coole producten. En ik had ontdekt dat de topverkopers, degenen die het in zich hadden, een gesprek met iedereen konden beginnen. Zo iemand was ik.

Maar deze man wilde niet praten, en na een tijdje gaf ik het op. Ik voelde me niet op mijn gemak, daar op de voorbank van die sleepwagen die bestuurd werd door een Hell's Angel, terwijl ik in mijn dure antracietgrijze pak mijn best deed om niet in aanraking te komen met het kauwgom of de teer of wat het ook was dat op de vinylbekleding geplakt zat. Ik betastte mijn ribbenkast, vergewiste me ervan dat ik niets had gebroken. Eigenlijk deed het niet eens zoveel pijn.

Onwillekeurig keek ik naar de verzameling stickers op het dashboard – een sticker van de Special Forces, een vlaggensticker met 'Deze kleuren vluchten niet', en eentje met 'Special Forces – Ik ben de man voor wie je moeder je altijd waarschuwde'. Na een tijdje zei ik: 'Deze truck is van jou?'

'Nee, mijn maat heeft het sleepbedrijf en ik help hem wel eens.'

De man werd spraakzaam. Ik zei: 'Is hij bij de Special Forces geweest?'

Een lange stilte. Ik wist dat niet: mocht je niet aan iemand vragen of hij bij de Special Forces was geweest of zoiets? Misschien mocht hij het me wel vertellen, maar moest hij me daarna doden.

Ik wilde de vraag net herhalen toen hij zei: 'Wij allebei.'

'O,' zei ik, en we waren weer stil. Hij zette de radio op baseball. De Red Sox speelden in Fenway Park tegen de Seattle Mariners, en het was een spannende, verwoede wedstrijd met een lage score, erg opwindend. Ik mag graag naar baseball op de radio luisteren. Ik heb thuis een enorme flatpaneltelevisie, die ik met de vrienden-en familiekorting op mijn werk kan krijgen, en baseball op een high-definitionscherm is geweldig. Maar toch gaat er niets boven een wedstrijd op de radio – het kraken van de knuppel, het geroezemoes van het publiek, zelfs de stomme reclames voor autoglasreparaties. Het is klassiek. De commentatoren klinken nog net zo als toen ik een kind was, en waarschijnlijk ook als in de tijd dat wijlen mijn vader een kind was. Die doffe, nasale stemmen zijn net oude gymschoenen, comfortabel en vertrouwd en ingelopen. Ze gebruiken alle oude frasen als 'hoog... hoog... die bal!' en 'lopers bij de hoeken' en 'uithalen en missen'. Ik mag graag horen dat ze plotseling opgewonden gaan schreeuwen, dingen als: 'Naar achteren! Naar áchteren!'

Een van de commentatoren zei over de pitcher van de Sox: '...

maar zelfs op zijn best komt hij nooit in de buurt van de recordworp van honderdeenenzestig kilometer per uur van...? Jerry, jij moet dat weten.'

En de andere commentator zei: 'Nolan Ryan.'

'Nolan Ryan,' zei de eerste man. 'Heel goed. Geklokt in het Anaheim Stadium, 20 augustus 1974.' Dat zou hij wel van een scherm oplezen, informatie die hem door een producer werd verstrekt.

'Fout,' zei ik.

De chauffeur keek me aan. 'Huh?'

'Die kerels weten niet waar ze het over hebben,' zei ik. 'De recordworp was van Mark Wohlers.'

'Heel goed.' Harley knikte. 'Mark Wohlers. Honderdvijfenzestig.'

'Ja,' zei ik verrast. 'Honderdvijfenzestig kilometer per uur in 1995.'

'De voorjaarstraining van de Atlanta Braves.' Toen glimlachte hij, een ongedwongen grijns, zijn tanden wit en recht. 'Ik dacht dat niemand anders dat wist,' zei hij.

'Natuurlijk was de snelste pitcher aller tijden, buiten de major leagues...'

'Steve Dalkowski,' zei Harley. 'Honderdzesenzeventig kilometer per uur.'

'Verbrijzelde het masker van een scheidsrechter,' zei ik knikkend. 'Dus jij was als kind ook gek op baseball? Verzameling van duizenden baseballkaartjes?'

Hij grijnsde weer. 'Zeker weten. Die kauwgompakjes van Topps met dat vieze muffe kauwgom erin.'

'Dat altijd vlekken maakte op een van de kaartjes in het pak, hè?'

Hij grinnikte.

'Ging je vader vaak met je naar Fenway?' zei ik.

'Ik kom hier niet vandaan,' zei hij. 'Ik kom uit Michigan. En mijn vader was er niet. We hadden trouwens geen geld om naar wedstrijden te gaan.'

'Wij ook niet,' zei ik. 'En dus luisterde ik vaak naar wedstrijden op de radio.'

'Ik ook.'

'En je speelde baseball in de tuin?' zei ik. 'Veel ruiten gebroken?'

'Wij hadden geen tuin.'

'Wij ook niet. Mijn vrienden en ik speelden in een park in de buurt.'

Hij knikte, grijnsde.

Het was of ik die man kende. We kwamen waarschijnlijk uit hetzelfde milieu: geen geld, geen tuin, noem maar op. Alleen was ik gaan studeren en zat ik hier nu in een pak en was hij in het leger gegaan, zoals veel van mijn schoolkameraden ook hadden gedaan.

We luisterden een tijdje naar de wedstrijd. Seattles *designated hitter*, de man die in plaats van de pitcher mocht slaan, was aan de beurt. Hij sloeg de eerste keer raak. Je hoorde het kraken van de knuppel. 'En daar gaat een hóge bal vér naar links,' kraaide een van de commentatoren. Hij ging recht op de handschoen van een geweldig goede slagman van de Red Sox af, die toevallig ook een notoir stuntelige outfielder was. En een lijpo die bijvoorbeeld midden in de wedstrijd van het veld verdween om te gaan pissen. Als hij niet bezig was de bal te verprutsen.

'Hij heeft hem,' zei de commentator. 'De bal gaat recht op zijn handschoen af.'

'Hij laat hem vallen,' zei ik.

Harley lachte. 'Dat denk ik ook.'

'Nu komt het,' zei ik.

Harley lachte nog harder. 'Dit is pijnlijk,' zei hij.

Een gebulder van teleurstelling in het stadion. 'De bal raakte de áchterkant van de handschoen,' zei de commentator, 'toen hij een sliding probeerde te maken. Dat is een fout van hóófdklasseniveau.'

We kreunden tegelijk.

Harley zette de radio uit. 'Ik kan er niet meer tegen,' zei hij.

'Dank je,' zei ik. We reden het parkeerterrein van het autoschadebedrijf op.

Het was een nogal smerig bedrijfje, zo te zien een verbouwd benzinestation. WILLKIE AUTO BODY stond er op het bord. De dienstdoende chef heette Abdul en zou tegenwoordig waarschijnlijk niet makkelijk door de beveiliging van een vliegveld komen. Ik dacht dat Harley het karkas van mijn arme Acura zou laten zakken, maar in plaats daarvan ging hij mee naar de wachtkamer en keek hij toe terwijl Abdul mijn verzekeringsgegevens noteerde. Ik zag hier ook een sticker met 'Steun onze troepen' op de muur, en ook weer eentje van de Special Forces.

'Jeremiah thuis?' zei Harley.

'Ja,' zei Abdul. 'Dat is hij. Thuis bij de kinderen.'

'Dit is een vriend van me,' zei Harley. 'Zorg goed voor hem.'

Ik keek om me heen en besefte dat de chauffeur van de sleepwagen het over mij had.

'Natuurlijk, Kurt,' zei Abdul.

'Zeg tegen Jerry dat ik ben geweest,' zei Harley.

Terwijl ik een oud nummer van *Maxim* las, liepen de sleepwagenchauffeur en Abdul naar de werkplaats. Een paar minuten later kwamen ze terug.

'Abdul zet zijn beste monteur op je wagen,' zei Harley. 'Ze leveren hier goed werk. Gecomputeriseerd verfmengsysteem. Mooie schone werkplaats. Als jullie de papieren nou even afwerken, zet ik de auto neer.'

'Goed, Kurt, tot kijk,' zei Abdul.

Toen ik een paar minuten later naar buiten kwam, zag ik Harley in zijn sleepwagen zitten. Hij had de motor aan en luisterde naar de wedstrijd.

'Hé,' zei hij, 'waar woon je? Dan breng ik je.'

'Het is nogal ver. Belmont.'

'Haal je spullen uit de auto en spring erin.'

'Je vindt het geen probleem?'

'Ik word per uur betaald, jongen. Niet per klus.'

Ik pakte mijn cd's van de vloer van de auto en mijn diplomatenkoffertje en honkbalhandschoen van de achterbank.

'Heb je vroeger bij een autobedrijf gewerkt?' zei ik toen ik weer in de sleepwagen was gestapt.

De walkietalkie begon te schetteren, en hij zette hem uit. 'Ik heb van alles gedaan.'

'Hoe bevalt het slepen?'

Hij keek me aan met een blik van *Ben je gek geworden?* 'Ik pak al het werk aan dat ik kan krijgen.'

'Nemen mensen niet meer graag soldaten in dienst?'

'Mensen nemen heel graag soldaten in dienst,' zei hij. 'Maar niet die met OO.'

'Wat is OO?'

'Oneervol ontslag. Dat moet je invullen op je sollicitatieformulier, en zodra ze dat zien, kun je het wel schudden.'

'O,' zei ik. 'Sorry dat ik het vroeg. Het gaat me niks aan.'

'Geeft niet. Ik maak me er wel kwaad om. Als je OO hebt, ben je je pensioenrechten en alle voorzieningen voor oud-militairen kwijt. Dat is klote.'

'Hoe is het gekomen?' zei ik. 'Als je het niet erg vindt dat ik het vraag.'

Weer een lange stilte. Hij gaf richting aan en veranderde van rijbaan. 'Nee, dat vind ik niet erg.' Hij zweeg weer, en ik wist niet of hij antwoord zou geven. Toen zei hij: 'De commandant van mijn A-team bij de Special Forces beval de helft van ons een zelfmoordmissie te ondernemen, een idiote verkenningsmissie in Tikrit. Ik zei tegen de commandant dat er negenennegentig procent kans was dat ze in een hinderlaag zouden lopen, en wat denk je? Die jongens liepen in een hinderlaag. Ze werden aangevallen met raketgranaten. En mijn maat Jimmy Donadio kwam om.'

Hij zweeg. Keek strak voor zich uit naar de weg. En toen zei hij: 'Een goeie jongen. Hij zou gauw weer naar de States gaan en hij had een baby die hij nooit heeft gezien. Ik was gek op die vent. Nou, toen ging ik door het lint. Ik ging op die commandant af en gaf hem een kopstoot. Zijn neus brak.'

'Wauw,' zei ik. 'Jezus. Ik kan het je niet kwalijk nemen. Dus toen kwam je voor de krijgsraad of zo?'

Hij haalde zijn schouders op. 'Ik mag blij zijn dat ze me niet in een militaire gevangenis stopten. Maar de hogere instanties wilden natuurlijk niet de aandacht vestigen op wat er die nacht was gebeurd, en het laatste wat ze wilden, was dat de CID zich ermee ging bemoeien. Slecht voor het moreel van de troepen. En nog belangrijker: slechte pr. En dat werd dus de deal: geen gevangenisstraf, maar oneervol ontslag.'

'Wauw,' zei ik opnieuw. Ik wist niet precies wat de CID was, maar daar ging ik niet naar vragen.

'Ben jij advocaat of zoiets?'

'Verkoper.'

'Waar?'

'Entronics. In Framingham.'

'Dat is cool. Kun je me aan een plasma-tv met korting helpen?'

Ik aarzelde. 'Ik verkoop geen consumentenproducten, maar misschien kan ik wel iets regelen.'

Hij glimlachte. 'Ik maak maar een geintje. Ik heb het geld niet voor die dingen, zelfs niet tegen groothandelsprijs. Hé, ik zag die handschoen die je op de achterbank had liggen. Mooi ding. Rawlings Gold Glove, Heart of the Hide. De profs gebruiken ze ook. Ziet er gloednieuw uit. Zo uit de doos. Net gekregen?'

'Eh, een jaar of twee geleden,' zei ik. 'Een cadeau van mijn vrouw.'

'O. Speel je?'

'Niet veel. Vooral in het team van mijn bedrijf. Softbal, geen baseball, maar mijn vrouw weet het verschil niet.' Ons team was brandhout. We hadden een serie verloren wedstrijden op onze naam staan die in de buurt kwam van het rampzalige seizoen '88 van de Baltimore Orioles. 'Speel jij?'

Hij haalde zijn schouders op. 'Vroeger wel.'

Enkele ogenblikken van stilte.

'Op school of zo?' zei ik.

'Ik werd opgeroepen voor een van de lagere teams van de Detroit Tigers.'

'Serieus?'

'Mijn werpsnelheid is geklokt op honderdvijftig, honderdtweeënvijftig kilometer per uur.'

'Goh! Jezus!' Ik keek hem aan.

'Maar mijn hoofd stond daar in die tijd niet naar. In plaats daarvan ging ik in dienst. Ik heet trouwens Kurt.' Hij haalde zijn rechterhand van het stuur en gaf me een stevige handdruk. 'Kurt Semko.'

'Jason Steadman.'

Er volgde weer een lange stilte, en toen kreeg ik een idee.

'We kunnen wel een pitcher gebruiken,' zei ik.

'Wie?'

'Het team van mijn bedrijf. We hebben morgenavond een wedstrijd en we hebben dringend een goede pitcher nodig. Heb je zin om morgen in ons team te spelen?'

Weer een lange stilte. En toen: 'Moet je dan niet voor het bedrijf werken?'

'De kerels tegen wie we spelen hebben geen idee wie voor ons werken en wie niet.'

Kurt werd weer stil.

Na een minuut zei ik: 'Nou, wat vind je ervan?'

Hij haalde zijn schouders op. 'Ik weet het niet.' Hij keek met een vage glimlach naar de weg.

Op dat moment leek het me een goed idee.

2

IK HOU VAN mijn vrouw.

Soms kan ik niet geloven dat zo'n intelligente, verfijnde en, o ja, ongelooflijk mooie vrouw genoegen heeft genomen met iemand als ik. Ze zegt wel eens voor de grap dat ik mijn allerbeste verkoopprestatie leverde toen ik haar het hof maakte. Ik spreek dat niet tegen. Per slot van rekening heb ik de transactie tot stand gebracht.

Toen ik binnenkwam, zat Kate op de bank naar de tv te kijken. Ze had een kom popcorn op haar schoot en een glas witte wijn op de salontafel. Ze droeg een verbleekt oud gymbroekje van haar middelbare school, waardoor haar lange, gebruinde benen goed tot hun recht kwamen. Zodra ze me zag binnenkomen, stond ze van de bank op en rende me tegemoet om me te omhelzen. Ik kromp even ineen van pijn, maar dat merkte ze niet. 'O mijn god,' zei ze. 'Ik maakte me zo'n zorgen.'

'Ik mankeer niks, zoals ik al zei. Het enige wat is gekwetst, is mijn trots. Al vond de chauffeur van de sleepwagen me een idioot.'

'Je mankeert helemaal niets, Jase? Had je je gordel om en zo?' Ze maakte zich van me los om me goed te bekijken. Haar ogen hadden een prachtige groenbruine tint, haar haar was weelderig en zwart, en ze had een spitse kin en hoge jukbeenderen. Ze deed me denken aan een jonge, donkerharige Katharine Hepburn. Het was vertederend dat ze zichzelf lelijk vond omdat haar trekken te scherp en overdreven zouden zijn. Vanavond waren haar ogen bloeddoorlopen en opgezet. Blijkbaar had ze veel gehuild.

'De auto ging gewoon van de weg af,' zei ik. 'Ik mankeer niks, maar de auto is er niet zo best aan toe.'

'De auto,' zei ze met een luchtig handgebaar, alsof mijn Acura TL een propje wc-papier was. Ik neem aan dat ze die aristocratische gebaren van haar ouders heeft geërfd. Want weet je, in zekere zin komt Kate uit een rijke familie. Dat wil zeggen: haar familie was ooit heel rijk, maar het geld heeft zijn weg niet meer naar haar generatie gevonden. Het Spencer-vermogen liep een flinke deuk op rond 1929, toen haar overgrootvader ten tijde van de beurskrach enkele bijzonder domme beleggingsbeslissingen nam. Wat er over was, werd opgemaakt door haar vader, die aan de drank was en alleen wist hoe je geld moest uitgeven, niet hoe je het moest beheren.

Het enige wat Kate eraan overhield, was een dure opleiding, een beschaafde stem, veel rijke vrienden van de familie die nu medelijden met haar hadden, en een huis vol antiek. Veel van dat antiek had ze in ons vierkamerhuis op een perceel van duizend vierkante meter in Belmont gepropt.

'Hoe ben je thuisgekomen?' vroeg ze.

'De chauffeur van de sleepwagen. Interessante kerel. Hij is bij de Special Forces geweest.'

'Hmm,' zei ze, dat geluid van niet-geïnteresseerd-maar-probeer-die-indruk-te-wekken dat ik zo goed kende.

'Is dat het avondeten?' zei ik, wijzend naar de kom popcorn op de salontafel.

'Schat, het spijt me. Ik had vanavond gewoon geen zin om te koken. Zal ik iets voor je klaarmaken?'

Ik zag de baksteen van tahoe in de koelkast al voor me, en er ging bijna een huivering door me heen. 'Laat maar. Ik pak wel iets. Kom hier.' Ik omhelsde haar opnieuw. Ditmaal trotseerde ik de pijn zonder ineen te krimpen. 'Die auto doet er niet toe. Ik maak me zorgen om jou.'

Plotseling begon ze in mijn armen te huilen. Ze zakte min of meer in elkaar. Ik voelde dat haar borst op en neer ging en dat haar warme tranen mijn overhemd nat maakten. Ik hield haar dicht tegen me aan. 'Alleen dacht ik echt... dat het deze keer ging lukken,' zei ze.

'De volgende keer misschien. We moeten geduld hebben, hè?'

'Maak jij je dan nérgens zorgen over?'

'Alleen over dingen waar ik iets aan kan doen,' zei ik.

Na een tijdje gingen we samen op de bank zitten. Die bank is een oncomfortabel maar ongetwijfeld heel kostbaar stuk Engels antiek, zo hard als een kerkbank. We keken naar een Discovery-documentaire over bonobo's. Dat is een apensoort die blijkbaar intelligenter en verder ontwikkeld is dan wij mensen. Het schijnt dat bij de bonobo's de wijfjes de baas zijn. Je zag een bonobowijfje dat een mannetje probeerde te verleiden door haar benen te spreiden en haar achterste naar zijn gezicht te duwen. De commentator noemde dat 'presenteren'. Ik hield me in en zei niets over onze eigen echtelijke betrekkingen, die zo ongeveer op het nulpunt waren komen te staan. Ik weet niet of het door de vruchtbaarheidsbehandelingen kwam of door iets anders, maar ons seksleven was de laatste tijd een zachte dood gestorven. Ik wist niet wanneer Kate voor het laatst had 'gepresenteerd'.

Ik nam een handvol popcorn. Die was in de lucht gepopt en besprenkeld met iets wat in de verte wat van boter weg had. Het smaakte als piepschuimpinda's. Omdat het onbeleefd was om het uit te spuwen, bleef ik kauwen en slikte ik het door.

Het bonobowijfje had blijkbaar niet veel succes, maar ze ging wel door. Ze strekte haar arm uit en wenkte hem met omhooggestoken vingers, als een filmster uit de tijd van de stomme films die een lichtekooi speelde. Maar het mannetje was een blindganger. En dus ging ze naar hem toe en kneep hard in zijn ballen.

'Au,' zei ik. 'Ze heeft vast niet de goede boeken over het aangaan van relaties gelezen.'

Kate schudde haar hoofd en probeerde een glimlach te bedwingen.

Ik stond op, ging naar de badkamer en nam twee Advils. Toen ging ik naar de keuken om een grote kom ijs te nemen. Brigham's Oreo. Ik vroeg niet aan Kate of ze ook wilde, want ze at nooit ijs. Ze at nooit iets waar je ook maar enigszins dik van kon worden.

Ik ging weer zitten en stortte me op het ijs, terwijl de commentator zei: 'De wijfjes kussen en omhelzen hun speciale vriendinnen, en ze wrijven hun geslachtsdelen tegen elkaar.'

'Wat doen de mannetjesbonobo's dan?' zei ik. 'Op de bank zitten met de afstandsbediening?'

Ze zag me het ijs naar binnen scheppen. 'Wat is dat, schat?'

'Dit?' zei ik. 'Vetvrij tofoe-ijs met melkvervanger.'

'Lieveling, het is echt niet goed om 's avonds ijs te eten.'

'Ik heb er bij mijn ontbijt nooit trek in.'

'Je weet wat ik bedoel,' zei ze, en ze legde haar hand even op haar volkomen platte buik. Ik daarentegen kreeg op mijn dertigste al een buikje. Kate kon alles eten wat ze wilde en dan kwam ze toch niet aan. Ze had een ongelooflijke stofwisseling. Vrouwen haatten haar daarom. Ik vond het zelf ook een beetje ergerlijk. Als ik haar stofwisseling had, zou ik geen bulgur en tempé eten.

'Zullen we naar wat anders kijken?' zei ik. 'Dit wordt me te hitsig.'

'Jason, dat is walgelijk.' Ze pakte de afstandsbediening en zapte door de honderden kanalen, tot ze stopte bij een serie die me bekend voorkwam. Ik herkende de acteurs die de mooie broer en zus van middelbareschoolleeftijd speelden, en ook hun gescheiden vader, zelf een in scheidingen gespecialiseerde advocaat. Het was de Fox-serie *S.B.* over mooie rijke tieners uit gebroken gezinnen in Santa Barbara – schoolbals, auto-ongelukken, echtscheidingszaken, drugs, overspelige moeders. Het was de populairste televisieserie van het seizoen geworden.

En die serie werd gemaakt door mijn zwager Craig Glazer, de succesvolle tv-producent die met Kates oudere zus Susie was getrouwd. Craig en ik deden alsof we goed met elkaar konden opschieten.

'Hoe kun je naar die rotzooi kijken?' zei ik. Ik pakte de afstandsbediening en zapte naar een oude documentaire in *National Geographic*-stijl. Het ging over een primitieve Amazonestam, de Yanomami.

'Je moet die vijandigheid uit je hoofd zetten voordat Craig en Susie hier volgende week komen.'

'Wat blijft er zonder mijn vijandigheid over? Trouwens, ze weten helemaal niet hoe ik over hem denk.'

'O, Susie weet het.'

'Waarschijnlijk denkt zij net zo over hem.'

Kate trok uitdagend haar wenkbrauwen op, maar zei niets.

We keken nog een tijdje lusteloos naar dat natuurprogramma. De commentator zei met een bekakt Brits accent dat de Yanomami de gewelddadigste, agressiefste samenleving ter wereld waren. Ze werden het Woeste Volk genoemd. Ze waren altijd oorlog aan het voeren, meestal om vrouwen, die schaars waren.

'Dat zie je zeker wel graag, hè?' zei ik. 'Vechten om vrouwen?'

Ze schudde haar hoofd. 'Ik heb het Woeste Volk bestudeerd voor een van mijn feministische vakken. De mannen slaan hun vrouwen ook. Hoe meer machetelittekens de vrouwen hebben, denken die vrouwen zelf, des te meer moet hun man van hen houden.' Er ligt altijd wel een of ander boek over feminisme op Kates nachtkastje. Het nieuwste was iets met een titel in de trant van *Deze sekse die niet één is*. Ik had de titel niet goed onthouden, maar gelukkig hoefde ik niet aan een quiz mee te doen.

Het kwam, denk ik, vooral door Kates werk dat ze zich de laatste jaren voor obscure Afrikaanse en Zuid-Amerikaanse culturen was gaan interesseren. Ze werkte voor de Meyer Stichting voor Volkskunst en Spontane Kunst in Boston. Ze gaven geld aan arme en dakloze mensen die schilderijen en sculpturen maakten die eruitzagen alsof mijn achtjarige neefje ze ook had kunnen maken. Maar ze gaven niet veel geld aan hun werknemers. De stichting betaalde Kate achtduizend dollar per jaar en vond blijkbaar dat ze eigenlijk zou moeten betalen voor het voorrecht om daar te mogen werken. Ik denk dat ze meer aan benzine en parkeergeld kwijt was dan ze verdiende.

We keken nog een tijdje naar het programma. Kate at popcorn en ik at ijs. De commentator zei dat Yanomami-jongens hun mannelijkheid bewezen door 'hun speer in bloed te dopen', dus iemand te doden. Ze deden dat met een bijl, een speer of pijl en boog. En met blaaspijpjes die ze uit bamboe sneden en waarmee ze giftige pijltjes afschoten.

'Cool,' zei ik.

De Yanomami cremeerden hun doden, roerden de as door de bananensoep en dronken die op.

Dat was minder cool.

Toen het programma voorbij was, vertelde ik haar het laatste nieuws van mijn werk: de adjunct-directeur Verkoop, Crawford, had de firma verlaten om voor Sony te gaan werken en hij had zes van zijn topmensen meegenomen. Daardoor was er een groot gat in het verkoopteam ontstaan. 'Dat is beroerd,' zei ik. 'Een grote puinhoop.'

'Waar heb je het over?' zei Kate, plotseling geïnteresseerd. 'Het is geweldig.'

'Je snapt het niet. Entronics heeft net bekendgemaakt dat ze de Amerikaanse activiteiten van Meister, een Nederlandse onderneming, gaat overnemen.'

'Ik heb van Meister gehóórd,' zei ze. Ze klonk een beetje geërgerd. 'En?'

Royal Meister Electronics N.V. was een immens elektronicaconcern, een van onze grootste concurrenten. Ze hadden een vestiging in Dallas van waaruit ze dezelfde dingen verkochten als wij: de lcd's, plasmaschermen en projectors en zo.

'Dus Crawford verlaat het zinkende schip. Misschien weet hij dingen die anderen niet weten.'

Kate ging rechtop zitten en trok haar knieën tegen haar borst. 'Hoor eens, Jase, besef je dan niet wat dit betekent? Dit is je káns.'

'Mijn kans?'

'Je zit al járen op het niveau van districtsmanager. Het lijkt wel of je in een stuk barnsteen vast bent blijven zitten.'

Ik vroeg me af of ze het slechte nieuws over de zwangerschap verwerkte door zich op mijn carrière te storten. 'Er is niets vrijgekomen.'

'Kom nou, Jase, denk eens na. Als Crawford weg is en zes van zijn topmensen heeft meegenomen, zit er voor de divisie niets anders op dan sommige vacatures van binnenuit te vervullen, nietwaar? Dit is je kans om tot directieniveau door te stoten. Om hoger op de ladder te komen.'

'Het is eerder een zeephelling. Katie, ik hou van mijn baan. Ik wil geen adjunct-directeur worden.'

'Maar met je salaris zit je zo ongeveer aan het plafond, hè? Je zult nooit meer verdienen dan nu.'

'Wat bedoel je? Ik verdien vrij goed. Weet je nog hoeveel ik drie jaar geleden verdiende?'

Ze knikte en bleef me recht in de ogen kijken, alsof ze zich afvroeg of ze nog meer zou zeggen. Toen zei ze: 'Schat, drie jaar geleden was het een abnormale situatie. De plasmaschermen waren er nog maar net, en Entronics had de markt in handen, nietwaar? Dat zal nooit meer gebeuren.'

'Weet je wat het is, Kate? In het bedrijfsleven heb je een eiersorteermachine voor kerels van mijn leeftijd, hè? Die laat de eieren in de dozen met Groot en Extra Groot en Jumbo vallen, ja?'

'En wat ben jij?'

'Ik wil niet in Jumbo. Ik ben gewoon een verkoper. Ik ben wat ik ben.'

'Maar als je in de directie komt, schat, ga je het grote geld verdienen.'

Een paar jaar geleden had Kate het er ook vaak over dat ik hoger op de ladder moest zien te komen, maar ik dacht dat ze dat had opgegeven. 'Die kerels van de directie komen het kantoor nooit uit,' zei ik. 'Ze hebben in feite een wielklem om hun enkels. Van al die vergaderingen worden ze zo wit als een vissenbuik. Te veel vleierij, te veel politiek. Dat is niks voor mij. Waarom praten we hierover?'

'Hoor eens. Je wordt regiomanager en dan adjunct-directeur Verkoop, en dan verkoopdirecteur en general manager, en algauw heb je de leiding van een hele onderneming. Over een paar jaar zou je een fortuin kunnen verdienen.'

Ik haalde diep adem om haar tegen te spreken, maar dat had geen zin. Als ze zo'n bui had, was ze net een terriër die zijn speelgoedbot niet wilde loslaten.

Het was nu eenmaal een feit dat Kate en ik heel anders dachten over wat een 'fortuin' was. Mijn vader was metaalarbeider in een fabriek in Worcester. Ze maakten daar buizen voor airconditioning- en ventilatiesystemen. Hij bracht het tot ploegbaas en was vrij actief in de metaalarbeidersbond. Hij was niet erg ambitieus; ik denk dat hij de eerste baan nam die zich aandiende, daar goed in werd en bleef waar hij was. Maar hij werkte erg hard, werkte zoveel mogelijk over en draaide extra diensten, en als hij aan het eind van de dag thuiskwam, was hij helemaal op en kon hij niets anders meer doen dan als een zombie voor de tv zitten en bier drinken. Pa miste twee vingertoppen van zijn rechterhand, en dat deed me er altijd aan denken hoe gevaarlijk zijn werk was. Toen hij tegen me zei dat ik moest gaan studeren omdat ik dan niet hoefde te doen wat hij deed, meende hij dat echt.

We hadden een woning in een gebouw van drie verdiepingen in Providence Street in Worcester, een gebouw met gevelbeplating van asbest en een draadgazen hek om de betonnen achterplaats. Dat ik het vanuit die achtergrond tot eigenaar van een huis in koloniale stijl in Belmont had gebracht – nou, dat was niet gek, vond ik zelf.

Daarentegen was het huis waarin Kate was opgegroeid, in Wellesley, groter dan haar hele studentenhuis in Harvard. We waren een keer langs dat huis gereden. Het was een enorm landhuis van natuursteen met een hoog smeedijzeren hek en eindeloos veel grond. Zelfs nadat haar drankzuchtige vader het laatste beetje van het familiefortuin met een paar stompzinnige investeringen had laten verdwijnen en ze eerst hun zomerhuis in Osterville op Cape Cod en toen hun huis in Wellesley hadden moeten verkopen, was het huis waar ze toen gingen wonen nog steeds ongeveer twee keer zo groot als het huis waar zij en ik nu in woonden.

Ze zweeg even en trok toen een pruilmondje. 'Jason, je wilt toch niet eindigen als Cal Taylor?'

'Dat is een slag onder de gordel.' Cal Taylor was een jaar of zestig en hij was al sinds mensenheugenis verkoper bij Entronics, al sinds de tijd dat ze transistorradio's en tweederangs kleurentelevisies verkochten en met Emerson en Kenwood probeerden te concurreren. Hij was een afschrikwekkend voorbeeld en ik hoefde hem maar te zien of er ging al een huivering door me heen, want hij vertegenwoordigde alles waarvan ik eigenlijk wel wist dat ik het misschien ook zou worden. Met zijn witte haar en nicotinegele snor, zijn whisky-adem en zijn rokershoest en altijd dezelfde flauwe grappen was hij mijn persoonlijke nachtmerrie. Hij kon geen kant meer op en diende alleen zijn tijd uit. Op de een of andere manier kon hij zich staande houden dankzij de weinige zwakke connecties die hij in de loop van de jaren had opgebouwd, die paar connecties die hij niet had verwaarloosd. Hij was gescheiden, leefde op kant-en-klaardiners en zat bijna elke avond in een buurtkroeg.

Toen werd haar gezicht milder en tikte tegen haar hoofd. 'Schat,' zei ze zachtjes, bijna paaiend. 'Kijk toch eens naar dit huis.'

'Wat is ermee?'

'We willen toch niet dat onze kinderen hier opgroeien?' zei ze. Haar adem stokte even. Ze keek plotseling verdrietig. 'Er is geen ruimte om te spelen. We hebben nauwelijks een tuin.'

'Ik heb de pest aan grasmaaien. Trouwens, toen ik een kind was, hadden we helemaal geen tuin.'

Ze zweeg en wendde haar ogen af. Ik vroeg me af waaraan ze dacht. Als ze verwachtte ooit weer in een landhuis te wonen, was ze met de verkeerde man getrouwd.

'Kom nou, Jason, waar is je ambitie gebleven? Toen ik je leerde kennen, was je een en al enthousiasme. *The sky is the limit.* Weet je nog wel?'

'Zo gedroeg ik me alleen om jou met me te laten trouwen.'

'Ik weet dat je dat niet meent. Je hebt de ambitie; je wéét dat je die hebt. Maar in de loop van de jaren werd je...' Ik denk dat ze 'dik en tevreden' wilde zeggen, maar in plaats daarvan zei ze: 'Je maakte het je te gemakkelijk. Dat is het. Dit is het moment om je kans te grijpen.'

Ik moest nog steeds aan die documentaire over het Woeste Volk denken. Toen Kate met me trouwde, dacht ze waarschijnlijk dat ik een Yanomami-krijger was die ze tot opperhoofd kon opkweken.

Maar ik zei: 'Ik zal met Gordy praten.' Kent Gordon was de verkoopdirecteur. Hij zat ook in de leiding van de divisie.

'Goed,' zei ze. 'Zeg tegen hem dat je een sollicitatiegesprek eist om promotie te maken.'

'"Eisen" is niet bepaald mijn stijl.'

'Nou, verras hem dan. Laat hem wat agressie zien. Dat vindt hij vast prachtig. Het is doden of gedood worden. Je moet hem laten zien dat je een doder bent.'

'Ja,' zei ik. 'Zou ik via eBay zo'n Yanomami-blaaspijpje kunnen krijgen?'

3

'We zijn verneukt, man,' zei Ricky Festino. 'We zijn zo verneukt.'

Ricky Festino maakte deel uit van wat we de *Band of Brothers* noemden. Hij was verkoper op de divisie Visuele Systemen van Entronics USA. Verkopers worden geacht extravert en joviaal te zijn, mensen die elkaar op de schouders kloppen, ouwe-jongens-krentenbrood. Maar niet Festino. Die was nors, cynisch, bijtend sarcastisch. Het enige waarvoor hij warm kon lopen, waren contracten. Hij was na een jaar met zijn rechtenstudie gestopt, en het enige vak waaraan hij plezier had beleefd, was verbintenissenrecht. Dat zegt wel iets over hem.

Voor zover ik kon nagaan, had hij de pest aan zijn werk en moest hij ook niet veel van zijn vrouw en twee kleine kinderen hebben. Hij bracht zijn jongste zoon elke ochtend naar een particuliere school en coachte het baseballteam van zijn oudste. In theorie was hij dus een goede vader, alleen klaagde hij er altijd over. Ik vroeg me af of hij nog andere drijfveren had dan angst en ergernis, maar wat deed het ertoe? Hij behaalde resultaten.

Ik begreep ook niet waarom hij zo erg op mij gesteld was. In de ogen van Ricky Festino moest ik irritant optimistisch zijn geweest. Hij had een en al minachting voor me moeten hebben. In plaats daarvan beschouwde hij me blijkbaar als het huisdier van de familie, degene die hem echt begreep, een blije golden retriever waarop hij kon mopperen als hij hem uitliet. Soms noemde hij me 'Teigetje', een verwijzing naar Winnie de Poehs levenslustige, onbedwingbare en enigszins domme vriend. Als ik Teigetje was, was hij Iejoor.

'Waarom?' vroeg ik.

'Die overname natuurlijk. Foute boel,' mompelde hij terwijl hij een glanzende klodder antibacteriële handreiniger uit een flacon kneep die hij altijd bij zich had. Hij wreef zijn handen hard over elkaar en ik rook de alcohol. Festino had smetvrees. 'Ik heb net die kerel van CompuMax een hand gegeven, en hij nieste steeds op me.'

CompuMax was een 'systeembouwer', een bedrijf dat goedkope, naamloze computers voor bedrijven assembleerde en verkocht. Ze waren een klant van niks, vooral omdat ze geen geld aan merkcomponenten uitgaven, en Entronics was een te groot merk voor hen. Festino probeerde hun een stel lcd-monitors te verkopen die Entronics niet eens zelf maakte. We hadden ze overgenomen van een tweederangs Koreaanse firma en er gewoon ons logo op gezet. Hij probeerde hen ervan te overtuigen dat als de Entronics-naam op minstens één van hun componenten stond hun systemen duurder en dus begeerlijker leken. Een goed idee, maar CompuMax wilde er niet aan. Ik vond dat Festino het niet goed aanpakte, maar ik mocht me er niet te veel mee bemoeien: het was zijn project.

'Zo langzamerhand snap ik waarom de Jappen denken dat wij westerlingen zo onhygiënisch zijn,' ging Festino verder. 'Die kerel nieste steeds maar weer in zijn handen en wilde me toen een hand geven. Wat kon ik doen, weigeren zijn vieze hand te schudden? Die vent was een wandelende petrischaal. Wil je ook wat?' Hij hield me het plastic flaconnetje voor.

'Nee, dank je, ik red me wel.'

'Verbeeld ik me dit nou of is jouw kamer veel kleiner dan de mijne?'

'Het komt door de inrichting,' zei ik. 'Ze zijn even groot.' Inderdaad leek mijn kamer steeds kleiner. De verkopers van Entronics Visuele Systemen namen de bovenste verdieping in beslag van het Entronics-gebouw in Framingham, zo'n dertig kilometer ten westen van Boston. Het is verreweg het hoogste gebouw van de stad, en het werd omringd door lagere kantoorgebouwen. Een jaar of tien geleden hadden omwonenden zich hevig tegen de bouw verzet. Het is een mooi gebouw, maar het is iedereen in Framingham een doorn in het oog. Een grappenmaker gaf het de bijnaam Framingham Fallus. Anderen noemden het de Entronics Erectie.

Hij leunde achterover in de stoel voor bezoekers. 'Ik zal je wat over die Royal Meister-deal vertellen. De Japanners hebben altijd een groter plan. Ze vertellen je nooit wat dat is, maar er is altijd een groter plan voor de lange termijn. Wij zijn alleen maar die kleine ronde speeldingetjes – hoe heet dat strategiespel ook weer dat de Japanners spelen?'

'Go?'

'Ja, go. En ze maken ons in.' Ik zag donkere zweetvlekken onder de oksels van Ricky's blauwe buttondownoverhemd. In het gebouw van Entronics heerste altijd een temperatuur van twintig graden, zomer en winter, en dat was eerder te koud dan te warm, maar Ricky zweette veel. Hij was een paar jaar ouder dan ik en hij takelde af. Hij had een dikke pens die over zijn riem hing, en boven de boord van zijn te strakke overhemd zat een vetrol. Een paar jaar geleden was hij begonnen zijn haar te verven, en de Just For Men-tint die hij gebruikte was te zwart.

Ik wierp een blik op de tijd van mijn computerscherm. Ik had tegen de man van Lockwood Hotels gezegd dat ik hem voor de middag zou bellen, en het was vijf over twaalf. 'Eh, Rick...'

'Weet je, jij snapt het niet. Jij bent te áárdig.' Hij trok zijn lippen smalend op. 'Entronics neemt de Amerikaanse activiteiten van Royal Meister over, ja? Maar waarom? Denk je dat hun plasmaschermen beter zijn dan de onze?'

'Nee,' zei ik. Ik wilde hem niet aanmoedigen.

Ik zou tegen de man van Lockwood zeggen dat ik een grote order aan het binnenhalen was en dat ik hem daardoor niet eerder kon bellen. Ik wilde niet tegen die man liegen, maar ik zou iets laten doorschemeren over een rivaliserende hotelketen met vijf sterren waarvan ik de naam niet mocht noemen en die ook plasmaschermen in alle kamers installeerde. Als ik het handig deed, kon ik hem misschien laten denken dat het Four Seasons of zoiets was. Misschien liep hij dan wat harder. Misschien ook niet.

'Precies,' zei Ricky. 'Het zijn hun verkópers. Die geven ons het nakijken. De jongens die in de MegaTower in Tokio op hun tatamimatjes zitten, wrijven zich in de handen bij het idee dat ze een verkoopafdeling gaan kopen die het beter doet dan wij. Nou, wat betekent dat? Het betekent dat ze iedereen wegsturen, behalve misschien de beste tien procent, en die plaatsen ze over naar Dallas. Consolideren, heet dat. Kantoorruimte is in Dallas veel goedkoper dan in Boston. Ze verkopen dit gebouw en gooien de rest van ons in de prullenbak. Dat ligt toch voor de hand, Jason? Waarom denk je dat Crawford naar Sony is gegaan?'

Festino was zo trots op zijn machiavellistische genie dat ik hem niet wilde laten weten dat ik dezelfde theorie al had ontwikkeld. Daarom knikte ik en keek ik nieuwsgierig.

Ik zag een slanke Japanse man langs mijn kamer lopen en zwaaide nonchalant. 'Hé, Yoshi,' zei ik. Yoshi Tanaka, een man zonder persoonlijkheid en met dikke glazen in zijn vliegeniersbril, was een *funin-sha*, een Japanner die naar de Verenigde Staten was overgeplaatst om de kneepjes van het vak te leren. Hij was trouwens wel wat meer dan dat. Officieel was hij manager voor businessplanning, maar iedereen wist dat hij in werkelijkheid informant was van het Entronics-management in Tokio. Hij werkte 's avonds lang door en bracht verslag uit per telefoon en e-mail. Hij was hier de ogen en oren van Tokio. Overigens sprak hij nauwelijks Engels, hetgeen zijn spionagewerk niet ten goede zal zijn gekomen.

Iedereen was doodsbang voor hem, maar ik had geen moeite met hem. Eigenlijk had ik medelijden met hem. Het kon niet gemakkelijk zijn om te moeten werken in een land waar je de taal niet sprak, en dan ook nog zonder je gezin – ik nam tenminste aan dat hij in Tokio een gezin had. Ik moest er niet aan denken dat ik in Japan zou werken zonder Japans te spreken. Er ontging je van alles. Je begreep de dingen nooit helemaal. Hij was geïsoleerd, werd buitengesloten door zijn collega's, die hem niet vertrouwden. Geen gemakkelijk baantje. In feite waren het tropenjaren voor hem. Ik deed nooit mee als de anderen hem pestten.

Rick draaide zich om, glimlachte en zwaaide naar Yoshi en mompelde, zodra Yoshi buiten gehoorsafstand was: 'Verrekte spion.'

'Denk je dat hij je heeft gehoord?' zei ik.

'Nee. En zelfs dan zou hij het niet begrijpen.'

'Zeg, Rick, ik had Lockwood al moeten bellen.'

'De pret houdt nooit op. Houden ze je nog aan het lijntje?'

Ik knikte somber.

'Het is uit, man. Vergeet het maar. Laat ze maar schieten.'

'Een order van veertig miljoen, en jij zegt, vergeet het maar?'

'Die kerel wil alleen kaartjes voor de Super Bowl. Als het zo lang duurt, is de order morsdood.'

Ik zuchtte. Festino was een expert op het gebied van dode orders. 'Ik moet hem bellen.'

'Je bent net een hamster in een tredmolen, man. Wij zijn allemaal hamsters. Elk moment kan er iemand in een witte jas binnenkomen om euthanasie op ons te plegen, en jij blijft maar in die tredmolen draven. Vergeet het, man.'

Ik stond op om hem aan te moedigen dat ook te doen. 'Speel je vanavond?'

Hij stond op. 'Ja. Carol is kwaad op me omdat ik gisteravond met cliënten op stap ging. Ik ben dus toch al uit de gratie. Wat maakt één extra avond dan uit? Tegen wie spelen we vanavond, Charles River?' Ik knikte.

'Dat wordt weer een smadelijke nederlaag voor de Band of Brothers. We hebben geen pitcher. Trevor is klote.'

Ik glimlachte bij de herinnering aan de sleepwagenchauffeur van de vorige avond. 'Ik heb een pitcher.'

'Jij? Jij werpt ook voor geen meter.'

'Ik niet. Een man die bijna prof is geworden.'

'Waar heb je het over?'

Ik bracht hem snel op de hoogte.

Rick kneep zijn ogen halfdicht, en voor het eerst die ochtend glimlachte hij. 'Zeggen we tegen de jongens van Charles River dat hij de nieuwe magazijnbediende is of zoiets?'

Ik knikte.

'Een onreglementaire deelnemer,' zei Rick.

'Precies.'

Hij aarzelde. 'Bij softbal is pitchen anders dan bij baseball.'

'Die man is duidelijk een ongelooflijk goede sportman, Rick. Hij kan vast ook wel hard werpen bij softbal.'

Hij hield zijn hoofd schuin en keek me onderzoekend aan. 'Weet je, Teigetje, jij bent lang niet zo stom als je eruitziet. Nooit gedacht dat je zo sluw kon zijn. Ik ben onder de indruk.'

4

De Lockwood Hotel and Resort Group was een van de grootste ketens van luxehotels ter wereld, maar hun panden waren een beetje beschimmeld en moesten nodig worden opgeknapt. Om met Four Seasons en Ritz-Carlton te concurreren had het management onder andere besloten Bose Wave Radio's en 42-inch flatpanel plasmatelevisies in elke kamer te installeren. Ik wist dat ze ook met NEC en Toshiba praatten.

Ik had op een vergelijking aangedrongen en een van onze schermen naar Lockwoods hoofdkantoor in White Plains, New York, gestuurd, waar het kon worden vergeleken met die van NEC en Toshiba. Blijkbaar had ons product net zo goed gepresteerd als de andere twee, want we waren nog in de running. Jammer genoeg treuzelde de directeur Gebouwenbeheer van Lockwood, Brian Borque, met het doorhakken van de knoop.

Ik vroeg me af of Ricky Festino gelijk had en Borque me alleen aan het lijntje hield vanwege de kaartjes voor de Super Bowl en World Series en de diners bij Alain Ducasse in New York. Ik zou al bijna willen dat hij me uit mijn lijden verloste.

'Hallo, Brian,' zei ik in de headset.

'Daar ben je,' zei Brian Borque. Hij klonk altijd alsof hij blij was van me te horen.

'Ik had je eerder moeten bellen. Mijn schuld.' Ik vertelde hem bijna de leugen over die andere hotelketen, maar ik had niet de moed om daarmee aan te komen zetten. 'Een bespreking liep uit.'

'Geen probleem, man. Hé, ik las vanmorgen iets over jullie in de *Journal*. Worden jullie overgenomen door Meister?'

'Het is andersom. Entronics neemt de Amerikaanse activiteiten van Meister over.'

'Interessant. We hebben ook met hen gepraat, weet je.'

Dat had ik niet geweten. Geweldig, nog een deelnemer aan die eindeloze onderhandelingen. Dat deed me denken aan een oude film die ik in mijn studententijd had gezien: *They Shoot Horses, Don't They?*. Die ging over marathondansers die dansten tot ze erbij neervielen.

'Nou, dat is dan één concurrent minder,' zei ik luchtig. 'Hoe was

Martha's verjaardag? Ben je nog met haar naar Wenen geweest, zoals ze wilde?'

'Nee, ik heb het wat dichter bij huis gezocht. Hé, ik moet volgende week in Boston zijn – heb je zin om naar een wedstrijd van de Sox te gaan?'

'Ja.'

'Kunnen jullie nog steeds van die fantastische plaatsen krijgen?'

'Ik zal doen wat ik kan.' Ik aarzelde. 'Luister eens, Bri.'

Hij hoorde de verandering in mijn toon en was me voor. 'Ik wou dat ik een antwoord voor je had, jongen, maar dat heb ik niet. Geloof me, aan míj ligt het niet.'

'Weet je, Brian, de directie oefent grote druk op me uit om deze deal rond te krijgen. De deal komt in de prognose voor...'

'Kom nou, man, ik heb nooit gezegd dat jullie hem in de prognose konden zetten.'

'Weet ik, weet ik. Het komt door Gordy. Hij zet me onder grote druk. Hij wil dat ik een ontmoeting met jullie president-directeur regel.'

'Gordy,' zei Brian vol walging. Kent Gordon was de directeur Verkoop van Entronics USA, een Six Sigma-fanaat en de agressiefste man die ik ooit had ontmoet. Hij was een meedogenloze, onverbiddelijke intrigant – niet dat daar ooit iets mis mee is – en mijn hele carrière lag in zijn handen. Gordy oefende inderdaad grote druk op me uit voor dit project, want hij oefende druk op iedereen uit voor elk project, en het was dan ook volkomen geloofwaardig dat hij me had gevraagd een ontmoeting van hem en de president-directeur van Lockwood Hotels te regelen. Maar het was niet waar. Gordy had daar niet om gevraagd. Na verloop van tijd zou hij dat misschien nog wel doen, maar hij had het nog niet gedaan. Het was bluf.

'Dat weet ik,' zei ik, 'maar ja, ik kan hem niet zeggen wat hij moet doen.'

'Dat raad ik je ook niet aan.'

'Mijn bazen zijn erg gebrand op deze order, en er zit niet veel schot in, en...'

'Jason, toen ik aan jouw kant van het bureau zat, heb ik die oude truc ook vaak geprobeerd,' zei Brian niet onvriendelijk.

'Hè?' zei ik, maar ik had niet de moed om door te gaan met mijn bluf. Ik legde mijn hand even over mijn gekneusde ribbenkast. Die deed bijna geen pijn meer.

'Zeg, ik wou dat ik je kon vertellen hoe het ervoor staat met deze order, maar dat vertellen ze me niet. Die vergelijking is goed verlopen en jullie prijsstelling ziet er ook goed uit. Ik bedoel, eigenlijk zou ik je dit niet moeten vertellen, maar jullie prijsstelling ziet er bijzónder goed uit. Blijkbaar gebeuren er hogerop dingen waar ze mij buiten houden.'

'Heeft iemand daarboven een favoriet of zoiets?'

'Zoiets, ja. Jason, als ik het hele verhaal kende, zou ik het je vertellen. Je bent een beste kerel, en ik weet dat je je het vuur uit je sloffen hebt gelopen voor deze order, en als het product niet goed genoeg was, zou ik je dat meteen vertellen. Of als de cijfers niet goed waren. Maar dat is het niet. Ik weet niet wat het is.'

Een korte stilte. 'Ik stel je eerlijkheid op prijs, Brian,' zei ik. Onwillekeurig dacht ik weer aan de eiersorteermachine en vroeg ik me af hoe die dingen precies werkten. 'Welke dag kom je volgende week?'

Mijn onmiddellijke chef was een vrouw, hetgeen in dit vak nogal ongewoon is. Ze heette Joan Tureck en ze was regiomanager voor heel New England. Ik wist niet veel van haar privéleven. Ik had gehoord dat ze lesbisch was en in Cambridge met een vrouw samenwoonde, maar ze praatte nooit over haar partner en nam haar ook niet mee naar bedrijfsfeestjes en zo. Ze was een beetje saai, maar we mochten elkaar wel, en op haar rustige manier had ze me altijd gesteund.

Ze was aan het telefoneren toen ik bij haar kwam. Ze was altijd aan het telefoneren. Ze droeg een headset en glimlachte. Alle Entronics-kantoren hebben smalle raampjes aan weerskanten van de deuren, zodat iedereen altijd naar binnen kan kijken. Eigenlijk hebben we geen privacy.

Joan zag me voor haar kamer staan en stak een vinger omhoog. Ik bleef staan wachten tot ze me met een snelle beweging van haar linkerhand liet binnenkomen.

'Heb je vanmorgen met Lockwood Hotels gesproken?' zei Joan. Ze had kort, donkerblond krulhaar met vleugen grijs bij de slapen. Ze gebruikte nooit make-up.

Ik knikte en ging zitten.

'Nog niets?'

'Niets.'

'Zou het tijd worden om er versterkingen bij te halen?'

'Misschien. Ik kan niet bij ze scoren.' Ik had meteen spijt van die seksueel geladen term, maar herinnerde me toen dat het eigenlijk een sportterm was.

'We hebben die order nodig. Als ik iets kan doen...' Ik zag dat ze er ongewoon moe uitzag, bijna uitgeput, met donkerrode wallen onder haar ogen. Ze nam een grote slok koffie uit een poezenmok. 'Wilde je daarover praten?'

'Nee, over iets anders,' zei ik. 'Heb je een paar minuten?'

Ze keek op haar minuscule horloge. 'Ik heb straks een lunch, maar we kunnen praten tot mijn lunchafspraak komt.'

'Dank je. Nou, Crawford is weg,' zei ik.

Ze knipperde met haar ogen, hielp me helemaal niet. 'Vergeet niet dat we na de Meister-overname gaan inkrimpen. Iedereen die geen topprestaties levert, gaat eruit.'

Zoals ik al dacht. Ik beet op mijn onderlip. 'Moet ik mijn bureau al opruimen?'

'Jij hoeft je geen zorgen te maken, Jason. Jij hebt vier jaar achtereen de club gehaald.' De 'club', of 'Club 101', bestond uit de verkopers die minstens 101 procent van hun target hadden gehaald. 'Je bent zelfs verkoper van het jaar geweest.'

'Niet vorig jaar,' merkte ik op. Vorig jaar had die gladde Trevor Allard het gewonnen en een reis naar Toscane gekregen. Hij was met zijn vrouw gegaan en had haar bedrogen met een Italiaans meisje dat hij in Harry's Bar in Venetië had ontmoet.

'Je hebt een slecht vierde kwartaal gehad. Iedereen mist wel eens een kwartaal. Waar het om gaat, is dat mensen kopen van mensen die ze aardig vinden, en iedereen vindt jou aardig. Maar daar kwam je niet over praten.'

'Joan, maak ik een kans om regiomanager te worden?'

Ze keek me verrast aan. 'Serieus?'

'Ja, serieus.'

'Trevor heeft daar al naar gesolliciteerd, weet je. En hij is nogal aan het lobbyen.'

Sommigen noemden hem Teflon Trevor, omdat hij alles kon flikken. Hij deed me een beetje denken aan die glibberige Eddie Haskell in *Leave It to Beaver*, die tv-serie van vroeger. Je merkt wel dat ik veel tijd verspil aan herhalingen van oude tv-series.

'Trevor zou goed zijn. Maar ik ook. Heb ik jouw steun?'

'Ik... ik kies geen partij, Jason,' zei ze aarzelend. 'Als je wilt dat ik een goed woordje voor je doe bij Gordy, wil ik dat best doen; maar ik weet niet hoeveel waarde hij aan mijn aanbevelingen hecht.'

'Dat is alles wat ik vraag. Dat je een goed woordje voor me doet. Dat je tegen hem zegt dat ik een gesprek wil hebben.'

'Dat zal ik doen. Maar Trevor is... misschien meer Gordy's type.'

'Agressiever?'

'Ik denk dat Gordy hem een vleeseter zou noemen.'

Sommige mensen noemden hem dingen die minder vriendelijk waren. 'Ik eet steak.'

'Ik zal een goed woordje voor je doen. Maar ik ga geen partij kiezen. Ik blijf strikt neutraal.'

Er werd op haar deur geklopt. Ze maakte weer dat gebaar met haar vingers.

De deur ging open, en daar stond een lange, knappe man met warrig bruin haar en slaperige bruine ogen. Hij keek haar met een perfecte grijns aan. Trevor Allard was lang en slank en gespierd en arrogant, en hij zag er nog steeds uit als de roeier op de St. Lawrence University die hij nog niet zo lang geleden was geweest. 'Klaar voor de lunch, Joan?' zei hij. 'O, hallo, Jason. Ik had je niet gezien.'

5

KATE WAS AL thuis van haar werk toen ik binnenkwam. Ze lag op de keiharde bank van oma Spencer en las in een verhalenbundel van Alice Adams. Die las ze voor haar leesgroep, negen vrouwen met wie ze vroeger op school had gezeten. Ze kwamen eens per maand bij elkaar om 'literaire' romans van uitsluitend vrouwelijke auteurs te bespreken.

'Ik heb vanavond een wedstrijd,' zei ik toen we elkaar hadden gekust.

'O ja. Het is dinsdag. Ik wilde een tahoerecept uit het *Moosewood Kookboek* proberen, maar je hebt zeker geen tijd?'

'Ik neem wel iets op weg naar het veld,' zei ik meteen.

'Of een sojaburger?'

'Nee, ik red me wel. Echt. Doe geen moeite.'

Kate kon niet bepaald goed koken, en die nieuwe tahoebevlieging was erg slecht nieuws, maar toch vond ik het al heel wat dát ze kookte. Wijlen haar moeder had dat niet gekund. Ze hadden een kokkin in dienst gehad tot het geld op was. Als mijn moeder thuiskwam van een lange werkdag als doktersassistente, maakte ze een grote maaltijd voor pa en mij klaar – meestal 'Amerikaanse chop suey': macaroni met gehakt en tomatensaus. Ik had zelfs nooit gehoord van iemand die een kok of kokkin had, behalve dan in films.

'Nou, ik heb tegen Joan gezegd dat ik een sollicitatiegesprek voor die baan wil hebben,' zei ik.

'O, schat, dat is geweldig. Wanneer is dat gesprek?'

'Nou, ik weet niet eens of Gordy me een sollicitatiegesprek wil afnemen. Hij heeft die baan vast al aan Trevor gegeven.'

'Hij moet toch op zijn minst met je práten?'

'Gordy hoeft helemaal niets.'

'Hij gaat met je praten,' zei ze met overtuiging. 'En dan laat je hem weten hoe graag je die baan wilt hebben en hoe goed je erin zult zijn.'

'Weet je,' zei ik, 'zo langzamerhand wil ik die baan écht. Al is het alleen maar om te voorkomen dat Trevor mijn baas wordt.'

'Ik weet niet of dat de beste reden is, liefste. Mag ik je iets laten zien?'

'Ja.' Ik wist wat het was. Het zou wel een schilderij zijn dat ze had ontdekt, werk van een verarmde 'spontane' kunstenaar in een volslagen primitieve stijl. Dat gebeurde minstens eens per maand. Ze dweepte ermee en ik begreep het niet.

Ze ging naar de hal en kwam terug met een groot kartonnen pak waaruit ze een vierkante doek haalde. Ze hield hem met grote stralende ogen omhoog. 'Is het niet geweldig?'

Zo te zien was het een schilderij van een kolossale zwarte huurkazerne met heel kleine mensjes die eronder verpletterd werden. Een van die kleine mensjes was in een blauwe vuurbal aan het veranderen. Bij een ander kwam een bel uit de mond en daarin stond: 'Ik word onderdrukt door de schuld van de kapitalistische maatschappij.' Overdreven grote biljetten van honderd dollar, met vleugels, zweefden door een babyblauwe hemel en boven alles stonden de woorden 'God zegene Amerika'.

'Zie je hoe briljant dit is? Dat ironische "God zegene Amerika"?

Dat fallische gebouw dat de schuld vertegenwoordigt en dat al die kleine mensen verplettert?'

'Zie jij er een fallus in?'

'Kom nou, Jase. Die gigantische fysieke aanwezigheid, die technologische trots.'

'Goed, dat zie ik,' zei ik. Ik probeerde het te laten klinken alsof ik het meende.

'Dit is een geschilderde verhaaldeken van een Haïtiaanse kunstenares, Marie Bastien. Ze was heel bekend in Haïti en ze is kortgeleden met haar vijf kinderen naar Dorchester verhuisd. Ze is een alleenstaande moeder. Ik denk dat ze de volgende Faith Ringgold zou kunnen zijn.'

'O ja?' zei ik. Ik had geen idee over wie ze het had.

'De helderheid van haar kleuren doet me aan Bonnard denken. Maar dan met het rauwe, simpele modernisme van Jacob Lawrence.'

'Hmm,' zei ik met een blik op mijn horloge. Ik pakte de American Express-rekening van de salontafel en maakte hem open. 'Heel mooi,' zei ik. Ik keek naar de rekening en zette grote ogen op. 'Jezus.'

'Is het erg?' zei ze.

'Ik word onderdrukt door de schuld van de kapitalistische maatschappij,' zei ik.

'Hoe erg is het?' zei Kate.

'Erg,' zei ik. 'Maar ik verander niet in een blauwe vuurbal.'

6

HET ZOU JE moeite kosten een fanatieker stelletje baseballers te vinden dan het verkoopteam van Entronics USA. We waren allemaal geselecteerd op competitiviteit, zoals bepaalde soorten pitbulls op valsheid worden gefokt. Het kon de onderneming niet schelen of de verkopers erg slim waren – er zaten heus geen geleerden bij. Ze namen graag sporters in dienst, in de veronderstelling dat die hardnekkig waren en van competitie hielden. Misschien waren ze het ook gewend om gestraft en mishandeld te worden. De niet-sporters onder ons waren extraverte, vriendelijke types, in hun schooltijd voorzitter van de leerlingenvereniging, daarna actief in het studentenleven. Daar hoorde ik ook bij. Schuldig aan alle aanklachten. Ik zat in de Happy Hour-commissie van de Universiteit van Massachusetts.

Je zou dus verwachten dat met al die sporters ons softbalteam geweldig goed zou zijn.

In werkelijkheid bakten we er niks van.

De meesten van ons verkeerden in een erbarmelijke conditie. We gingen de hele tijd lunchen en dineren met cliënten, aten er goed van, dronken veel bier en hadden geen tijd voor lichaamsbeweging. De enigen die in vorm waren gebleven, waren Trevor Allard, onze pitcher, en Brett Gleason, onze shortstop, het prototype van de grote domme sporter. Allard en Gleason waren goede vrienden die veel met elkaar optrokken. Ze speelden elke donderdagavond basketbal met elkaar.

Het werd als niet cool beschouwd om al te serieus te doen over onze softbalwedstrijden. We hadden geen tenue, tenzij je de T-shirts met ENTRONICS – BAND OF BROTHERS meerekende die iemand had laten maken en bijna niemand ooit droeg. We leverden allemaal een bijdrage om een scheidsrechter vijftig dollar te betalen, als hij beschikbaar was. Soms waren we het er niet over eens of iemand safe was, en of een bal foul was, maar die woordenwisselingen waren nooit van lange duur en dan gingen we verder met spelen.

Maar ja, niemand vindt het leuk om te verliezen, zeker niet zulke fanatieke types als wij.

Die avond speelden we tegen de regerende kampioen van onze bedrijvencompetitie, Charles River Financial, een gigantische beleggingsmaatschappij. Hun team bestond bijna geheel en al uit traders, allemaal pas afgestudeerd, allemaal tweeëntwintig jaar oud en meer dan een meter tachtig, en de meesten hadden baseball gespeeld op een gerenommeerde universiteit. Charles River nam ze jong in dienst, kauwde ze fijn en spuwde ze uit, en voor hun dertigste waren ze verdwenen, maar intussen konden ze een verdomd goed softbalteam in het veld zetten.

De vraag was niet of we zouden verliezen, maar hoe erg ze de vloer met ons zouden aanvegen.

We speelden elke dinsdagavond op het veld van Stonington College, dat zorgvuldig werd onderhouden, veel beter dan wij nodig hadden of verdienden. Het zag eruit als Fenway. Het gras van het outfield was turkooisgroen en weelderig, perfect gemaaid; de rode aarde van het infield, een soort mengeling van klei en zand, was goed aangeharkt; de foullijnen waren wit en scherp.

De jonge dekhengsten van Charles River arriveerden allemaal tegelijk in hun Porsches, BMW's en Mercedes cabrio's. Ze hadden een echt tenue, een witte jersey met dunne streepjes zoals de New York Yankees hadden, met op de voorkant CHARLES RIVER FINANCIAL in letters met grote lussen, en ze hadden rugnummers. Ze hadden ook Vexxum-3 Long Barrel-knuppels van aluminium en composietmateriaal, Wilson-handschoenen en zelfs bijpassende DeMarini-tassen. Ze leken professionals. We haatten ze zoals een Sox-fan de Yankees haat, diep en onherroepelijk en irrationeel.

Toen de wedstrijd aan de gang was, dacht ik helemaal niet meer aan de chauffeur van de sleepwagen. Blijkbaar was hij de wedstrijd ook vergeten.

Het was algauw een felle wedstrijd. Allard gaf zeven runs weg – vier daarvan een grand slam van Charles Rivers teamcaptain, een effectentrader die Mike Welch heette en op Derek Jeter leek. Onze mannen waren zichtbaar gespannen. Ze deden te veel hun best, mikten dus niet op honkslagen maar bleven hard uithalen voor homeruns, met natuurlijk als gevolg dat ze pop-ups sloegen. Verder was er de gebruikelijke serie fouten – Festino die tegen een fielder botste, waardoor hij uit was, en twee worpen van Allard die werden afgekeurd omdat hij zijn voet niet op het rubber had.

Volgens onze regels wint een team als het na vier complete innings tien runs voor staat. Aan het eind van de derde inning stonden de dekhengsten van Charles River met 10-0 voor. Ons moreel was naar een dieptepunt gezakt.

Onze manager, Cal Taylor, zat uit een flesje Jack Daniel's te drinken dat slecht verborgen zat in een veelgebruikte papieren zak. Hij rookte Marlboro's en schudde zijn hoofd. Ik denk dat hij alleen maar manager was geworden om gezelschap te hebben terwijl hij dronk. Ergens in de buurt bulderde een motor, die dichterbij kwam, maar ik schonk er niet veel aandacht aan.

Toen zag ik in het avondlicht een lange man in een leren jasje met een mullet het veld op lopen. Het duurde even voor ik de sleepwagenchauffeur van de vorige avond herkende. Hij stond daar enkele minuten te kijken hoe we verloren, en in de rust ging ik naar hem toe.

'Hé, Kurt,' zei ik.

'Hé.'

'Kom je spelen?'

'Zo te zien kunnen jullie wel een extra speler gebruiken.'

Iedereen vond het goed, behalve natuurlijk Trevor Allard. We vroegen om een time-out en gingen allemaal om Cal Taylor heen staan. Kurt bleef eerbiedig op een afstand.

'Hij is geen werknemer van Entronics,' zei Trevor. 'Je mag niet spelen als je geen geldig personeelsnummer hebt. Dat zijn de regels.'

Ik wist niet of Trevor alleen maar zo pedant was als altijd, of dat hij had gehoord dat ik ook in aanmerking wilde komen voor de promotie waarvan hij waarschijnlijk had gedacht dat hij hem al in zijn zak had zitten.

Festino, die Trevor graag mocht stangen, zei: 'Nou en? Als ze protesteren, zegt hij gewoon dat hij op contract werkt en niet wist dat hij niet mocht spelen.' Hij gebruikte de pauze om de flacon Purell tersluiks uit zijn zak te halen en zijn handen schoon te maken.

'Op contract?' zei Trevor vol walging. 'Híj?' Alsof er net een zwerver van de straat het veld op was komen wandelen, stinkend naar goedkope jajem en zes maanden lichaamsgeur. Trevor droeg lange cargoshorts en een verbleekte Red Sox-pet, zo'n pet die al verbleekt is als je hem koopt, en hij had hem natuurlijk achterstevoren op zijn hoofd. Verder droeg hij een halssnoer van kleine schelpjes, een Rolex, hetzelfde soort Rolex als Gordy had, en een T-shirt met LIFE IS GOOD.

'Vraag je die jongens van Charles River ooit naar hun legitimatiebewijs?' zei Festino. 'Hoe weten we dat zij ook geen onreglementaire deelnemers hebben, bijvoorbeeld uit de lagere teams van de Yankees?'

'Of een zekere Vinny uit de postkamer,' zei Taminek, een lange, magere kerel die verkoop binnendienst deed. 'Trouwens, bij Hewlett-Packard hebben ze altijd onreglementaire deelnemers.'

'Hé, Trevor, je maakt toch geen bezwaar omdat die kerel een pitcher is?' jende Gleason zijn teamgenoot. Hij was een lobbes met olifantenoren, een vierkante kin, gemillimeterd blond haar en spierwitte bijters die veel te groot waren voor zijn mond. De laatste tijd had hij een borstelig sikje dat op schaamhaar leek.

Trevor trok een kwaad gezicht en schudde zijn hoofd, maar voordat hij nog iets kon zeggen, zei Cal Taylor: 'Zet hem erin. Trevor, jij gaat naar twee.' En hij nam een slok uit zijn papieren zak.

Het enige wat we hoefden te zeggen, was 'nieuw personeelslid'. Er werden geen vragen gesteld. Kurt zag er niet uit als een lid van de Band of Brothers, maar voor zover het team van Charles River wist, kon hij een software engineer zijn. Of iemand uit de postkamer.

Kurt zou als derde aan slag zijn – niet als vierde, zoals in een echt baseballteam, maar als derde, want zelfs in zijn whiskyversuffing begreep Cal Taylor dat drie slagmannen waarschijnlijk driemaal uit betekende, en we wilden de nieuwe man een kans geven om te laten zien wat hij kon. En misschien ons hachje te redden.

Taminek stond op het eerste honk, en de volgende slagman was uit, toen het Kurts beurt was om te slaan. Ik zag dat hij niet aan warming-up deed maar in plaats daarvan rustig stond te kijken hoe de pitcher van Charles River, hun captain Mike Welch, het deed. Alsof hij in het clubhuis naar video's stond te kijken.

Hij ging op de plaat staan, maakte een paar oefenzwaaien met zijn gehavende oude aluminium knuppel en sloeg de bal naar left-center. De bal vloog over de omheining en onder het gejuich van de jongens renden Taminek en daarna Kurt naar het thuishonk.

Kurts homerunslag had een uitwerking als een elektrische schok. Plotseling scoorden we runs. Aan het begin van de vierde inning hadden we vijf runs. Toen ging Kurt naar de werpheuvel. Hij had een grote, vlezige kerel van Charles River tegenover zich, een zekere Jarvis, een van hun beste slagmannen. Kurt liet een gemene, snoeiharde bal op hem los, en Jarvis sloeg en miste. Hij zette grote ogen op. Je zou niet denken dat een softbal zo hard door de lucht kon vliegen.

Kurt gooide een verbijsterende *rise ball*, en toen een *change up*, en Jarvis was uit.

Festino keek me aan. Hij grijnsde.

Met een onverslaanbare serie *drop curves* en rise balls gooide Kurt nog twee kerels uit.

In de vijfde inning zagen we kans de honken bemand te krijgen, en toen was het Kurts beurt om te slaan. Hij zwaaide deze keer met links en mepte de bal opnieuw ergens de stad in. De voorsprong van Charles River was nu teruggebracht tot één run.

In de zesde inning sloeg Kurt ze uit, een twee drie, en toen was het onze beurt om te slaan. Ik merkte dat Trevor Allard niet meer over onze onreglementaire deelnemer klaagde. Hij sloeg een double, Festino een single, en toen ik aan slag was, stonden we twee runs voor. Ten slotte, aan het eind van de zevende inning, had Kurt hun eerste slagman uit gegooid en had de tegenstander twee runs gemaakt – alleen vanwege ons belabberde veldspel. Toen raakte hun slagman Welch een langzame grondbal. Kurt ving hem op, gooide hem snel naar het tweede honk, waar Allard hem ving, op het honk stapte en hem naar het eerste gooide. Taminek ving hem en hield hem omhoog: de derde uit. Een *double play*, en we hadden zowaar onze eerste overwinning sinds prehistorische tijden behaald.

Alle jongens verdrongen zich om Kurt, die bescheiden zijn schouders ophaalde, nonchalant glimlachte en niet veel zei. Iedereen praatte en lachte hard en uitbundig. We raakten niet uitgepraat over de wedstrijd en herleefden het double play dat een eind aan de wedstrijd had gemaakt.

Het was een onschendbare traditie dat onze tegenstanders na elke wedstrijd met ons naar een bar of restaurant gingen om te eten en bier en tequila te drinken, maar nu zagen we de jonge kerels van Charles River met een nors gezicht naar hun Duitse auto's lopen. Ik riep naar hen, maar Welch zei zonder zich om te draaien: 'Deze keer niet.'

'Kijk ze eens afdruipen,' zei Taminek.

'Nog niet van de schok bekomen,' zei Festino.

'Schok en ontzag,' zei Cal Taylor. 'Waar is onze beste speler?'

Ik keek om me heen en zag Kurt naar het parkeerterrein lopen. Ik rende achter hem aan en nodigde hem uit om met ons mee te gaan.

'Nee, jullie zijn waarschijnlijk liever op jezelf,' zei hij. Ik zag dat Trevor bij zijn zilverkleurige Porsche met Gleason stond te praten. Die stond bij zijn Jeep Wrangler Sahara, met de kap omlaag.

'Welnee,' zei ik. 'Het gaat heel losjes toe. Geloof me, die kerels willen heel graag wat met je drinken.'

'Ik drink niet meer, man. Sorry.'

'Nou ja, wat anders dan. Cola light. Kom op.'

Hij haalde zijn schouders weer op. 'Weet je zeker dat jullie het niet erg vinden?'

7

Ik voelde me alsof ik Julia Roberts had meegebracht naar een auditie voor een schooltoneelstuk. Plotseling was ik het goudhaantje en koesterde ik me in de weerschijn van de roem. We zaten met zijn allen om een langgerekte tafel in het Outback Steakhouse, vijf minuten rijden van het veld vandaan, en we waren allemaal nog ondersteboven van de overwinning die ons uit de vergetelheid had teruggehaald. Sommigen bestelden bier, en Trevor vroeg om een *single* malt whisky die Talisker heette, maar omdat de serveerster niet wist waar hij het over had, nam hij genoegen met een Dewar's. Kurt keek me met een blik van verstandhouding aan: wat een lul was die Trevor! Of misschien verbeeldde ik me dat. Kurt wist niet dat Gordy ook single malts dronk en dat Trevor alleen maar bij de baas in het gevlij probeerde te komen, al was de baas er helemaal niet bij.

Kurt bestelde ijswater. Ik aarzelde en deed toen hetzelfde. Iemand bestelde twee Bloomin' Onions en wat Kookaburra Wings. Festino ging naar de wc en veegde zijn handen aan zijn overhemd af toen hij terugkwam. 'God, wat heb ik de pest aan die vieze handdoekrollen,' zei hij met een huivering. 'Die eindeloze, van bacillen vergeven lus van fecale bacteriën. Alsof ze ons kunnen wijsmaken dat die handdoek maar één keer rondgaat.'

Brett Gleason hief zijn pul bier en toostte op 'onze beste speler'. Hij zei: 'Jij hoeft in deze stad nooit meer voor je drank te betalen.'

'Waar kom je vandaan?' vroeg Taminek.

'Michigan,' zei Kurt met een sluwe grijns.

'Ik bedoel... heb je op een college gespeeld of zo?'

'Nooit naar een college geweest,' zei Kurt. 'In plaats daarvan bij het leger gegaan, en daar spelen ze niet veel softbal. Tenminste niet in Irak.'

'Je bent in Irak geweest?' zei een van onze hoogste managers, Doug Forsythe, een lange, slanke man met een bos bruin haar en een spuuglok.

'Ja.' Kurt knikte. 'En in Afghanistan. Alle populaire toeristenplaatsen. Bij de Special Forces.'

'Hebben jullie mensen gedood?' vroeg Gleason.

'Alleen schurken,' zei Kurt.

'Heb jij zelf iemand gedood?' vroeg Forsythe.

'Alleen een paar kerels die te veel vragen stelden,' zei Kurt. Iedereen lachte, behalve Forsythe, en toen lachte die ook mee.

'Cool,' zei Festino. Hij trok sliertjes uit een gedroogde ui en doopte ze in de peperige roze saus voordat hij ze in zijn mond stopte.

'Niet bepaald,' zei Kurt. Hij keek naar zijn glas water en zweeg.

Trevor had zijn BlackBerry tevoorschijn gehaald en draaide aan het wieltje om te kijken of er iets was binnengekomen. Intussen nam hij slokjes van zijn Dewar's. Toen keek hij op en zei: 'Hoe kennen jullie elkaar?'

Ik kromp ineen. De mobiele telefoon, de Acura die op zijn kant in de greppel lag – het ware verhaal kon blijvende schade aan mijn reputatie toebrengen.

'Wederzijdse belangstelling voor auto's,' zei Kurt.

Ik vond die kerel steeds sympathieker.

'Auto's?' zei Trevor, maar toen keek Cal Taylor van zijn Jack Daniel's op – een pas ingeschonken glas van de bar – en zei: 'In Vietnam noemden we jullie Slangenvreters.'

'Jij bent nooit dichter bij Vietnam gekomen dan Fort Dix in New Jersey,' zei Gleason.

'Rot op,' gromde Taylor, en hij dronk zijn glas whisky leeg. 'Ik kreeg steenpuisten.'

'Is dat een ander woord voor medailles?' vroeg Forsythe. Daarmee oogstte hij grote hilariteit, en Cal Taylor zong met een lallende tenorstem en lange uithalen de 'Ballade van de Groene Baret'. Hij stond op, hield J.D. zijn glas voor en zong: 'Vandaag stellen wij honderd man op de proef... En slechts één van hen wint de Groene Baret.'

'"Slechts drie,"' verbeterde Gleason.

'Ga zitten, Cal,' zei Trevor. 'Ik denk dat het tijd is om naar huis te gaan.'

'Ik heb mijn eten nog niet op,' gromde Cal.

'Kom op, ouwe,' zei Forsythe, en hij en de rest van de jongens troonden Cal mee naar het parkeerterrein, onder voortdurend protest van Cal zelf. Ze hielden een taxi voor hem aan en beloofden dat iemand zijn auto naar zijn huis in Winchester terug zou brengen.

Toen ze weg waren, keek Kurt me aan en zei: 'Waarom zijn jullie de Band of Brothers? Zijn sommigen van jullie veteranen?'

'Veteranen?' zei ik. 'Wij? Meen je dat nou? Nee, dat is maar een bijnaam. En niet eens zo'n goeie. Ik weet niet meer wie hem heeft bedacht.'

'Zijn jullie allemaal verkopers?'

'Ja.'

'Goed?'

'Wie, ik?'

'Jij.'

'Redelijk goed,' zei ik.

'Ik denk dat jij beter bent dan redelijk,' zei Kurt.

Ik haalde bescheiden mijn schouders op, zoals hij dat ook deed zonder iets te zeggen. Ik heb de neiging om onbewust de mensen met wie ik omga te imiteren.

Toen hoorde ik Trevor zeggen: 'Steadman is goed. Alleen doet hij niet veel zaken meer.' Hij ging weer aan de tafel zitten. 'Nietwaar, Steadman? Hoe lopen de onderhandelingen met Lockwood? Zitten we al in het derde jaar? Het worden misschien wel de langste onderhandelingen sinds de vredesbesprekingen in Parijs.'

'Het ziet er goed uit,' loog ik. 'Hoe gaat het met de Pavilion Group?'

De Pavilion Group bezat een keten van bioscopen. Ze wilden lcdschermen in hun hallen installeren om trailers en reclame te laten zien.

Trevor glimlachte voldaan. 'Dat loopt gesmeerd,' zei hij. 'Ik heb een rendementstest voor ze gedaan en daaruit bleek dat de verkoop van citroenmilkshakes met zeventien procent omhoogging.'

Ik knikte en deed mijn best om niet met mijn ogen te rollen. Citroenmilkshakes.

'Morgen heb ik een gesprek met de president-directeur, maar dat is niet meer dan een formaliteit. Hij wil mijn hand schudden voordat hij het contract tekent. In feite is de zaak al rond.'

'Mooi,' zei ik.

Trevor keek Kurt aan. 'Nou, Kurt, deden jullie aan skydiven en zo?'

'Skydiven?' Kurt herhaalde het woord met een tikje sarcasme. 'Zo zou je het kunnen noemen. Ja, we maakten sprongen.'

'Is dat nou zo moeilijk?' zei Trevor. 'Ik ben een paar keer wezen skydiven. Toen ik was afgestudeerd, ben ik met een stel kerels van mijn dispuut naar Bretagne geweest om daar te gaan skydiven. Wat een kick!'

'Een kick.' Kurt sprak het woord uit alsof het slecht smaakte.

'Er is niks mee te vergelijken, hè?' zei Trevor. 'Wat een kick.'

Kurt leunde in zijn stoel achterover en keek toen Trevor aan. 'Als je op duizend meter hoogte uit een C-141 Starlifter stapt om een sprong diep in vijandelijk territorium te maken, een clandestiene operatie vijfenzeventig kilometer ten oostnoordoosten van Mosul, krijg je daar niet bepaald een kick van. Je draagt tachtig kilo communicatieapparatuur en wapens en munitie, en je wordt verblind door een zuurstofmasker en je maag zit zowat in je keel en je valt met een snelheid van tweehonderdvijftig kilometer per uur.' Hij nam een slokje water. 'Op die hoogte is het zo koud dat je beschermende bril bevriest en aan stukken springt. Je ogen kunnen dichtvriezen. Je kunt hypoxie krijgen en binnen enkele seconden het bewustzijn verliezen. Deceleratietrauma. Ogenblikkelijke dood. Als je je armen en benen niet goed houdt wanneer je een vrije val maakt, sla je misschien over de kop, of je raakt in een spin en het is met je gedaan. Misschien werkt je parachute niet. Zelfs heel ervaren soldaten breken hun nek en gaan dood. En dat gebeurt dan terwijl je nog niet eens wordt bestookt met SAM's en luchtdoelgeschut. Je bent doodsbang, en iedereen die zegt dat hij dat niet is, liegt.'

Trevor kreeg een kleur en keek alsof hij net een klap in zijn gezicht had gehad. Festino wierp me een zijdelingse blik vol plezier toe.

'Evengoed,' zei Kurt, en hij nam de laatste slok van zijn water, 'zal het in Bretagne hartstikke leuk zijn geweest.'

Kurt was een enorm succes.

Forsythe zei: 'Hé, kun je volgende week weer spelen?'

'Ik weet het niet,' zei Kurt.

'Zijn wij te klungelig voor jou? Is dat het?' vroeg Taminek.

'Nee, dat is het helemaal niet,' zei Kurt. 'Maar ik moet 's avonds vaak werken.'

'Wat doe je voor werk?' vroeg Forsythe.

Ik zette me schrap: de sleepwagen, de Acura in de greppel... Maar hij zei: 'Ik rijd voor een vriend van me, die een autoschadebedrijf heeft.'

'We moeten die kerel bij Entronics zien te krijgen,' zei Taminek.

Kurt grinnikte en zei: 'Ja, dat zal wel.'

Uiteindelijk gingen de anderen naar huis en bleven Kurt en ik over.

'Zo,' zei hij. 'De Band of Brothers.'

Ik knikte.

'Goede vrienden?'

Ik haalde mijn schouders op. 'Sommigen.'

'Blijkbaar zijn ze competitief ingesteld.'

Ik kon niet nagaan of hij dat meende. 'Misschien,' zei ik. 'Op het werk wel.'

'Die mooie jongen die tegenover me zat – heette hij niet Trevor? – lijkt me een echte lul.'

'Dat zou je kunnen zeggen.'

'Ik zag hem in zijn Porsche hierheen rijden. Was je baas er vanavond ook?'

'Nee. De meeste kerels die hier vanavond waren, zijn individuele medewerkers.'

'Individuele medewerkers?'

'Verkopers. Ik ben DM, districtsmanager, en Trevor is dat ook, alleen hebben we elk ons eigen territorium.'

'Maar er is competitie tussen jou en hem.'

'Ja, nou, het is ingewikkeld. We zijn allebei op dezelfde promotie uit.' Ik vertelde hem over de onrust van de laatste tijd bij Entronics, de baan van regiomanager die net was vrijgekomen en de problemen die ik met Lockwood Hotels had. Hij luisterde zonder iets te zeggen.

Toen ik klaar was, zei hij: 'Het is niet makkelijk om eenheidcohesie te krijgen als iedereen tegen iedereen vecht.'

'Eenheidcohesie?'

'Weet je, bij de Special Forces werken we in teams van twaalf man. Operationele detachementen, noemen ze dat. A-teams. Iedereen heeft zijn taak; ik was 18C, sergeant-mecanicien. De explosievenman. En we moesten allemaal samenwerken, elkaar respecteren, anders zouden we nooit gevechtsklaar zijn.'

'Gevechtsklaar, hè?' Ik glimlachte bij de gedachte aan het bedrijfsleven als slagveld.

'Weet je wat de echte reden is waarom soldaten bereid zijn in een oorlog te sterven? Denk je dat het iets met vaderlandsliefde te maken heeft? Met familie? Met je land? Welnee, jongen. Het draait allemaal om je team. Niemand wil de eerste zijn die wegloopt. En dus houden we met zijn allen stand.'

'Ik denk dat wij meer een stel schorpioenen in een pot zijn.'

Hij knikte. 'Luister. We voerden een keer een gewapende verkenningsmissie uit bij Musa Qalay in Afghanistan. We zaten achter een van de anticoalitiemilities aan. Het team was opgesplitst en ik had de leiding. We hadden een paar GMV's. Ik heb het nu over niet-tactische voertuigen.'

'GMV's?' Militairen spreken een vreemde taal. Soms heb je een simultaanvertaler nodig om met ze te praten.

'Een aangepaste Humvee. Ground Mobility Vehicle.'

'Oké.'

Plotseling stuitten mijn GMV's op mitrailleurvuur en RPG's.' Hij trok een lichte grimas. '*Rocket-propelled grenades*. Raketgranaten. Een antitankwapen dat vanaf de schouder wordt afgevuurd. Het was een hinderlaag. Mijn voertuig werd getroffen. We zaten in de val. En dus beval ik de chauffeur – mijn goede vriend Jimmy Donadio – het gaspedaal helemaal in te drukken. Niet van de hinderlaag vandaan, maar recht op die mitrailleurstelling af. Toen werd mijn GMV opnieuw door een RPG getroffen. Hij raakte onklaar. De wagen stond in brand. We konden het wel schudden. En dus sprong ik er met mijn M-16 uit en schoot ik op ze tot ik door mijn munitie heen was. Ik doodde ze allemaal. Het moeten er zes zijn geweest.'

Ik keek Kurt gefascineerd aan. Het angstaanjagendste wat ik ooit op mijn werk had meegemaakt, was een prestatiebeoordeling.

'Laat me je wat vragen,' zei Kurt. 'Zou jij dat voor Trevor doen?'

'Met een machinegeweer op hem schieten?' zei ik. 'Daar fantaseer ik soms over.'

'Maar je begrijpt wat ik bedoel?'

Dat wist ik niet zeker. Ik prikte in de Bloomin' Onion, maar at er niets van. Ik voelde me al vettig van al dat vet.

Hij keek me aan alsof hij aanstalten maakte om weg te gaan. 'Mag ik je iets vragen?'

'Ga je gang.'

'Als we ergens werden ingezet, waren onze inlichtingen altijd verreweg ons belangrijkste wapen. De inlichtingen die we over de vijand hadden, bedoel ik. De sterkte van hun eenheden, de locaties van hun kampen, dat soort dingen. Wat voor inlichtingen verzamelen jullie over jullie potentiële klanten?'

Die jongen was slim. Heel slim. 'Ze zijn niet de vijand,' zei ik geamuseerd.

'Goed.' Een bedeesde glimlach. 'Maar je weet wat ik bedoel.'

'Ik denk van wel. We verzamelen de elementaire informatie...' Ik zweeg enkele ogenblikken. 'Eerlijk gezegd niet veel. We gaan zo'n beetje op ons gevoel af, denk ik.'

Hij knikte. 'Zou het niet helpen als jullie wat dieper groeven? Zoals jij nu in de zeik wordt gezet door Lockwood Hotels – wat is daar nu werkelijk aan de hand?'

'Of dat zou helpen om dat te weten? Ja. Maar we kunnen er niet achter komen. Dat is het nou juist. Het is niet leuk, maar het is niet anders.'

Kurt bleef knikken en keek recht voor zich uit. 'Ik ken iemand die vroeger op de beveiligingsafdeling van de Lockwood-keten werkte. Misschien zit hij daar nog.'

'Een bewaker?'

Kurt glimlachte. 'Hij heeft een tamelijk hoge functie op hun hoofdkantoor. Dat is in New York of New Jersey of zoiets.'

'White Plains, New York.'

'Veel Special Forces-kerels gaan de bedrijfsbeveiliging in. Als je me nu eens wat namen noemt en wat informatie geeft. Je vertelt me met wie je te maken hebt. Dan zal ik zien of ik iets voor je aan de weet kan komen. Een beetje inlichtingenwerk, nietwaar?'

Kurt Semko had me al een paar keer verbaasd, en dus was het misschien niet zo vergezocht, dacht ik, dat die sleepwagenchauffeur die uit de Special Forces was geschopt het fijne te weten kon komen over Brian Borque, het hoofd Gebouwenbeheer van Lockwood Hotels. Het was niet zo vreemd dat er een netwerk was van ex-Special Forcesmannen die nu in het bedrijfsleven werkten. Waarom ook niet? Ik gaf hem wat informatie en schreef Brian Borques naam op een servet. Kurt had ook een e-mailadres – dat heeft iedereen tegenwoordig – en ik noteerde dat.

'Oké, man,' zei Kurt. Hij stond op en legde zijn grote hand op mijn schouder. 'Niks geen dank. Ik bel je als ik iets te weten kom.'

Toen ik thuiskwam in de Geo Metro die Enterprise Rent-A-Car die ochtend had gebracht, was het al vrij laat. Kate sliep.

Ik ging in onze kleine gezamenlijke studeerkamer achter de computer zitten om mijn e-mail te bekijken, zoals ik altijd deed voor ik naar bed ging. Internet Explorer was geopend. Dat betekende dat Kate de computer had gebruikt, en uit zinloze nieuwsgierigheid klikte ik op 'vorige' om te zien waar ze aan het browsen was geweest. Ik vroeg me af of Kate ooit naar porno keek, al leek dat me verschrikkelijk onwaarschijnlijk.

Nee. De laatste website waar ze was geweest, heette Realtor.com, en daar had ze naar huizen in Cambridge gekeken. En geen goedkope ook. Huizen van een miljoen, twee miljoen in de Brattle Streetwijk.

Vastgoedporno.

Ze keek naar huizen die we ons nooit zouden kunnen veroorloven, niet van mijn inkomen. Ik voelde me beroerd voor haar en voor mijzelf.

Toen ik mijn e-mailberichten opriep, vond ik het rapport over Lockwood dat ik had opgesteld, en ik stuurde het door naar Kurt. Toen keek ik vlug de mailtjes door – mededelingen van de ziektekostenverzekering, vacatures, eindeloos veel personeelsberichten – en vond een bericht van Gordy dat hij na kantoortijd had verstuurd.

Hij wilde dat ik de volgende morgen om acht uur op zijn kantoor 'langskwam'.

8

De wekker ging om vijf uur af, een uur eerder dan gewoonlijk. Kate kreunde, draaide zich om en trok een kussen over haar hoofd. Ik stond zo zachtjes mogelijk op, ging naar beneden en zette het koffiezetapparaat aan, en terwijl dat pruttelde, nam ik een snelle douche. Ik wilde minstens een uur voor mijn gesprek met Gordy op de zaak zijn, dan kon ik mijn accounts doornemen en alle cijfers op een rijtje zetten.

Toen ik onder de douche vandaan kwam, zag ik dat het licht in de slaapkamer brandde. Kate zat in haar roze ochtendjas beneden aan de keukentafel koffie te drinken.

'Je bent vroeg op,' zei ze.

Ik gaf haar een kus. 'Jij ook. Sorry als ik je wakker heb gemaakt.'

'Je was laat thuis.'

'De softbalwedstrijd, weet je nog wel?'
'Jullie zijn daarna iets wezen drinken?'
'Ja.'
'Jullie verdriet verdronken?'
'Hoe ongelooflijk het ook is: we hebben gewonnen.'
'Hé, dat is iets nieuws.'
'Ja, nou, het kwam door die Kurt die voor ons speelde. Die speelde iedereen van het veld.'
'Kurt?'
'De chauffeur van de sleepwagen.'
'Hè?'
'Ik heb je toch verteld over die kerel die me een lift naar huis gaf toen de Acura kaduuk was?' Die ging helemaal vanzelf kaduuk. Ik had daar namelijk niks mee te maken.
'Van de Navy SEAL's.'
'Nou, eigenlijk van de Special Forces, maar inderdaad. Die kerel. Hij is helemaal echt. Hij is alles wat Gordy en al die andere zogenaamde harde kerels spelen dat ze zijn. Die zitten in hun Aeron-stoelen en praten over de keiharde wereld waarin we leven, en dat we de concurrentie moeten uitschakelen. Maar Kurt is echt. Hij heeft echt mensen gedood.'
Ik besefte dat ik haar alles vertelde behalve het enige waar ik me druk om maakte: het gesprek dat ik over een paar uur met Gordy zou hebben. Ik wist niet of ik haar daar wel over wilde vertellen. Ze zou me waarschijnlijk alleen maar nerveus maken.
'Vergeet niet dat Craig en Susie vanavond bij ons komen eten.'
'Is dat vanavond?'
'Dat heb ik je al duizend keer verteld.'
Ik maakte een geluid tussen zuchten en kreunen in. 'Hoe lang blijven ze?'
'Twee nachten maar.'
'Waarom?'
'Hoezo, waarom? Waarom maar twee nachten?'
'Waarom komen ze naar Boston? Ik dacht dat Los Angeles het paradijs op aarde was. Dat zegt Craig altijd.'
'Hij is net in het curatorium van Harvard benoemd, en hij heeft morgen zijn eerste vergadering.'
'Hoe kan hij in het curatorium van Harvard zitten? Hij is nu een

Hollywood-man. Waarschijnlijk heeft hij helemaal geen das meer.'

'Hij is niet alleen een vooraanstaande oud-student, maar ook een belangrijke donateur. Ze hechten waarde aan zulke dingen.'

Toen Susie en Craig elkaar ontmoetten, was hij nog maar een arme, noodlijdende schrijver. Hij had een paar verhalen gepubliceerd gekregen in bladen met namen als *TriQuarterly* en *Ploughshares* en doceerde Verklarend Schrijven aan Harvard. Hij was nogal snobistisch, en Susan vond dat waarschijnlijk wel prettig, maar ze was echt niet van plan om in nette armoede te gaan leven, en ik denk dat hij er al vrij gauw achter kwam dat hij het in de literatuur nooit tot iets zou brengen. Daarom verhuisden ze naar Los Angeles, waar een medestudent van Craig uit Harvard hem aan allerlei mensen voorstelde. Hij begon scenario's voor comedyseries te schrijven. Uiteindelijk kreeg hij een opdracht om iets voor *Everybody Loves Raymond* te doen, en daarmee verdiende hij goed geld. Toen creëerde hij die succesvolle serie, en binnen de kortste keren was hij ongelooflijk rijk.

En nu gingen Susie en hij met Brad en Angelina op vakantie naar St. Barths, en Susie wisselde regelmatig roddelverhalen uit met Katie: welke filmsterren heimelijk homo waren en wie er in een ontwenningskliniek zaten. Ze hadden een groot huis in Holmby Hills en dineerden bijna dagelijks met beroemdheden. En dat liet hij me telkens weer weten.

Ze stond op en schonk nog een kop koffie voor zichzelf in. 'Susie gaat met Ethan naar Boston – de Freedom Trail, dat soort dingen.'

'Ze snapt het niet, hè? Ethan interesseert zich niet voor Paul Revere. Misschien wel voor het Salem Witch Museum, maar ik denk niet dat ze de echt zieke dingen laten zien waar hij zich voor interesseert.'

'Ik vraag alleen maar van je dat je aardig voor ze bent. Jij kunt hartstikke goed met Ethan opschieten, al snap ik niet goed waarom. Maar dat stel ik op prijs.'

'Waarom logeren ze eigenlijk bij ons?'

'Omdat ze mijn zus is.'

'Je weet dat ze weer aan de lopende band gaan klagen over de badkamer en het douchegordijn, en dat het water van de douche op de vloer komt, en dat we het verkeerde koffiezetapparaat hebben, en waarom we geen Peet's Sumatra-koffiebonen hebben...'

‘Dat kun je ze niet kwalijk nemen, Jason. Ze zijn een hogere levensstandaard gewend.’

‘Dan kunnen ze misschien beter in het Four Seasons logeren.’

‘Ze willen bij ons logeren,’ zei ze op besliste toon.

‘Misschien is het nuttig voor Craig om van tijd tot tijd met eenvoudige mensjes in contact te komen.’

‘Heel grappig.’

Ik ging naar de kast met de dozen ontbijtpap en keek naar de deprimerende inhoud: weinig calorieën, veel vezels. Fiber One en Kashi Go Lean en andere naargeestige dozen vol takjes en draadjes jute. ‘Hé, schat?’ zei ik met mijn rug naar haar toe, ‘heb je naar huizen gekeken?’

‘Waar heb je het over?’

‘Op de computer. Ik zag dat je op een huizenwebsite hebt gekeken.’

Geen antwoord. Ik koos de doos die er het minst walgelijk uitzag, een moeilijke keuze, en zette hem met tegenzin op de tafel. In de koelkast hadden we op dat moment alleen taptemelk. Nog niet één procent vet. Ik heb de pest aan taptemelk. Melk moet niet blauw zijn. Ik zette het pak melk ook op de tafel.

Kate keek aandachtig naar haar kopje en roerde met een lepel in de koffie, alsof ze zich afvroeg of er nog iets in moest. ‘Een meisje mag toch wel dromen?’ zei ze ten slotte met haar sensuele Veronica Lakestem.

Ik had medelijden met haar, maar ik ging er niet verder op in. Want wat zou ik kunnen zeggen? Blijkbaar had ze meer van me verwacht toen ze met me trouwde.

We hebben elkaar ontmoet op de bruiloft van wederzijdse vrienden, waar we allebei tamelijk dronken werden. Een jongen die ik van DKE, mijn studentenhuis, kende, trouwde met een meisje dat met Kate op Exeter zat. Kate had Exeter in haar derde jaar moeten verlaten omdat haar familie bankroet ging. Ze ging naar Harvard, maar met een beurs. Haar familie probeerde alles geheim te houden, zoals dat soort families doen, maar iedereen kwam uiteindelijk toch achter de waarheid. Er zijn gebouwen in Boston waar de naam van haar familie op staat, maar zij moest de vernedering ondergaan de laatste twee jaar van haar studie op een openbare universiteit in Wellesley door te brengen. (Terwijl ik, een jongen uit Worcester die als eerste van zijn familie ging studeren, zoon van een metaalarbeider, amper wist wat een particuliere school was.)

Op de bruiloft zaten we naast elkaar en papte ik meteen met die mooie meid aan. Ze leek me een beetje pretentieus: een literatuurstudente van Harvard die alle Franse feministes las – in het Frans natuurlijk. Ze leek me beslist te hoog gegrepen voor mij. Als we niet allebei dronken waren geweest, zou ze me misschien helemaal geen aandacht hebben geschonken, al zei ze later dat ze mij de aantrekkelijkste man op de bruiloft vond, en ook de grappigste en charmantste. En wie kon haar dat kwalijk nemen? Blijkbaar vond ze al mijn verhalen over mijn werk heel grappig: ik werkte nog maar net als verkoper bij Entronics en was nog niet opgebrand. Ze vond het mooi dat ik zo van mijn werk hield. Ze zei dat ik een verademing was, heel anders dan haar kruidnagelsigaretten rokende, cynische vrienden. Waarschijnlijk praatte ik te lang door over mijn carrièreplan, over het geld dat ik na vijf jaar, na tien jaar zou verdienen. Maar ze liet zich erdoor charmeren. Ze zei dat ze me 'echter' vond dan de mannen met wie ze meestal omging.

Blijkbaar stoorde ze zich niet aan mijn lompe fouten, bijvoorbeeld dat ik een keer bij vergissing uit haar waterglas dronk. Ze legde me de van-droog-naar-nat-regel van het tafeldekken uit: water en wijn rechts van je bord en brood en droge dingen links. En ze vond het ook niet erg dat ik zo belabberd danste – dat vond ze wel grappig, zei ze. Toen we voor de derde keer met elkaar uitgingen en ik haar bij mij thuis uitnodigde, zette ik de *Bolero* van Ravel op, en ze lachte, want ze dacht dat het ironie was. Wat wist ik ervan? Ik dacht dat de *Bolero* klassieke versiermuziek was, zoiets als Barry White.

Ik was dus geboren met een plastic lepel in mijn mond, en het was duidelijk dat Kate me niet om mijn geld trouwde – ze kende genoeg rijke mannen in de kringen waarin ze verkeerde – maar ik denk dat ze wel van me verwachtte dat ik voor haar zou zorgen. Ze had net een verhouding gehad met een hoogleraar van haar universiteit, meteen nadat ze was afgestudeerd, een pompeuze maar aantrekkelijke en belangrijke hoogleraar Franse Literatuur op Harvard, van wie ze ontdekte dat hij tegelijk met twee andere vrouwen naar bed ging. Ze vertelde me later dat ze me 'nuchter' en onpretentieus vond, de tegenpool van die schuinsmarcheerder van haar arrogante vaderfiguur van een hoogleraar met zilverig haar. Ik was een charismatische zakenman die gek op haar was en haar een veilig gevoel zou geven of haar op zijn minst de financiële zekerheid zou bezorgen die ze wilde. Ze kon kinderen grootbrengen en iets vaag artistieks doen, bijvoorbeeld tuinarchitectuur of literatuur doceren op Emerson College. Dat was de afspraak. We gingen voor drie kinderen en een groot huis in Newton, Brookline of Cambridge.

Het was niet de bedoeling dat ze in een koloniaal huis van honderdvijfendertig vierkante meter in het goedkope deel van Belmont zou wonen.

'Hoor eens, Kate,' zei ik ten slotte na een moment van stilte. 'Ik heb vanmorgen een gesprek met Gordy.'

Ze begon te stralen. Ik had haar in geen weken zo zien glimlachen. 'Nu al? O, Jason. Wat is dat geweldig.'

'Maar ik denk dat Trevor de baan in zijn zak heeft zitten.'

'Jason, je moet niet zo negatief denken.'

'Het is realistisch denken. Trevor heeft er campagne voor gevoerd. Hij heeft zijn chefs Gordy laten bellen om hem te vertellen hoe graag ze willen dat Trevor die baan krijgt.'

'Daar kijkt Gordy vast wel doorheen.'

'Misschien. Maar hij heeft graag dat ze zijn hielen likken. Daar kan hij geen genoeg van krijgen.'

'Waarom doe jij dan niet hetzelfde?'

'Ik heb daar een hekel aan. Het is laag-bij-de-gronds. Het is ook gluiperig.'

Ze knikte. 'Zulke dingen hoef je niet te doen. Je moet hem gewoon laten zien hoe graag je die baan wilt hebben. Wil je een omelet?'

'Een omelet?' Bestond er zoiets als een tahoe-omelet? Waarschijnlijk wel. Tahoe en roerei, wed ik. Dat kon vies worden.

'Ja. Je hebt je eiwitten nodig. Ik doe er wat Canadese bacon in. Gordy wil graag dat zijn mannen vleeseters zijn, he?'

9

Op weg naar kantoor deed ik een cd in de dashboardgleuf van de gehuurde Geo Metro. Die cd kwam uit mijn enorme verzameling bandjes en cd's met motiverende lezingen van de grote spreker en trainingsgoeroe Mark Simkins.

Ik had deze cd, *Wees een winnaar*, misschien wel al vijfhonderd keer gehoord. Ik kon hele stukken woord voor woord citeren, inclusief Mark Simkins' nadrukkelijke, zangerige stem, zijn nasale Midwesternaccent, zijn bizarre, haperende woordkeuze. Hij leerde me dat ik nooit, nóóit, de woorden 'kosten' of 'prijs' moest gebruiken als ik met een klant praatte. De term was 'totale investering'. Ook 'contract' was een angstaanjagend woord; je moest over 'papieren' of 'overeenkomst' praten. En je moest een potentiële klant nooit vragen een overeenkomst te 'tekenen' – je 'bevestigde' een en ander of 'ging akkoord met' de overeenkomst. Maar hij leerde je vooral dat je in jezelf moest geloven.

Soms luisterde ik alleen naar de cd's om mezelf op te peppen, om mijn rug te rechten, om me een tequila-dosis zelfvertrouwen te geven. Het was of Mark Simkins mijn persoonlijke coach was die me toejuichte in de privacy van mijn auto, en voor mijn gesprek met Gordy had ik al het zelfvertrouwen nodig dat ik kon krijgen.

Tegen de tijd dat ik in Framingham aankwam, zat ik boordevol cafeïne – ik had de extragrote reisthermosfles meegenomen – en was ik een en al energie. Toen ik over het parkeerterrein liep, reciteerde ik bij mezelf een paar favoriete teksten van Mark Simkins als een soort mantra: 'Geloof voor de volle honderd procent in jezelf, en alle anderen kunnen niets anders doen dan je volgen.'

En: 'Verwacht dat er goede dingen gaan gebeuren.'

En: 'Het enige wat telt, is het aantal keren dat je succes hebt. Hoe vaker je faalt en het blijft proberen, hoe vaker je succes zult hebben.' Dat was voor mij een soort zen-koan. Ik herhaalde hem steeds weer om te proberen de wijsheid te doorgronden. Nog steeds wist ik niet precies wat Simkins ermee bedoelde, maar ik herhaalde die woorden steeds weer bij mezelf, telkens wanneer een order niet doorging, en dan voelde ik me beter.

Ach, ik zou wel zien.

Gordy liet me maar liefst twintig, vijfentwintig minuten voor zijn kantoor wachten. Hij liet mensen altijd wachten. Dat was een machtsspelletje, en je raakte eraan gewend. Ik zag hem door de ruit heen en weer lopen met zijn headset op, onder het maken van wilde gebaren. Ik zat daar in een leeg kamertje naast zijn secretaresse, Melanie, een lieve, aantrekkelijke vrouw, erg lang en met lang bruin haar, een paar jaar ouder dan ik. Ze verontschuldigde zich meermalen – dat leek me haar totale functieomschrijving, zich verontschuldigen bij iedereen die hij liet wachten – en bood aan koffie voor me te halen. Ik zei nee. Nog meer cafeïne en ik raakte in een baan om de aarde.

Melanie vroeg me hoe de wedstrijd de vorige avond was verlopen, en ik vertelde dat we hadden gewonnen, maar sprak met geen woord over onze onreglementaire deelnemer. Ze vroeg me hoe het met Kate ging, en ik vroeg naar haar man Bob en hun drie leuke kinderen. We praatten een paar minuten over van alles, totdat haar telefoon ging.

Kort voor halfnegen ging Gordy's deur open en kwam hij met zijn volle lichaamsomvang zijn kamer uit. Zijn beide dikke armen waren verwelkomend naar voren gestoken, alsof hij me wilde omhelzen. Gordy, die er min of meer als een berenjong uitziet, maar dan niet zo lief, is iemand die graag zijn armen om je heen slaat. En als hij dat niet doet, legt hij zijn arm op je schouder.

'Steadman,' zei hij. 'Hoe gaat het, kerel?'

'Hé, Gordy,' zei ik.

'Melanie, wil je mijn vriend Steadman wat koffie brengen?'

'Heb ik al aangeboden, Kent,' zei Melanie. Ze was de enige op kantoor die hem bij zijn voornaam noemde. De rest van ons was in feite vergeten dat hij een voornaam had.

'Water?' zei hij. 'Cola? Whisky?' Hij legde zijn hoofd in zijn nek en bulderde met open mond van het lachen.

'Doe maar whisky met ijs,' zei ik. 'Het ontbijt der kampioenen.'

Hij bulderde weer van het lachen, sloeg zijn arm om mijn schouders en trok me zijn enorme kantoor in. In zijn ramen, die van vloer tot plafond reikten, zag je een turkooisgroene oceaan met palmbomen, en de golven die tegen het smetteloos witte zand beukten. Een schitterend uitzicht, mooi genoeg om je te laten vergeten dat je in Framingham was.

Gordy liet zich in zijn ergonomische bureaustoel zakken en leunde achterover, en ik ging in de stoel tegenover hem zitten. Zijn bureau was een belachelijk grote rechthoek van zwart marmer en hij hield het fanatiek schoon. Op dat bureau had hij alleen een gigantische, 30-inch Entronics *flatpanel* lcd-monitor en een blauwe map, waarvan ik aannam dat het mijn personeelsdossier was.

'Zo, man,' zei hij met een lange, tevreden zucht. 'Dus je wilt promotie.'

'Ja,' zei ik, 'en dan zal ik je wat laten zien.'

Geloof voor de volle honderd procent in jezelf, en alle anderen kunnen niets anders doen dan je volgen, reciteerde ik in stilte.

'Ongetwijfeld,' zei hij, en het klonk niet ironisch. Blijkbaar meende hij het, en dat verbaasde me. Zijn bruine oogjes keken me strak aan. Sommigen van ons in de Band of Brothers – niet Trevor of Gleason, die beruchte stroopsmeerders waren – zeiden van Gordy's ogen dat het 'kraaloogjes' waren, of 'frettenoogjes', maar op dat moment leken ze me warm en vochtig en oprecht. Zijn ogen zaten diep in hun kassen onder een laag cro-magnonvoorhoofd. Hij had een groot hoofd, een onderkin en een rood gezicht dat me aan een geglazuurde ham deed denken, met diepe acneputjes in de wangen. Zijn donkerbruine haar – hij was ook een Just For Men-slachtoffer, nam ik aan – was hoog opgekamd. Soms kon ik me hem voorstellen als het dikke schooljongetje dat hij geweest moest zijn.

Hij boog zich nu naar voren en keek in mijn dossier. Onder het lezen bewogen zijn lippen een heel klein beetje. Als hij met zijn dikke hand een bladzijde omsloeg, ving je een glimp op van zijn manchetknoop met monogram. Alles wat hij droeg, was gemonogrammeerd met KG in grote letters.

Hij had geen enkele reden om mijn dossier in mijn bijzijn te lezen, behalve om mij te ergeren. Dat wist ik. Daarom herhaalde ik in stilte bij mezelf: 'Verwacht dat er goede dingen gaan gebeuren.'

Ik keek in de kamer om me heen. In een hoek had hij een golfputter in een mahoniehouten standaard naast een puttingmat van kunstgras. Op een plank van zijn kast stond een fles achttien jaar oude Talisker single malt whisky, waarover hij graag mocht opscheppen dat het de enige whisky was die hij dronk. Zo ja, dan moet hij een flinke bres in de wereldvoorraad daarvan hebben geslagen, want hij dronk een heleboel.

'Je jaarlijkse beoordelingen zijn helemaal niet slecht,' zei hij.

Uit de mond van Gordy was dat een groot compliment. 'Dank je,' zei ik. Ik keek naar de branding die tegen het oogverblindend witte zand sloeg, de palmbomen die in de milde bries deinden, de meeuwen die rondcirkelden en naar het azuurblauwe water doken. Gordy had het nieuwste Entronics QD-OLED prototype PictureScreen in zijn ramen laten installeren, en de resolutie en kleuren waren perfect. Je kon de high-definition videolus naar meer dan tien scènes laten overschakelen, en die waren allemaal beter dan het uitzicht op het parkeerterrein. Gordy hield van de oceaan – hij had een veertien meter lange Slipstream-catamaran in de jachthaven van Quincy liggen – en in zijn achtergrondfilms zag je dus altijd de Atlantische of Stille Oceaan of de Caribische Zee. Het PictureScreen was een grote doorbraak in de displaytechnologie, en het was van ons. Het kon in elk formaat worden gemaakt, en het scherm was flexibel, zodat je het kon oprollen als een poster. Bovendien was er nergens een beter, helderder beeld verkrijgbaar. Klanten en potentiële klanten die Gordy in zijn kamer bezochten, waren altijd verbaasd, en niet alleen omdat hij zo'n pompeuze lul was. Evengoed was het wel vreemd als je om zeven of acht uur 's morgens Gordy's kamer binnenkwam en het Caribische zonlicht op het midden van de dag zag.

'Drie jaar geleden was je Verkoper van het Jaar, Steadman,' zei hij. 'En je hebt vier jaar achtereen de Club gehaald.' Hij liet een lage fluittoon horen. 'Hou je van Grand Cayman?'

De Caymaneilanden waren een van de bestemmingen waar de onderneming je heen stuurde als je Verkoper van het Jaar werd. 'Je kunt er fantastisch duiken,' zei ik.

'Duiken naar dollars.' Hij hield zijn hoofd achterover, deed zijn mond open en lachte geluidloos.

'Ik vind het indrukwekkend dat je UPS die *self-keystoning* projectors kon verkopen. Ze wilden compressietechnologie, en wij hebben geen compressietechnologie.'

'Ik heb ze verkocht op toekomstige compatibiliteit.'

'Booya,' zei hij. Een stopwoord van hem. Het betekende zoiets als 'goed werk'.

Dat was Gordy's manier om mensen te feliciteren. Hij was te aardig, en daardoor voelde ik me niet op mijn gemak. Ik had zijn gebruikelijke frontale aanval verwacht.

'Morgan Stanley?' zei hij.

'Die hebben een verzoek om offertes lopen, maar ze willen niet met me praten. Dat moet intern werk zijn. Ik ben alleen maar voer voor de cijferkolommen.'

'Dat denk ik ook,' zei hij. 'Ze willen alleen maar kijken wat de concurrentie doet. Stuur ze hun rottige verzoek terug.'

'Ik ga het ze niet makkelijk maken,' zei ik.

Zijn glimlach trok zijn ene mondhoek omhoog, waardoor hij iets duivels kreeg.

'En heeft Federal Express al iets van zich laten horen?'

'Federal Express wil een stel lcd-projectors voor zijn logistieke centrum. Ze willen het weer en dat soort dingen laten zien, vierentwintig uur per dag, zeven dagen per week. Ik heb het in Memphis voor ze gedemonstreerd.'

'En?'

Ze houden me aan het lijntje. 'Ze kijken naar Sony, Fujitsu, NEC en ons. Ze laten ons het uitvechten.'

'Ze beslissen natuurlijk op grond van de laagste prijs.'

'Ik probeer op kwaliteit en betrouwbaarheid te verkopen. Een betere investering op de langere termijn, je kent dat wel. Ik denk dat we dertig procent kans hebben om te winnen.' Dat was een volslagen hallucinatie.

'Zoveel kans, hè?'

'Dat is mijn inschatting. Maar ik zou er geen prognose van willen maken.'

'Albertson is niet doorgegaan,' zei hij, en hij schudde bedroefd met zijn hoofd. Albertson is de op één na grootste supermarktketen in het land. Ze hebben duizenden supermarkten, drogisterijen en benzinestations, en ze wilden digitale berichtgeving invoeren in een stel van hun winkels. Dat zou hebben betekend dat er een 15-inch flatpanel lcd-scherm bij elke kassarij kwam – dan hoefde je de *National Enquirer* niet te lezen en in het rek terug te zetten – en 42-inch plasmaschermen in de hele winkel. Ze noemden het een 'netwerk' dat 'onze klanten tijdens hun bezoeken aan de winkels van relevante informatie en oplossingen zal voorzien'. Vertaling: reclame. Een briljant idee: ze zouden niet eens voor de apparatuur hoeven te betalen. Alles zou worden geïnstalleerd door een tussenpersoon, een bedrijf dat SignNetwork heette en dat al die dingen aankocht en in winkels installeerde. Op de schermen zou reclame voor Walt Disney-video's, Kodak en

Huggies-luiers te zien zijn. In mijn contacten met Albertson en SignNetwork had ik geprobeerd hen ervan te overtuigen dat het voordelig was om een beetje meer te betalen voor extra kwaliteit en zo. Vergeefs.

'Ze zijn met NEC in zee gegaan,' zei ik.

'Waarom?'

'Wil je de waarheid weten? Jim Letasky. Dat is de topverkoper van NEC, en hij heeft de SignNetwork-account zo ongeveer in zijn zak zitten. Ze willen geen zaken doen met andere ondernemingen. Ze zijn gek op die man.'

'Ik ken Letasky.'

'Aardige vent,' zei ik. Jammer genoeg. Ik wou dat ik hem kon haten, want hij steelt zoveel klandizie van ons, maar ik heb hem een paar jaar geleden op de Consumentenelektronicabeurs ontmoet en hij was geweldig. Ze zeggen dat mensen kopen van mensen die ze aardig vinden; toen we iets hadden gedronken, was ik er al bijna aan toe om een paar NEC-plasma's van Jim Letasky te kopen.

Hij zweeg weer. 'En Lockwood zeurt maar door als syfilis. Ben je daar ook voer voor de cijferkolommen?'

'Ik weet het niet.'

'Je geeft het toch niet op?'

'Opgeven? Ik?'

Hij glimlachte. 'Dat is niets voor jou, hè?'

'Nee.'

'Laat me je wat vragen, Steadman. Ik hoop dat je het niet erg vindt als ik een beetje persoonlijk word. Heb je huwelijksproblemen?'

'Ik?' Ik schudde mijn hoofd, maar werd onwillekeurig rood. 'Het gaat geweldig goed tussen ons.'

'Is je vrouw ziek of zo?'

'Ze maakt het prima.' Ik bedoelde: waar bemoei je je mee?

'Heb jij misschien kanker?'

Ik glimlachte vaag en zei rustig: 'Ik verheug me in een goede gezondheid, Gordy, maar bedankt voor de belangstelling.'

'Wat is dan je probleem?'

Ik zweeg, zoekend naar het beste antwoord dat me voor ontslag kon behoeden.

'Vier jaar achtereen haal je Club 101. En daarna? Daarna ben je Festino.'

'Wat bedoel je?'
'Je komt niet tot zaken.'
'Dat is niet zo, Gordy. Ik was Verkoper van het Jaar.'
'Op een grote markt voor plasma's en lcd's. Als het tij opkomt, gaan alle boten omhoog.'
'Mijn boot kwam hoger.'
'Is je boot nog zeewaardig? Dat is de vraag. Neem nou het afgelopen jaar. Ik begin me af te vragen of je het soms niet meer in je hebt. Dat gebeurt soms met verkopers op dit punt in hun carrière. De vonk dooft. Heb je het vuur nog in je binnenste?'
Dat heette brandend maagzuur, en ik voelde het op dat moment.
'Het is er nog,' zei ik. 'Weet je, ze zeggen wel eens dat het er alleen maar om gaat hoeveel keren je succes hebt. Hoe vaker je faalt en het blijft proberen, des te vaker heb je succes.'
'Ik wil dat zweverige geouwehoer van Mark Simkins hier niet horen,' zei hij kwaad. 'Die kerel lult uit zijn nek. Hoe vaker je faalt, des te meer accounts raak je kwijt.'
'Ik geloof niet dat hij dat bedoelt, Gordy,' begon ik.
'Verwácht dat er goede dingen gaan gebeuren,' zei hij met een onverwacht goede imitatie van Mark Simkins, ergens tussen Mister Rogers en dominee Billy Graham in, als je je dat kunt voorstellen. 'Nou, in de echte wereld waarin wij hier leven verwacht ik elke dag dat de stront me om de oren vliegt, en daarom draag ik altijd een rubberen poncho én overschoenen, als je begrijpt wat ik bedoel. Zo werkt dat in de echte wereld, niet in dat Sprookjesland van Simkins. Nou, jij en Trevor Allard en Brett Gleason willen een vergelijking? Jullie willen kijken wie de meeste buit binnenhaalt? Wie de toekomst heeft en wie geschiedenis is?'
Geschiedenis. 'Trevor had vorig jaar geluk. Hyatt begon in het groot in te kopen.'
'Steadman, luister, en luister goed: je maakt je eigen geluk.'
'Gordy,' zei ik, 'je hebt hem het afgelopen jaar de betere accounts gegeven. Je gaf Trevor alle lekkere bonbons, en mij die met de roze kokos in het midden.'
Hij keek abrupt naar me op. Zijn frettenogen glinsterden. 'En er zit een gat in de ozonlaag, en je bent bij je geboorte verwisseld, en heb je nog méér excuses, nu we toch bezig zijn?' Zijn stem werd steeds luider; hij schreeuwde nu bijna. 'Laat me je wat vertellen. We krij-

gen de wind van voren uit Tokio, en we weten niet eens wat voor wind het is! En als ik hier de verkeerde man promotie geef, staat míjn hachje op het spel!'

Ik wilde zeggen: Hé, ik wil die stomme promotie helemaal niet. Ik wil alleen maar naar huis en een biefstuk eten en het met mijn vrouw doen. Maar plotseling had ik beseft dat ik die baan verdomd graag wilde. Misschien wilde ik de baan niet zozeer hébben als wel kríjgen. Daarom zei ik: 'Je zou geen fout maken.'

Hij glimlachte weer, en ik had nu echt de pest aan die gemene glimlachjes van hem. 'Het is hier *survival of the fittest*, weet je?'

'Ja, dat weet ik.'

'Maar soms moet je de evolutie een handje helpen. Dat is mijn werk. Ik geef promotie aan de *fittest*. Ik maak de zwakken af. En als je deze baan krijgt, moet je in staat zijn mensen te ontslaan. Dood hout weg te kappen. Ballast overboord te gooien. Zou jij Festino kunnen ontslaan?'

'Ik zou hem eerst op een plan zetten.' Met een prestatieplan liet de onderneming je weten dat je het beter moest doen of dat je anders kon vertrekken. Meestal was het een ingewikkelde manier om een papieren spoor te maken en daarmee van je af te komen, maar soms kon je erbovenop komen.

'Hij zit al op een plan, Steadman. Hij is dood hout, en dat weet jij ook. Als jij de baan krijgt, kun je hem dan ontslaan?'

'Als het moet,' zei ik.

'Als een lid van je team niet presteert, haal jíj je targets niet. Eén zwakke schakel en we hebben er allemaal van te lijden. Ik ook. Vergeet niet: in een team bestaat geen "ik".'

Ik beperkte me tot peinzend knikken.

'Weet je, Steadman, je mag niet sentimenteel zijn. Je moet bereid zijn je opoe onder een bus te duwen om je targets te halen. Allard zou dat doen. Allard heeft dat in zich. En Gleason ook. Maar jij?'

Zeker, ik zou Allards opoe onder een bus duwen. Ik zou Allard onder een bus duwen. En Gleason ook.

'Mijn opoe is dood,' zei ik.

'Je weet wat ik bedoel. Mensen motiveren om de heuvel voor je te beklimmen is niet hetzelfde als een tas dragen.' *Een tas dragen* – dat betekende bij ons verkopen.

'Dat weet ik.'

'O ja? Heb je het vuur in je binnenste? Het killersinstinct? Kun je je team aanvuren?'

'Ik kan doen wat nodig is,' zei ik.

'Laat me je een vraag stellen. In wat voor auto ben je vandaag naar je werk gereden, Steadman?'

'Nou, het is een gehuurde...'

'Geef nou gewoon antwoord op de vraag. Wat voor auto?'

'Een Geo Metro, maar dat is omdat...'

'Een Geo Metro,' zei hij. 'Een Geo. Metro.'

'Gordy...'

'Ik wil je dat hardop horen zeggen, Steadman. Zeg: "Ik ben vandaag in een Geo Metro naar mijn werk gereden."'

'Ja.'

'Zeg het, Steadman.'

Ik ademde hoorbaar uit. 'Ik ben vandaag in een Geo Metro naar mijn werk gereden omdat...'

'Goed. En zeg nu: "En Gordy reed in een Hummer." Heb je dat?'

'Gordy...'

'Zeg het, Steadman.'

'Gordy reed in een Hummer.'

'Juist. Dringt er iets tot je door? Laat me je horloge zien, Steadman.'

Ik keek er onwillekeurig naar. Het was helemaal geen gekke Fossil, voor zo'n honderd dollar gekocht in de kiosk in de Prudential Mall. Met tegenzin hield ik mijn linkerhand naar voren.

'Kijk nu eens naar het mijne, Steadman.' Hij bracht snel zijn linkerpols omhoog en trok zijn manchet weg om een kolossale, opzichtige Rolex te laten zien, van goud en bezet met diamanten, met drie kleinere wijzerplaten op de grote. Een smakeloos ding, vond ik.

'Mooi horloge,' zei ik.

'Kijk nu naar mijn schoenen, Steadman.'

'Ik geloof dat ik het wel begrijp, Gordy.'

Ik zag dat hij naar zijn deur keek. Hij stak zijn duimen op naar iemand die daar was. Ik keek om en zag Trevor voorbijlopen. Trevor glimlachte naar me, en ik glimlachte terug.

'Ik betwijfel of je dat weet,' zei hij. 'De hoogste zestig procent van het verkoopteam haalt zijn targets. En dan heb je de extra goede presteerders, ja? De Club. En dán heb je de allerbesten met het hoogste octaangehalte. De vleeseters. Zoals Trevor Allard. Zoals Brett Gleason. Ben jij een vleeseter, Steadman?'

'Half doorbakken,' zei ik.

'Heb jij het killersinstinct?'

'Moet je dat nog vragen?'

Hij keek me aan. 'Laat het me zien,' zei hij. 'De volgende keer dat ik je zie, wil ik horen hoe je met een van je grote accounts tot zaken bent gekomen.'

Ik knikte.

Zijn stem werd zacht en vertrouwelijk. 'Weet je, ik ben een groot voorstander van GARD's, Steadman.' Hij sprak het uit als 'gods'. Het was een afkorting van 'grote afschuwelijke rotdoelstellingen'. Hij had ergens een artikel gelezen waarin uit een of ander boek werd geciteerd. 'Heb jij de capaciteiten om een GARD te realiseren?'

'Ze kunnen me niet afschuwelijk en rottig genoeg zijn,' zei ik om hem te laten weten dat ik wist wat die afkorting betekende. 'Absoluut.'

'Speel je om te spelen of speel je om te winnen?'

'Om te winnen.'

'Wat is het motto van onze onderneming, Steadman?'

'"Vind de toekomst uit."' Wie wist nou wat dat betekende? Was het de bedoeling dat wij verkopers de toekomst uitvonden? Ze vonden dingen uit in Tokio, in alle stilte, en stuurden het spul dan naar ons om het te verkopen.

Hij stond op om te kennen te geven dat ons gesprekje voorbij was, en ik stond ook op. Hij liep om het bureau heen en sloeg zijn arm om mijn schouders. 'Je bent een beste kerel, Jason. Een hele beste kerel.'

'Dank je.'

'Maar ben je goed genoeg voor het G-team?'

Het duurde even voor ik besefte dat die G een afkorting van Gordy was. 'Je weet dat ik goed genoeg ben,' zei ik.

'Laat me dat killersinstinct zien,' zei hij. 'Maak ze af.'

Melanie keek me meelevend aan toen ik uit Gordy's kamer gestrompeld kwam, het natuurlijke daglicht in. Nou ja, het was grijs en bewolkt en buiten begon het te regenen. In het Caribisch gebied was het veel mooier, maar ik hield meer van de echte wereld.

Op de terugweg naar mijn eigen kamer zette ik mijn mobieltje weer aan. Het ding maakte dat snelle, indringende geluid om te laten weten dat ik een bericht had. Ik keek bij de binnengekomen telefoontjes en herkende het nummer niet. Toen belde ik de voicemail en hoorde een boodschap van iemand wiens stem ik niet meteen herkende. 'Yo, Jason,' zei een knarsende stem. 'Ik heb wat informatie voor je over die kerel van Lockwood Hotels.'

Kurt Semko.

Zodra ik in mijn kamer was, belde ik hem terug.

10

'DIE MAN HEET Brian Borque, hè?' zei Kurt.

'Ja?' Ik voelde me nog verdoofd van de klappen die Gordy me met zijn psychische gummiknuppel had toegediend.

'Mijn maat werkt nog bij de beveiliging van Lockwood, en hij heeft wat voor me geïnformeerd,' zei Kurt. 'Moet je horen: die Brian Borque van jou en zijn verloofde zijn net terug van Aruba, hè?'

'Ja?' Ik herinnerde me vaag dat hij zo'n anderhalve week niet op kantoor zou zijn. Hij ging ergens heen waar het warm was.

'Eersteklas tickets heen en terug, vijfsterrenhotel. Al zijn onkosten werden vergoed. En raad eens door wie?'

'Wie?'

'Hitachi.'

Ik zweeg enkele ogenblikken. Het begon me te dagen. 'Shit,' zei ik.

Kurts antwoord was een langzaam, hees grinniklachje. 'Misschien verklaart dat waarom hij jou aan het lijntje houdt.'

'Ja. En hij neemt me al een jaar in de zeik met die order. God, wat kan ik me daar kwaad over maken.'

'Een hebzuchtig type, hè?'

'Ik had het kunnen weten. Hij vroeg steeds om Super Bowl-kaartjes en alles wat hij verder nog van me los kon krijgen, en al die tijd ben ik alleen maar het meisje dat hij erbij heeft, want hij ligt in bed met Hitachi. Hij was nooit van plan iets van ons te kopen. Oké. Bedankt, man. Nu weet ik het tenminste.'

'Niks geen dank. Nou... wat ga je eraan doen?'

'Als het niet tot een order komt, verbreek je het contact; dat is hier de regel. Ik verbreek het contact en ga verder.'

'Dat zou ik niet doen. Ik begrijp niet waarom je het nu zou opgeven. Want weet je, er is nog iets anders wat je misschien niet weet.'

'Wat dan?'

'Het schijnt dat ze bij Lockwood Hotels het beleid hebben dat personeelsleden geen cadeaus met een waarde van meer dan honderd dollar van een klant of leverancier mogen aannemen.'

'Hebben ze dat beleid?'

'Daarom weet mijn vriend bij de beveiliging ervan.'

'Je bedoelt dat Borque in de problemen zit?'

'Nog niet. Er wordt een onderzoek ingesteld. Die trip naar Aruba was vijf- of zesduizend dollar waard. Je zou toch zeggen dat hij daarmee het beleid van zijn bedrijf schond, nietwaar?'

'Wat moet ik daarmee doen? De man chanteren?'

'Nee, man. Je kunt hem van zijn ethische dilemma verlossen. Je leidt hem van de verleiding vandaan. Je... neemt Borque op de vork.' Hij grinnikte weer. 'En dan heb je het voor elkaar.'

'Hoe?' zei ik.

Ik belde Brian Borque, maar kreeg zijn voicemail en vroeg hem me zo gauw mogelijk terug te bellen.

Intussen keek ik naar mijn e-mail en werkte me door de gebruikelijke nutteloze bedrijfsberichten heen. Eén onderwerptitel trok mijn aandacht. Meestal negeer ik de vacatures. Per slot van rekening heb ik al een baan, en als er iets vrijkomt in mijn divisie, hoor ik daarvan voordat ze e-mails versturen. Maar in dit geval ging het om een vacature voor een beveiligingsfunctionaris. Het bericht was diezelfde dag verzonden.

Ik keek het vlug door. '... diverse taken te verrichten, zoals het waarborgen van de fysieke veiligheid in de vestiging, en tevens op alle noodgevallen te reageren, inclusief problemen met veiligheid, gezondheid, explosieven en vuur,' stond er. 'In aanmerking komen kandidaten met high school diploma of GED-certificaat, goede communicatieve vaardigheden en ervaring met fysieke beveiliging.' De voorkeur werd gegeven aan 'personen met recente militaire ervaring, bijvoorbeeld bij de militaire politie... Aantoonbaar leiderschap en ervaring met handvuurwapens zijn een pluspunt.'

Ik herinnerde me wat Taminek in de Outback had gezegd: 'We moeten die kerel bij Entronics zien te krijgen.'

Een interessant idee.

Ik liet de vacature in de inbox van mijn e-mail staan.

Omdat het wachten op Brian Borques telefoontje me nerveus maakte, stond ik op om mijn benen te strekken. Ik liep vlug door de gang om te kijken hoe de technisch marketing-engineer, Phil Rifkin, een demo aan het voorbereiden was die ik over een paar dagen moest geven.

Phil Rifkin was een typische audiovisuele nerd, de freak van de afdeling. Hij had een technische opleiding en was volkomen vertrouwd met alle lcd-projectors en lcd- en plasmaschermen van Entronics. Hij ondersteunde de verkopers, beantwoordde stomme vragen, leerde ons alles over de nieuwste producten en zorgde ervoor dat het demomateriaal uit onze werkplaats kwam. Soms ging hij mee als een verkoper een demo ging geven, bijvoorbeeld als de verkoper niet goed met een product kon werken of als het een heel belangrijke klant was. Hij was ook onze eigen technische goeroe wanneer klanten vragen hadden die wij niet konden beantwoorden.

Rifkin werkte op wat we het plasmalab noemden, al werd daar niet alleen met plasmaschermen gewerkt. Het was een lange, smalle, raamloze kamer. De muren waren bedekt met plasma- en lcd-schermen. De vloer was een wirwar van snoeren en kabels en grote spoelen, waar iedereen steeds weer over struikelde. Ik klopte op de deur van het lab, en hij maakte hem vlug open, alsof hij op me had gewacht.

'O – hallo, Jason.'

'Hallo, Phil. Ik demonstreer vrijdagmorgen de 42MP5 in Revere,' zei ik.

'Nou en?' Hij knipperde uilachtig met zijn ogen.

Rifkin was een kleine, magere man met een grote bos kroezend bruin haar. Hij droeg een bril met hoornen montuur en meestal witte overhemden met korte mouwen, twee zakken en een grote boord. Hij hield er vreemde werkuren op na, werkte vaak de hele nacht door en at dan uit automaten.

Het ontbrak Phil volkomen aan sociale vaardigheden. Gelukkig had hij die voor zijn werk niet nodig. In zijn eigen kleine wereldje was hij oppermachtig, een ware tsaar van alle plasma's. Als hij je niet mocht, was er misschien geen plasmascherm beschikbaar dat je aan je nieuwe klant kon tonen. Of hij was niet op tijd klaar met de voorbereidingen. Je moest aardig voor hem zijn, en dat was ik altijd. Ik ben niet achterlijk.

'Kun je ervoor zorgen dat alle kabels er ook op tijd zijn?'

'Componentkabel of RGB of allebei?'

'Alleen component.'

'Zorg wel dat je de unit een paar minuten van tevoren laat opwarmen.'

'Natuurlijk. Denk je dat je hem kunt bijstellen? Om hem helemaal aan de Rifkin-normen te laten voldoen?'

Hij haalde zijn schouders op. Mijn woorden deden hem goed, maar dat wilde hij niet laten blijken. Hij draaide zich om en ik ging achter hem aan naar binnen. Hij ging voor een 42-inch staan die aan de muur hing. 'Ik zie geen enkel probleem,' zei hij. 'Laat de scherpte op vijftig procent. Ik mag rood en blauw graag wat opvoeren en groen terugnemen. Contrast op tachtig procent. Helderheid op vijfentwintig procent. Tint op vijfendertig procent.'

'Begrepen.'

'Zorg dat je de zoomfeature goed laat zien – die functie is veel beter dan bij alle andere plasmaschermen. Veel scherper. Waar is dit eigenlijk voor?'

'De windhondenbaan in Revere. Wonderland.'

'Waarom verspil je daar mijn tijd aan?'

'Ik laat niets aan het toeval over.'

'Maar een windhondenbaan, Jason? Honden die achter een mechanisch konijn aan rennen?'

'Zelfs schenders van dierenrechten houden van een goede monitor. Dank je. Kun je dit vrijdagmorgen voorbereid en in de wagen hebben?'

'Jason, is het waar dat we allemaal naar de Stad van Haat moeten verhuizen?'

'Hè?'

'Dallas. Daar gaat het toch om bij de Royal Meister-overname?'

Ik schudde mijn hoofd. 'Dat heeft niemand me verteld.'

'Dat zouden ze ook niet doen, hè? Niemand vertelt ooit iets aan mensen op ons niveau. We komen er altijd pas te laat achter.'

Toen ik in mijn kamer terug was, ging de telefoon. Ik keek naar de nummerherkenning en zag dat het Lockwood Hotels was.

'Hé, Brian,' zei ik.

'Daar is hij,' zei Brian, uitbundig als altijd. 'Je hebt de Sox-kaartjes, neem ik aan?'

'Daar belde ik niet voor,' zei ik. 'Ik wilde het nog eens met je over de offerte hebben.'

'Je weet dat ik doe wat ik kan,' zei hij. Hij klonk plotseling dof en kortaf. 'Er spelen allerlei factoren mee die ik niet in de hand heb.'

'Ik begrijp het volkomen,' zei ik. Mijn hart sloeg snel. 'Ik weet dat je er alles aan doet om de keuze op ons te laten vallen.'

'Dat weet je,' zei Brian.

'En je weet dat Entronics prijsconcurrentie aangaat met elke redelijke offerte.'

'Zonder enige twijfel.'

Mijn hart bonkte nu en ik had een droge mond. Ik pakte een grotendeels leeg Poland Spring-waterflesje en dronk het helemaal leeg. Het water was warm. 'Natuurlijk zijn er dingen waar wij niet tegenop kunnen,' ging ik verder. 'Zoals die trip van jou en Martha naar Aruba.'

Hij zweeg. En dus ging ik verder: 'Het is moeilijk om te concurreren met iets wat gratis is, weet je.'

Hij zweeg nog steeds. Even dacht ik dat de verbinding was verbroken.

Toen zei Brian: 'Wil je me per FedEx een stel nieuwe contracten sturen? Ik laat ze tekenen en dan heb je ze vrijdag nog op je bureau liggen.'

Ik was stomverbaasd. 'Hé, bedankt, Bri, dat is geweldig. Je bent een rots in de branding.'

'Zeg maar niets,' zei hij rustig.

'Ik stel het op prijs wat je allemaal hebt...'

'Echt waar,' zei hij met een vijandige ondertoon. 'Ik meen het. Zeg maar niets.'

De telefoon ging weer. Het was een particuliere beller, en dat betekende dat het misschien Kate was. Ik nam op.

'Dit zijn de reizen van het ruimteschip *Enterprise*,' zei een stem die ik meteen herkende.

'Graham,' zei ik. 'Hoe gaat het?'

'J-man. Waar heb je gezeten?'

Graham Runkel was een wietroker van wereldklasse die aan Central Square in Cambridge woonde. Hij had een benedenwoning waar altijd een lucht als van een waterpijp hing. We gingen samen naar de middelbare school in Worcester, en toen ik jonger en onverantwoordelijker was, kocht ik soms een pakje marihuana van vijf dollar van hem. De laatste jaren deed ik dat steeds minder, maar nu en dan ging ik naar zijn woning – het Hol van Ongerechtigheid, noemde hij hem – en rookte een joint met hem. Kate keurde dat af, ze vond het puberaal gedrag, en dat was het natuurlijk ook. Marihuana kon dingen met je hersenen doen. Een paar jaar geleden had Graham zijn abonnement op *High Times* opgezegd omdat hij ervan overtuigd was geraakt dat het blad in werkelijkheid werd uitgegeven door de DEA, de federale drugsbestrijdingsorganisatie, om nietsvermoedende hasjrokers in de val te lokken. Na een paar joints vertrouwde hij me eens toe dat de DEA een digitaal *tracking*-apparaatje in het bindwerk van elk nummer verstopte en dat ze daarvoor een uitgebreid *tracking*-systeem met satellieten gebruikten.

Graham was een man met veel talenten. Hij was altijd bezig motoren te herbouwen en sleutelde in de achtertuin van zijn woning aan een Volkswagen Kever uit 1971. Hij werkte in een platenzaak die alleen vinyl verkocht. Hij was ook een 'Trekker', een fan van de oorspronkelijke *Star Trek*-televisieserie, die voor hem het hoogtepunt van cultuur was. Alleen de oorspronkelijke serie – de klassieke *Trek*, zoals ze het noemden; de rest vond hij weerzinwekkend. Hij kende alle verhaallijnen uit zijn hoofd en wist ook alle namen van personages, zelfs de onbelangrijke personages die na één aflevering niet terugkwamen. Hij vertelde me eens dat luitenant Uhura zijn eerste grote liefde was geweest. Hij ging naar veel *Star Trek*-bijeenkomsten, en hij had een schaalmodel van het ruimteschip *Enterprise* in een waterpijp veranderd.

Graham had ook in de gevangenis gezeten, zoals wel meer van mijn vrienden uit de buurt waar ik was opgegroeid. Toen hij begin twintig was, maakte hij een moeilijke tijd door. Om een marihuanadeal af te betalen pleegde hij een paar inbraken, en hij werd gepakt.

In feite was het met Graham zo afgelopen als het met mij zou zijn afgelopen als mijn ouders niet met alle geweld hadden gewild dat ik ging studeren. Zijn ouders vonden studeren geldverspilling en weigerden ervoor te betalen. Hij werd kwaad en verliet de middelbare school aan het begin van zijn laatste jaar.

'Sorry, man,' zei ik. 'Het was een gekkenhuis op mijn werk.'

'Ik heb in geen weken van je gehoord, man. In geen weken. Kom eens naar het Hol van Ongerechtigheid – we roken een joint, worden high en ik laat je zien wat ik aan de Kever heb gedaan. El Huevito.'

'Het spijt me verschrikkelijk, Graham,' zei ik. 'Een andere keer, goed?'

Om een uur of twaalf verscheen Festino in de deuropening van mijn kamer. 'Heb je het nieuws over Teflon Trevor gehoord?' Zijn hele gezicht straalde een onmiskenbaar plezier uit.

'Wat?'

Hij grinnikte. 'Hij had een afspraak met de president-directeur van de Pavilion Group in Natick. Het was de bedoeling dat ze elkaar persoonlijk zouden ontmoeten, elkaar de hand zouden drukken en dan het contract zouden tekenen. Die president-directeur is zo iemand die je nog geen vijf seconden laat wachten. Een echte pietje-precies. Wat denk je dat er gebeurt? Op de snelweg krijgt Trevor een lekke band met zijn Porsche. Hij liep de ontmoeting mis, en de president-directeur was razend.'

'Nou en? We hebben allemaal wel eens autopech gehad. Dus hij belt met zijn mobieltje naar Pavilion om het te vertellen, en ze maken een nieuwe afspraak. Geen probleem. Zulke dingen gebeuren.'

'Dat is nou juist het mooie, Teigetje. Zijn mobieltje begaf het ook. Hij kon niet bellen. Dus de president-directeur en alle anderen zaten daar op Trevor te wachten en hij kwam niet opdagen.' Hij kneep een klodder handreiniger uit de flacon en keek glimlachend naar me op.

'Verschrikkelijk als zoiets gebeurt,' zei ik. Ik vertelde hem dat ik net de Lockwood-zaak rond had gekregen door de Aruba-kaart uit te spelen. Festino keek me opeens op een heel nieuwe manier aan.

'Heb jíj dat gedaan, Teigetje?' zei hij.

'Wat bedoel je daar nou weer mee?'

'Nee, ik bedoel alleen... Goh, ik ben onder de indruk, dat is alles. Nooit gedacht dat jij het in je had.'

'Er is wel meer wat je niet over me weet,' zei ik raadselachtig.

Toen Festino weg was, belde ik Kurt.

'Goed werk,' zei hij.

'Bedankt, man,' zei ik.

'Niks geen dank.'

Ik klikte op de inbox van mijn e-mail. 'Luister,' zei ik. 'Er is hier net een baan vrijgekomen. Beveiligingsfunctionaris. Ze zoeken iemand met recente militaire ervaring. Ervaring met handvuurwapens. Jij hebt toch ervaring met handvuurwapens?'

'Te veel,' zei hij.

'Ben je geïnteresseerd? Het salaris is niet slecht. Ik wed dat het meer is dan wat je als sleepwagenchauffeur verdient.'

'Staat er ook iets over een antecedentenonderzoek?'

Ik keek naar het scherm. 'Er staat: "Moet een volledig antecedentenonderzoek ten aanzien van veroordelingen, drugs en vroegere werkgevers kunnen doorstaan."'

'Daar heb je het al,' zei hij. 'Ze zien dat OO en lezen de rest van het sollicitatieformulier niet eens meer door.'

'Niet als je de omstandigheden uitlegt.'

'Die kans krijg je niet,' zei Kurt. 'Maar ik stel het op prijs dat je aan me dacht, man.'

'Ik ken het hoofd Bedrijfsbeveiliging,' zei ik. 'Dennis Scanlon. Een goeie kerel. Hij mag me graag. Ik kan hem over jou vertellen.'

'Zo gemakkelijk is dat niet, jongen.'

'Het is toch de moeite van het proberen waard? Wacht maar tot ik hem over de softbalwedstrijd vertel. We moeten een wettige Entronics-medewerker van je maken. Hij begrijpt het wel.'

'Hij is op zoek naar een beveiligingsfunctionaris, geen pitcher.'

'Bedoel je dat je niet gekwalificeerd bent voor die baan?'

'Daar gaat het niet om, jongen.'

'Laat me een telefoontje voor je plegen,' zei ik. 'Ik doe het nu meteen.'

'Dat stel ik op prijs.'

'Hé,' zei ik. 'Het is het minste wat ik kan doen.'

Ik pakte de telefoon, belde Dennis Scanlon, het hoofd Bedrijfsbeveiliging, en vertelde hem in het kort over Kurt. Dat hij bij de Special Forces was geweest, een sympathieke kerel was, een intelligente indruk maakte. Dat hij oneervol ontslagen was, maar niet om een slechte reden.

Scanlon was meteen geïnteresseerd. Hij zei dat hij gek was op militaire types.

11

IK HAD NIETS tegen mijn flikflooiende zwager, Craig Glazer, en zijn ambitieuze vrouw Susie, maar mijn hart kromp ineen bij de gedachte aan hun arme, briljante, onaangepaste achtjarige zoon Ethan.

Laten we beginnen met de naam van die jongen. Als je een kind Ethan noemt, kun je er al voor zijn geboorte van uitgaan dat hij op het schoolplein in elkaar wordt geslagen, dat zijn lunchgeld wordt gestolen, dat zijn bril in tweeën wordt gebroken en dat hij met zijn gezicht in de modder wordt gedrukt. Dan is er ook nog het feit dat Susie en Craig hun zoon overdreven in bescherming namen, op die typische gespannen manier van hen, en helemaal niet in hem geïnteresseerd waren. Het leek wel of ze hun best deden om zo min mogelijk tijd met hem door te brengen. Als Ethan niet op zijn dure particuliere school in elkaar werd geslagen, of wat ze op particuliere scholen ook maar met nerds deden, hielden zijn ouders hem thuis, ver van andere kinderen die hem misschien hadden kunnen helpen enigszins normaal te worden. Ze lieten hem over aan zijn kindermeisje, een Filippijnse vrouw die Corazon heette. Als gevolg van dat alles was hij een intelligente, creatieve en gestoorde kleine jongen, en ik had medelijden met hem. Ik had er altijd een hekel aan wanneer zulke kinderen gepest werden.

Ze zeggen dat het leven hetzelfde is als school, maar dan met geld. Waarschijnlijk heb je op school kinderen als ik gekend. Ik was nooit de rotzak die je in elkaar sloeg of je lunchgeld afpakte. Ik was niet de quarterback van het footballteam die je meisje inpikte. Ik was niet goed genoeg in sport om het tot een eerste team te brengen. Ik had niet de hersenen om je huiswerk voor je te maken, en ik was ook bepaald niet een van de rijke kinderen. Maar er was een ander type jongen, weet je nog wel?

Als je de nerd was, met de verkeerde sportschoenen en de te strakke spijkerbroek, was de kans groot dat ik niet met je omging, maar in tegenstelling tot de meesten van je klasgenoten lachte ik je ook niet uit. Ik zei gewoon hallo en glimlachte naar je als je door de gang liep. Als de pestkoppen je lastigvielen, was ik degene die probeerde de crisis te bezweren door op te merken dat we maar beter aardig voor je konden zijn, want over tien jaar had jij een softwareconcern opgebouwd en werkten we allemaal voor jou.

Ondanks mijn gevoelens voor Craig Glazer was er dus een band tussen zijn zoon en mij ontstaan. Ik praatte veel liever met Ethan, ging liever op bezoek in zijn bizarre kleine wereld van middeleeuwse folterkamers – zijn nieuwste obsessie – dan dat ik Craig hoorde vertellen dat zijn nieuwe proefprogramma iedereen op de 'upfronts' in New York versteld had doen staan.

Op weg naar huis ging ik naar een Border's Books-winkel in een winkelcentrum waar ook een Kmart en een Sports Authority waren. Ik wilde een cadeautje kopen voor die arme kleine Ethan. Ik parkeerde de auto en probeerde Kate weer te bellen. De laatste drie keer had ik haar voicemail gekregen. Ik wist dat ze vroeg van haar werk was weggegaan om thuis te kunnen zijn als haar zus en Craig kwamen. Ik wist niet waarom ze de telefoon niet opnam, maar misschien was ze aan het winkelen of zoiets.

Maar deze keer nam ze op. 'Hé, schat,' zei ze met een uitbundige stem. 'Ben je op weg naar huis? Craig en Susie zijn net aangekomen.'

'O, geweldig,' zei ik met dik opgelegd sarcasme. 'Ik kan bijna niet wachten.'

Ze begreep het, maar accepteerde het niet. 'Ze kunnen ook bijna niet wachten tot ze jou zien,' zei ze. Ik hoorde gelach op de achtergrond, en het getinkel van glazen. 'We zijn het eten aan het klaarmaken.'

'We?'

'Zeg dat niet zo angstig!' zei ze. Een bulderende lach; zo te horen was dat Craig. 'Susie heeft net haar reanimatiediploma gehaald.'

Nog meer gelach op de achtergrond.

'Ik heb een paar heel goeie porterhousesteaks,' zei ze. 'Vier centimeter dik.'

'Dat klinkt goed,' zei ik. 'Zeg, ik heb mijn gesprek met Gordy gehad.'

'Nee, ik knéús de peperkorrels alleen een beetje,' zei ze tegen iemand. '*Au poivre.*' En tegen mij: 'Ging het goed?'

'Hij gaf me op mijn lazer,' zei ik.
'O, god.'
'Het was een nachtmerrie, Kate. Maar toen kwam ik iets te weten over die man van Lockwood...'
'Ik kan nu niet praten, schat, sorry. Kom naar huis. We zijn allemaal uitgehongerd. Thuis praten we verder.'
Geërgerd verbrak ik de verbinding en ging de boekwinkel in. Ik zocht even op de kinderafdeling, ging naar de tienerafdeling en vond twee mogelijkheden. Zoals de meeste jongens had Ethan een dinosaurussenfase en een planetenfase doorlopen, maar daarna had hij een scherpe afslag gemaakt naar de middeleeuwen, en dat was een obsessie voor hem geworden. En nu heb ik het niet over koning Arthur en de Ridders van de Ronde Tafel en het Zwaard in de Steen. Hij kickte op middeleeuwse martelwerktuigen. Dat zette je aan het denken over het huwelijk van zijn ouders.
Dus hier was ik dan, oom Jason die alles mogelijk maakte. Ik twijfelde tussen een boek over de Tower van Londen en een boek over de Azteken, en de Azteken wonnen het. Betere illustraties en gruwelijker.
Op weg naar de kassa kwam ik langs de afdeling met zakelijke zelfhulpboeken, en daar viel mijn blik op een boek. Het heette *Bedrijfsleven is oorlog!* Het omslag had een groenig camouflagedessin.
Ik herinnerde me Gordy die de spot dreef met Mark Simkins: *dat zweverige geouwehoer.*
Dit was geen geouwehoer. Dit boek beloofde de zakenman 'beproefde, effectieve geheimen van militair leiderschap'. Het zag er veelbelovend uit.
Ik dacht aan Kurt, die me had geholpen het Lockwood-account met één keihard telefoontje naar mijn hand te zetten.
Toen vond ik een ander boek, dat met het omslag naar voren op de plank stond, *Overwinningsgeheimen van Attila de Hun*, en nog een boek, *Patton over leiderschap*, en *De manager met de groene baret*, en algauw had ik een hele stapel gebonden boeken en cd's in mijn armen.
Bij de kassa was het even schrikken: gebonden boeken kosten veel en cd's kosten nog meer, maar ik zei tegen mezelf dat het een investering in mijn toekomst was en vroeg ze het Aztekenboek voor Ethan als cadeau in te pakken.

De volwassenen zaten in ons kleine keukentje, en de kleine Ethan was nergens te vinden. Ze lachten luidruchtig en dronken uit belachelijk grote martiniglazen, en omdat ze zo'n plezier hadden, merkten ze niet dat ik binnenkwam. Hoewel Susie vier jaar ouder was, leken zij en Katie precies op elkaar. Susies oogleden waren een beetje zwaarder, en haar mond hing een klein beetje scheef. Bovendien was Susie blijkbaar ook een beetje veranderd door het verstrijken van de tijd en het luxueuze leventje dat ze leidde. Susan had meer dunne lijntjes op haar voorhoofd en bij haar ogen dan Katie, ongetwijfeld door al die tijd die ze op de stranden van St. Barths doorbracht. Aan haar haar was te zien dat het elke week voor achthonderd dollar werd geknipt en gehighlight in een kapsalon in Beverly Hills.

Mijn zwager Craig maakte een gebaar met zijn vrije hand. 'Beton,' zei hij. 'Geen graniet. Graniet is zo jaren tachtig.'

'Beton?' zei ik terwijl ik de keuken inliep en mijn vrouw kuste. 'Mijn baas probeert me steeds betonnen laarzen aan te passen. Ik begrijp niet waarom.'

Beleefd gegrinnik. Omdat Craig ooit aan *Jeopardy!* heeft deelgenomen, weet hij officieel alles. Hij praat niet graag over het feit dat hij het antwoord niet wist op de gemakkelijkste vraag uit de geschiedenis van *Jeopardy!* – het antwoord was 'aardappel' – en dat zijn prijs uit een jaarvoorraad autowas bestond.

'Hé, Jason,' zei Susie, en ze gaf me een zusterlijke kus op mijn wang en een halve omhelzing. 'Ethan verheugt zich er zo op jou te zien dat hij bijna uit zijn vel springt.'

'Jason!' riep Craig uit alsof we oude vrienden waren. Hij sloeg zijn knokige armen om me heen. Elke keer dat ik hem zag, leek hij weer wat magerder te zijn geworden. Hij droeg een gloednieuwe spijkerbroek, met daar los overheen een shirt met Hawaïaanse opdruk, en witte Converse All Stars. Ik zag ook dat hij zijn hoofd had kaalgeschoren. Blijkbaar had zijn haargroeimiddel niet gewerkt. Vroeger had hij een grote bos krullend haar gehad die boven op zijn kruin was uitgedund, zodat hij op Bozo de Clown leek. Hij had ook een nieuwe bril. Jarenlang, toen hij experimentele korte verhalen voor literaire tijdschriften schreef, droeg hij een bril met hoornen montuur. Toen hij rijk werd, doorliep hij een contactlenzenfase totdat hij ontdekte dat hij droge ogen had. Toen ging hij de brillen dragen die op dat moment de nieuwste mode waren. Een paar jaar achtereen droeg hij verschillende versies van sullige jarenvijftigbrillen. Nu had hij er weer een met een hoornen montuur.

'Nieuwe bril,' zei ik. 'Of een oude?'

'Nieuw. Johnny heeft hem voor me uitgekozen.' Toevallig wist ik dat Susie en hij kortgeleden met Johnny Depp op vakantie waren geweest op Saint Vincent en de Grenadines. Kate had het artikel uit het blad *People* geknipt en aan me laten zien.

'Johnny?' zei ik, alleen om hem het te laten zeggen. 'Carson? Is die niet dood?'

'Depp,' zei Craig, en hij haalde quasibescheiden zijn schouders op. 'Hé, een beetje te veel van het goede leven genoten?' Hij gaf een klopje op mijn buik, en ik kon me bijna niet meer inhouden. 'Een week in de ashram en je bent die kilo's zo kwijt. Wandeltochten, Bikram-yoga, twaalfhonderd calorieën per dag – het is een trainingskamp voor beroemdheden. Je zult ervan genieten.'

Kate zag me aanstalten maken om iets te zeggen waarvan ik spijt zou kunnen krijgen en onderbrak me vlug. 'Laat me een martini voor je halen.' Ze pakte een zilveren martinishaker op en schonk een van de gigantische glazen in.

'Ik wist niet eens dat we martiniglazen hadden,' zei ik. 'Van oma Spencer?'

'Van Craig en Susie,' zei Kate. 'Zijn ze niet bijzonder?'

'Bijzonder,' beaamde ik.

'Ze zijn Oostenrijks,' zei Craig. 'Dezelfde glasfabriek waar ze die prachtige bordeauxglazen maken.'

'Voorzichtig,' zei Kate, en ze gaf me een glas. 'Honderd dollar per stuk.'

'O, je kunt gemakkelijk bijbestellen,' zei Craig.

'Heb je Susies broche gezien?' zei Kate.

Ik had een groot lelijk opzichtig misvormd ding op Susies blouse gezien, maar ik had haar niet in verlegenheid willen brengen door er iets over te zeggen. 'Is het een zeester?' vroeg ik.

'Vind je hem mooi?' zei Susie.

Ja, het was een gouden zeester, bedekt met saffieren en robijnen, en hij moest een fortuin hebben gekost. Ik heb trouwens nooit begrepen waarom vrouwen zoveel van spelden en broches houden. Maar dit sloeg echt alles.

'O, Suze, hij is fantástisch,' zei Kate. 'Waar heb je hem vandaan?'

'Craig heeft hem voor me gekocht,' zei Susie. 'Was het bij Harry Winston of bij Tiffany?'

'Bij Tiffany,' zei Craig. 'Ik zag hem en vond hem *zo Susie* dat ik hem moest kopen.'

'Een ontwerp van Jean Schlumberger,' zei Susie. 'Ik zou nooit zoveel geld aan een sieraad hebben uitgegeven. En het was niet eens mijn verjaardag of een bijzondere gelegenheid.'

'Elke dag dat ik met jou getrouwd ben, is een bijzondere gelegenheid,' zei Craig. Hij sloeg zijn arm om haar heen, zij gaf hem een kus, en er kwamen braakneigingen bij me op.

Ik moest zo snel mogelijk van onderwerp veranderen, want ik hield het niet meer uit, en dus zei ik: 'Waarom hadden jullie het over beton?'

'Ze willen dat we nieuwe aanrechtbladen laten installeren,' zei Kate. Ze wierp me een snelle, veelbetekenende blik toe.

'We hebben de granieten aanrechtbladen in ons huis in Marin County weggedaan, nadat we bij Steven op bezoek waren geweest,' zei Craig.

Deze keer vroeg ik niet of hij Steven Spielberg of Steven Segal bedoelde. 'Ja, ik heb altijd al gewild dat mijn keuken eruitzag als de flat van een socialistische arbeider in Oost-Berlijn,' zei ik.

Craig keek me met zijn stralende glimlach aan. Hij stelde zich vriendelijk neerbuigend op. 'Hoe gaat het in het zakenleven?'

'Goed,' zei ik, en ik knikte. 'Soms is het een gekkenhuis, maar het gaat goed.'

'Hé, je baas, Dick Hardy, heeft me vorig jaar in Pebble Beach op de Entronics Invitational uitgenodigd. Sympathieke kerel. Man, ik heb daar gegolfd met Tiger Woods en Vijay Singh – dat was geweldig.'

Ik begreep wat hij wilde zeggen. Hij was een vriend van de president-directeur van mijn bedrijf, die ik zelfs nooit had ontmoet, en hij ging om met alle beroemdheden omdat, nou, omdat hij zelf ook een beroemdheid was. Ik kon me Craig niet als golfer voorstellen. 'Niet gek,' was het enige wat ik zei.

'Ik kan een goed woordje voor je doen bij Dick,' zei Craig.

'Doe geen moeite. Hij weet niet eens wie ik ben.'

'Ik wil het best doen. Ik vraag hem gewoon te kijken of hij iets voor je kan doen.'

'Nee, dank je, Craig. Maar ik stel de gedachte op prijs.'

'Je werkt hard, man. Daar heb ik echt bewondering voor. Ik krijg waanzinnig veel betaald voor wat in feite alleen maar spelen is, maar jij werkt je echt uit de naad. Nietwaar, Katie?'

'Nou en of,' zei Kate.

'Ik geloof niet dat ik zou kunnen doen wat jij doet,' ging Craig verder. 'Het gezeik dat er over je heen komt, hè?'

'Je hebt geen idee,' zei ik.

Omdat ik het niet meer uithield, zei ik tegen hen dat ik mijn kantoorkleren wilde uittrekken. In plaats daarvan ging ik op zoek naar Ethan en vond hem in het kleine logeerkamertje boven dat als toekomstige babykamer bedoeld was. Hij lag op zijn buik op het blauwe kamerbrede tapijt en las een boek. Toen ik binnenkwam, keek hij op.

'Hé, oom Jason,' zei hij. Ethan lispelde een beetje – ook iets waarmee zijn klasgenoten hem konden uitlachen, als ze zoiets nog nodig hadden – en droeg een bril.

'Hé, maatje,' zei ik, en ik ging naast hem zitten. Ik gaf hem het boek in geschenkverpakking. 'Je hebt waarschijnlijk al boeken genoeg, hè?'

'Dank je,' zei hij. Hij ging rechtop zitten en boog zich meteen over het boek. 'O, dit is heel goed,' zei hij.

'Je hebt het al.'

Hij knikte ernstig. 'Dit is het mooiste van de serie, vind ik.'

'Ik twijfelde tussen dit en een boek over de Tower van Londen.'

'Dit was een goede keuze. Ik had toch al een extra exemplaar nodig voor het huis in Marin.'

'Oké, goed. Maar vertel me eens iets, Ethan. Ik weet nog steeds niet waarom de Azteken zo gek waren op mensenoffers.'

'Dat is nogal ingewikkeld.'

'Je kunt het me vast wel uitleggen.'

'Nou, ze deden dat min of meer om het hele universum in beweging te houden. Ze geloofden dat er een soort geest in de menselijke bloedsomloop zat, en vooral in het hart. En die moest je steeds weer aan de goden geven, anders kwam het universum gewoon tot stilstand.'

'O. Dat is logisch.'

'Dus als het heel slecht ging, brachten ze gewoon meer mensenoffers.'

'Dat doen ze ook waar ik werk.'
Hij hield zijn hoofd schuin. 'O ja?'
'Bij wijze van spreken.'
'De Azteken kookten en vilden en aten ook mensen.'
'Dat doen wij niet.'
'Wil je een plaatje van de Spijkerstoel zien?'
'Absoluut,' zei ik, 'maar zouden we niet eens naar beneden gaan om te eten?'
Hij stak zijn onderlip naar voren en schudde langzaam met zijn hoofd. 'Dat hoeven we niet, weet je. We kunnen ze vragen het voor ons naar boven te brengen. Dat doe ik vaak.'
'Kom,' zei ik. Ik stond op en trok hem overeind. 'We gaan samen. Dan houden we elkaar gezelschap.'
'Ik blijf hier boven,' zei Ethan.

De volwassenen waren overgeschakeld op rode wijn, een bordeaux die Craig had meegebracht. Die was vast wel buitensporig duur, al smaakte hij naar vuile sportschoenen. Ik rook steaks in de grill. Susie praatte over een beroemde televisiester die in een ontwenningskliniek zat, maar Craig onderbrak haar om tegen mij te zeggen: 'Je kon zeker niet meer martelingen verdragen?'
'Hij is geweldig,' zei ik. 'Hij heeft me verteld dat de Azteken meer mensenoffers brachten als het heel slecht ging.'
'Tja,' zei hij. 'Hij praat je de oren van het hoofd. Hopelijk ontneemt hij jullie niet de moed om zelf kinderen te nemen. Ze worden niet allemaal zo als Ethan.'
'Het is een beste jongen,' zei ik.
'En we houden zielsveel van hem,' zei Craig alsof hij iets opdreunde, bijvoorbeeld in een reclamefilmpje voor een geneesmiddel. 'Hé, ik wil meer over je werk horen. Echt waar.'
'O, dat is zo saai,' zei ik. 'Zonder beroemdheden.'
'Ik wil erover horen,' zei Craig. 'Serieus. Ik moet weten hoe het werk van gewone mensen is, vooral wanneer ik daarover ga schrijven. Ik zie het als research.'
Ik keek hem aan en liet een stuk of tien buitengewoon gemene en sarcastische antwoorden door mijn hoofd gaan, maar gelukkig ging op dat moment mijn mobieltje. Ik was vergeten dat ik hem nog aan mijn riem had zitten.

‘Kijk eens aan,’ zei Craig. ‘Dat zal de zaak zijn, hè?’ Hij keek van zijn vrouw naar Kate. ‘Zijn baas of zoiets. Er moet nu metéén iets gebeuren. God, wat vind ik het prachtig zoals ze in het bedrijfsleven de zweep laten knallen.’

Ik stond op, ging naar de huiskamer en drukte op de toets van het mobieltje. ‘Hé,’ zei een stem. Ik hoorde meteen dat het Kurt was.

‘Hoe gaat het?’ zei ik, blij dat ik uit het felle schijnsel van Craigs filmlampen was weggehaald.

‘Zat je net te eten?’

‘Welnee,’ zei ik.

‘Bedankt dat je met die man van Bedrijfsbeveiliging hebt gepraat. Ik heb het sollicitatieformulier gedownload, ingevuld en gemaild, en ik kreeg een telefoontje van die man. Hij wil dat ik morgenochtend kom praten.’

‘Je maakt een goede kans,’ zei ik. ‘Hij moet wel erg in je geïnteresseerd zijn.’

‘Of hij is wanhopig. Hé, kan ik je morgenvroeg eerst nog een paar minuten door de telefoon spreken? Dan kunnen we even praten over Entronics en de beveiligingsproblemen daar. Ik mag graag goed voorbereid zijn.’

‘Waarom niet nu meteen?’ zei ik.

12

We ontmoetten elkaar in Charlie’s Kitchen aan Harvard Square, waar ze een uitstekend dubbelecheeseburgermenu hebben. Ik had die avond niet veel gegeten; Craig had me grotendeels van mijn eetlust beroofd en Kate had de steaks te lang gebakken. Te veel martini’s. In het begin vond ze het niet zo leuk dat ik haar dinertje verliet, maar ik zei dat er op de zaak een crisis was uitgebroken en blijkbaar nam ze daar genoegen mee. Ze keek zelfs een beetje opgelucht, want ze kon zien waar het heen ging met het diner, en dat was niet iets prettigs.

Ik herkende hem eerst niet, want zijn sikje en mullet waren weg. Hij was naar de kapper geweest. Zijn peper-en-zoutkleurige haar was kort, maar niet militair kort. Het had een scheiding en het was wel stijlvol. Hij zag er goed uit, besefte ik, en hij leek nu ook net een succesvolle manager, maar dan in spijkerbroek en sweatshirt.

Kurt had net zijn vaste drankje besteld: een glas water met ijs. Hij zei dat in Irak en Afghanistan fris, schoon, koud water een luxe was. Als je daar van het water dronk, zei hij, had je dagenlang de schijterij. Nu dronk hij het wanneer hij maar kon.

Hij zei dat hij al had gegeten. Toen mijn bord kwam – een lekker grote dubbele cheeseburger en een berg frites met een plastic pul waterig bier – wierp Kurt er een smalende blik op. 'Je zou die troep niet moeten eten,' zei hij.

'Je praat net als mijn vrouw.'

'Je moet dit niet verkeerd opvatten, maar je zou eraan kunnen werken om een beetje af te vallen. Dan zou je je beter voelen.'

Hij ook al? 'Ik voel me prima.'

'Je doet niet aan fitness, hè?'

'Wie heeft tijd?'

'Dan maak je tijd.'

'Ik maak tijd om uit te slapen,' zei ik.

'We moeten met je naar de sportschool voor wat conditietraining en iets met gewichten. Ben je lid van een sportschool?'

'Ja,' zei ik. 'Ik betaal honderd dollar per maand voor mijn lidmaatschap van CorpFit. Dat vind ik wel genoeg; ik hoef er niet ook nog eens heen te gaan.'

'CorpFit? Dat is zo'n mietjesclub waar ze Evian-water drinken, hè?'

'Ik zou het niet weten. Ik ben er nooit geweest.'

'Nee. Ik moet je naar een echte sportschool brengen. Die waar ik heen ga.'

'Goed,' zei ik, in de hoop dat hij zou vergeten dat we het ooit over sportscholen hadden gehad, al leek hij me niet iemand die dingen vergat. Ik wierp een blik op mijn pul bier, liet de ober komen en bestelde een cola light.

'Rijd je nog in die huurwagen?' vroeg Kurt.

'Ja.'

'Wanneer krijg je je auto terug?'

'Midden volgende week, zeiden ze, geloof ik.'

'Dat is te lang. Laat mij ze bellen.'

'Dat zou geweldig zijn.'

'Je hebt je identiteitsbewijs van Entronics bij je?'

Ik haalde het tevoorschijn en legde het op de tafel. Hij keek er aandachtig naar. 'Man, weet je hoe gemakkelijk het is om die dingen te vervalsen?'

'Nooit over nagedacht.'

'Ik vraag me af of jullie beveiligingschef daarover ooit heeft nagedacht.'

'Je moet hem niet kwaad maken,' zei ik, terwijl ik op de cheeseburger aanviel. 'Heb je een cv?'

'Ik kan er eentje in elkaar zetten.'

'In het juiste format en zo?'

'Dat weet ik niet.'

'Weet je wat? Mail mij wat je hebt, dan zorg ik dat het er goed uitziet.'

'Hé, dat zou niet gek zijn.'

'Geen probleem. Nou, als ik een voorspelling zou moeten doen, zou ik zeggen dat Scanlon een lastige ondervrager is. Al stelt hij waarschijnlijk ook de standaardvragen, zoals: "Wat is je grootste zwakheid?" En: "Geef me een voorbeeld van een initiatief dat je nam om een probleem op te lossen." Dat soort dingen. Hoe je in een team werkt.'

'Dat kan ik wel aan,' zei hij.

'Zorg dat je op tijd bent. Beter nog: iets te vroeg.'

'Ik ben militair geweest, weet je nog wel? Bij ons draait alles om stiptheid.'

'Je gaat toch niet in zulke kleren naar het gesprek?'

'Enig idee hoeveel uniforminspecties ik heb moeten doorstaan?' zei hij. 'Maak je over mij maar geen zorgen. Er is geen bedrijf ter wereld waar het er preciezer aan toe gaat dan het Amerikaanse leger. Maar ik wil wel wat bijzonderheden over jullie systeem van toegangscontrole weten.'

'Ik weet alleen dat je dit kaartje voor een van die kastjes moet houden en je kunt naar binnen.'

Hij stelde me nog een heleboel vragen en ik vertelde hem het weinige dat ik wist. 'Vindt je vrouw het niet erg dat je zo lang wegblijft?' vroeg hij.

'Ik heb thuis de broek aan,' zei ik met een stalen gezicht. 'Ik geloof trouwens dat ze me wel graag kwijt wilde.'

'Je bent nog met die Trevor aan het knokken om promotie te maken?'

'Ja.' Ik vertelde hem over mijn gesprek met Gordy. 'Maar hij kiest niet voor mij. Dat kan ik merken. Hij neemt me alleen maar in de maling.'

'Waarom zeg je dat?'

'Hij zegt dat ik niet het killersinstinct heb. En Trevor is een superster. Zijn resultaten zijn altijd goed, maar dit jaar wel heel in het bijzonder. Hij is gewoon een verdomd goeie verkoper. En dan is Brett Gleason er ook nog. Die is nogal dom, maar hij heeft wel die dierlijke agressie waar Gordy zo van houdt. Gordy zegt dat het een van ons drieën wordt, maar ik zou mijn geld op Trevor zetten. Hij heeft maandag een grote demonstratie voor de kopstukken van Fidelity Investments gegeven, en als onze monitors de wedstrijd winnen – en dat zullen ze – haalt hij Fidelity binnen. Dat is een gigantische order. Het betekent dat hij wint. Ik kan het wel schudden.'

'Zeg, ik weet niet hoe het in het bedrijfsleven gaat, maar geloof me, als het op situaties aankomt die er hopeloos uitzagen, heb ik mijn portie gehad. En het enige wat ik zeker weet, is dat oorlog onvoorspelbaar is. Oorlog is vluchtig. Gecompliceerd. Er ontstaat altijd verwarring. Alsof alles in nevel gehuld is. Je kunt vaak niet geloven wat je ziet, en je hebt nooit zekerheid over de plannen en capaciteiten van de vijand.'

'Wat heeft dat met mijn promotie te maken?'

'Wat ik bedoel, is dat je alleen zeker weet dat je verliest als je niet vecht. Je moet elke strijd aangaan in de wetenschap dat je kunt winnen.' Hij nam een grote slok koud water. 'Logisch?'

13

De volgende morgen glipte ik om zes uur stilletjes het bed uit, voordat de wekker afging. Omdat ik al jaren om zes uur opstond, was mijn lichaam geprogrammeerd. Ik hoorde Kate zwaar ademhalen van te veel drank de vorige avond. Ik ging naar beneden om koffie te zetten en bereidde me mentaal voor op een ontmoeting met Craig, voor het geval hij een vroege vogel was. Omdat ik nog geen koffie had gehad, was ik erg kwetsbaar. Toen herinnerde ik me dat wanneer het bij ons zes uur was het in Californië drie uur was en dat hij dus waarschijnlijk nog zou slapen, zeker na een late avond.

De keuken en eetkamer waren bezaaid met de resten van het diner. Overal zag je borden en schalen en bestek. Kate en Susie hadden in hun jeugd niet anders meegemaakt dan dat personeel alles achter hen opruimde, en Susie had nog steeds iemand die voor haar kookte en na het eten alles opruimde en afwaste. Kate... nou, Kate leefde soms alsof ze zo iemand had. Niet dat ik het recht had om daarover te klagen. Ik heb gewoon de pest aan afwassen en ben van nature een sloddervos. Dat is ook een excuus.

Het aanrecht en de werkbladen in de keuken stonden vol met wijnglazen, martiniglazen en oma Spencers likeurglaasjes, en ik kon het koffiezetapparaat niet vinden. Ten slotte vond ik het en zette ik wat koffie, waarbij ik per ongeluk wat van de gemalen koffie op het groene granieten aanrecht morste. Beton? Over mijn lijk.

Ik hoorde een tikkend geluid en draaide me om. Aan de keukentafel, verscholen achter een hoge stapel potten en pannen, zat Ethan. Hij leek klein en zwak en een gewoon kind van acht, niet het angstaanjagend vroegrijpe kind dat hij meestal leek. Hij at Froot Loops-ontbijtvlokken uit een reusachtige soepterrine die hij blijkbaar in de porseleinkast had gevonden. De lepel die hij gebruikte, was een massief zilveren opscheplepel.

'Goedemorgen, Ethan.' Ik sprak zachtjes, want ik wilde de slapende feestbeesten op de bovenverdieping niet wakker maken.

Ethan gaf geen antwoord.

'Hé daar, maatje,' zei ik een beetje harder.

'Sorry, oom Jason,' antwoordde Ethan. 'Ik ben niet echt een ochtendmens.'

'Ja, nou, ik ook niet.' Ik ging naar hem toe om door zijn haar te strijken, maar hield me in toen ik me herinnerde dat hij daar een hekel aan had. Nu ik erover nadacht, had ik er zelf ook nooit veel van moeten hebben. Nog steeds niet. Ik gaf hem een schouderklopje en maakte een plek voor mezelf vrij door een stapel van oma Spencers blauwe borden van Spode-porselein opzij te schuiven. Ze waren nog glad van het gestolde vet van de te lang doorgebakken steaks. 'Mag ik ook wat van die Froot Loops?'

Ethan haalde zijn schouders op. 'Mij best. Ze zijn toch van jou.'

Kate moest ze voor Ethan hebben gekocht toen ze de vorige dag boodschappen ging doen. Voor haar man kocht ze jutevlokken en takjes. Ik nam me voor om later een klacht in te dienen. Ik pakte een gewone papkom uit de keukenkast en strooide daar een royale berg van de ringetjes in kermiskleuren in, waarna ik er iets van de illegale volle melk uit Ethans pak overheen goot. Ik hoopte dat er nog wat van over zou zijn als ze weg waren.

Ik ging naar de veranda om de ochtendbladen te pakken. We hebben er twee – de *Boston Globe* voor Kate, en de *Boston Herald* voor mij, de krant die mijn vader altijd las. Toen ik in de keuken terugkwam, zei Ethan: 'Mama zei dat je gisteravond wegging om niet bij papa te hoeven zijn.'

Ik liet een hol lachje horen. 'Ik moest weg voor zaken.'

Hij knikte alsof hij dwars door me heen keek en stak toen een immense lepel vol ontbijtvlokken in zijn mond. De opscheplepel paste amper in zijn kleine mond. 'Papa kan zo ergerlijk zijn,' zei hij. 'Als ik kon autorijden, zou ik ook niet veel thuis zijn.'

Ricky Festino onderschepte me toen ik mijn kamer wilde binnengaan. 'Ze zijn er,' zei hij.

'Wie?'

'De lijkenopruimers. De schoonmakers. Meneer Wolf uit *Pulp Fiction*.'

'Ricky, het is te vroeg en ik heb geen idee waar je het over hebt.'

Ik deed de lichten in mijn kamer aan.

Festino pakte mijn schouder vast. 'Het *fusie-integratieteam*, lul. De kettingzaagconsultants. Ze waren hier al toen ik binnenkwam. Zes kerels, vier van McKinsey en twee uit Tokio. Ze hebben klemborden en rekenmachines en pda's en digitale cámeras, godnogaantoe. Ze komen regelrecht van het hoofdkantoor van Royal Meister in Texas, en ik kan je vertellen dat ze in Dallas een spoor van lichamen hebben achtergelaten. Ik hoorde dat van een vriend van me die daar werkt. Hij belde me gisteravond om me te waarschuwen.'

'Kalm aan,' zei ik. 'Ze zijn hier waarschijnlijk alleen maar om uit te zoeken hoe de twee organisaties met elkaar te combineren zijn.'

'Jongen, jij leeft in dromenland.' Ik zag dat hij al zweette. Zijn blauwe buttondownoverhemd was doorweekt onder de oksels. 'Ze zijn op zoek naar *overtolligheden*, man. Ze identificeren *niet-waardetoevoegende activiteiten*. Mij dus. Zelfs mijn vrouw zegt dat ik geen waarde toevoeg.'

'Ricky.'

'Zij bepalen wie er blijft en wie er vertrekt. Dit is een soort *Survivor*-spel; alleen komen de verliezers niet bij *Jay Leno* in de show.' Hij pakte het flaconnetje handreiniger uit zijn zak en begon daar nerveus mee te spelen.

'Hoe lang blijven ze hier?' vroeg ik.

'Weet ik niet, misschien een week. Mijn vriend in Dallas zei dat ze veel tijd aan de individuele prestatiebeoordelingen hebben besteed. De beste twintig procent wordt uitgenodigd aan te blijven. Alle anderen zijn dood hout dat wordt weggekapt.'

Ik deed mijn kamerdeur dicht. 'Ik zal doen wat ik kan om je te beschermen,' zei ik.

'Als jij er bent,' zei hij.

'Waarom zou ik er niet zijn?' zei ik.

'Misschien omdat Gordy de pest aan je heeft?'

'Gordy heeft de pest aan iedereen.'

'Behalve zijn billenmaatje Trevor. Als ik nog een baan heb en die klootzak wordt mijn baas, dan zweer ik je dat ik amok ga maken. Dan kom ik hier met een uzi binnen en doe ik mijn eigen "prestatiebeoordeling".'

'Ik denk dat je te veel cafeïne hebt gehad,' zei ik.

Het werd een lange, vermoeiende dag. Geruchten over de naderende catastrofe verspreidden zich door de gangen.

Toen ik aan het eind van de dag met de lift naar beneden ging, keken de andere passagiers en ik naar de flatscreenmonitor aan de liftwand. Die vertoonde sportnieuws (de Red Sox hadden een kleine voorsprong op de Yankees in de American League East), nieuwsheadlines (weer een zelfmoordaanslag in Irak) en geselecteerde effectenkoersen (Entronics was een dollar gezakt). Het woord van de dag was 'erudiet'. De beroemdheden die op die dag van het jaar waren geboren waren Cher en Honoré de Balzac. Veel van mijn collega's vinden dat tv-ding in de lift irritant, maar ik heb er geen hekel aan. Het leidt me af van het feit dat ik me in een afgesloten stalen doodkist bevind die aan kabels hangt die elk moment kunnen knappen.

Toen de liftdeuren opengingen en we in de hal kwamen, zag ik daar tot mijn verbazing Kurt staan. Hij praatte met het hoofd Bedrijfsbeveiliging, Dennis Scanlon. Kurt droeg een marineblauw pak, een wit overhemd en een gestreepte das, en hij zag eruit als een directielid. Op zijn linkerlapel zat een blauwe tijdelijke Entronics-badge geklemd. Bedrijfsbeveiliging zat naast de hal van het gebouw – vermoedelijk omdat daar ook het commandocentrum en alle andere beveiligingsvoorzieningen te vinden waren.

'Hé, man,' zei ik. 'Waarom ben je hier nog? Ik dacht dat je vanmorgen je gesprek had.'

'Had ik ook.' Hij glimlachte.

'Mag ik je aan onze nieuwe beveiligingsfunctionaris voorstellen?' zei Scanlon. Hij was een kleine, kikkerachtige man met een vierkant lijf zonder hals.

'O ja?' zei ik. 'Dat is geweldig. Goede keuze.'

'We zijn allemaal erg blij dat hij er is,' zei Scanlon. 'Kurt heeft al een paar slimme suggesties voor verbetering van de beveiliging gedaan. Hij weet heel veel van technologie.'

Kurt haalde bescheiden zijn schouders op.

Scanlon excuseerde zich, en Kurt en ik bleven nog even staan. 'Dus dat was snel werk,' zei ik.

'Ik begin maandag. Er komt een inwerkperiode en er moeten stapels papieren worden ingevuld, je kent dat wel. Maar hé, het is een echte baan.'

'Het is echt geweldig,' zei ik.

'Bedankt, man.'

'Het was niets.'

'Ik meen het. Ik sta bij je in het krijt. Jij kent me niet erg goed, maar één ding dat je zult ontdekken is dat ik nooit vergeet wie me een dienst heeft bewezen.'

Nadat ik die avond voor het laatst naar mijn e-mail had gekeken, ging ik bij Kate in bed liggen. Ze droeg haar gebruikelijke nachtgoed – extra grote trainingsbroek en extra groot T-shirt – en keek naar de tv. Onder de reclames zei ze: 'Sorry dat ik vanavond niet de kans kreeg om je naar je gesprek met Gordy te vragen.'

'Dat geeft niet. Het is goed verlopen. Zo goed als een gesprek met Gordy kan verlopen. Hij provoceerde en bedreigde me en probeerde me tegelijk op te pompen en leeg te laten lopen.'

Ze rolde met haar ogen. 'Wat een lul. Denk je dat je de baan krijgt?'

'Wie weet? Waarschijnlijk niet. Zoals ik al zei, is Trevor meer het Gordy-type: agressief en meedogenloos. Gordy vindt mij een watje. Een aardige kerel, maar een watje.'

Er kwam een buitenwoon ergerlijk reclamespotje en ze zette het geluid uit. 'Als het niet gebeurt, gebeurt het niet. Je hebt het in elk geval geprobeerd.'

'Zo denk ik er ook over.'

'Als je hem maar hebt laten weten dat je die baan wilt.'

'Dat heb ik.'

'Maar wil je hem echt?'

'Die baan? Ja, ik geloof van wel. Het zou meer werk en meer stress zijn, maar als je daar je nek niet durft uit te steken, bereik je niets.'

'Dat denk ik ook.'

'Mijn vader zei altijd dat de spijker die omhoogsteekt de hamer op zijn kop krijgt.'

'Jij ben niet je vader.'

'Nee. Hij werkte alle dagen in de fabriek en had daar de pest aan.' Ik was enkele ogenblikken in gedachten verzonken. Ik herinnerde me de ingezakte schouders van mijn vader aan de eettafel, zijn rechterhand waaraan die vingertoppen ontbraken. Zijn lange stiltes, de verslagen blik in zijn ogen. Alsof hij zich had neergelegd bij de rottigheid die het leven hem bezorgde. Soms deed hij me denken aan een hond die elke dag door zijn baas werd geslagen en angstig wegkroop wanneer iemand bij hem in de buurt kwam, zo'n hond die alleen maar met rust gelaten wil worden. Toch was hij een beste kerel, mijn vader. Hij pikte het niet als ik spijbelde en zorgde ervoor dat ik mijn huiswerk deed, en hij wilde niet dat ik hetzelfde leven zou leiden als hij. Nu pas begon ik te beseffen hoeveel ik aan hem te danken had.

'Jason? Jij kunt erg goed met Ethan opschieten. Ik vind het prachtig zoals je met hem omgaat. Ik denk dat je de enige volwassene bent die aandacht voor hem heeft. En dat stel ik echt op prijs.'

'Ik mag die arme jongen graag. Echt waar. Hij is een beetje de weg kwijt, dat weet ik, maar diep in zijn hart... Ik denk dat hij weet dat zijn ouders idioten zijn.'

Ze knikte en keek me met een triest glimlachje aan. 'Je identificeert je met hem, hè?'

'Ik? Hij is de tegenpool van mij toen ik een kind was. Ik was zo extravert als het maar kan.'

'Ik bedoel, jij was enig kind en je had ouders die er niet vaak waren.'

'Mijn ouders waren er niet vaak omdat ze zich uit de naad werkten. Craig en Susie zijn er niet vaak omdat ze met Bobby De Niro naar Majorca gaan. Ze willen niet bij hun zoon zijn.'

'Dat weet ik. Het is niet eerlijk.'

'Niet eerlijk?' Ik keek haar aan.

Er stonden plotseling tranen in haar ogen. 'Wij zouden er alles voor overhebben om een baby te krijgen, en zij hebben het geluk dat ze er een hebben en ze negeren hem of behandelen hem als...' Ze schudde haar hoofd. 'Is het niet ironisch?'

'Mag ik hun vertellen hoe ik denk over de manier waarop ze Ethan grootbrengen?'

'Nee. Daarmee maak je ze alleen maar kwaad, en dan zeggen ze: wat weet jij ervan, jij hebt geen kind. Trouwens, het zou geen verschil maken. Zoals jij met Ethan omgaat – dat heeft echt betekenis voor die jongen.'

'Toch zou het leuk zijn om Craig op zijn nummer te zetten.'

Ze glimlachte, maar schudde weer haar hoofd.

'Hé,' zei ik. 'Ik heb Kurt aan een baan bij Entronics geholpen.'

'Kurt.'

'Kurt Semko. Die kerel van de Special Forces die ik heb ontmoet.'

'Ja. Kurt. De sleepwagenchauffeur. Wat voor baan?'

'Bedrijfsbeveiliging.'

'Als bewaker?'

'Nee, de bewakers in het gebouw werken voor een bedrijf dat is ingehuurd. Dit heeft te maken met interne dingen: verliespreventie, het komen en gaan van mensen, dat soort dingen...'

'Jij weet niet echt wat ze doen, hè?'

'Ik heb geen idee. Maar de beveiligingsdirecteur was erg blij met hem.'

'Nou, dan heb je iets goeds voor iedereen gedaan. Een win-winsituatie, nietwaar?'

'Ja,' zei ik. 'Win-win.'

14

De volgende morgen haalde ik de cd-box *Bedrijfsleven is oorlog!* uit de verpakking en deed ik de eerste cd in de speler van de Geo Metro. De verteller klonk als George C. Scott die generaal Patton speelt. Hij blafte bevelen over 'je gevechtsplan' en 'de commandostructuur' en zei: 'Goed getrainde eenheden met cohesie en goed leiderschap lijden de minste verliezen.'

Ik werd zo gestimuleerd door het betoog van die viersterrengeneraal, zoals ik me de verteller voorstelde – al was hij in werkelijkheid waarschijnlijk een onbenullig mannetje met een buik en dikke brillenglazen dat niet bij de radio aan de bak kon komen – dat ik zin had om Gordy's kamer binnen te stormen en de promotie gewoon op te eisen. Ik wilde er hard tegenaan gaan.

Maar toen ik bij het kantoor aankwam, had mijn gezond verstand de overhand. Trouwens, ik moest naar Revere om een 36-inch scherm te demonstreren voor het Wonderland Greyhound Park – de windhondenbaan. Al geloofde ik niet dat de kerels die naar de windhondenrennen gingen zich druk maakten om het verschil tussen een gewone oude televisiemonitor en een plat plasmascherm. Ik kwam pas 's middags uit Revere terug, en dat was maar goed ook. Na de lunch is Gordy meestal in een beter humeur.

Ik sleurde Festino mijn kamer in en liet hem een paar contracten doorlezen die ik had opgesteld. Niemand kon een contract beter doorgronden dan Festino. Alleen jammer dat hij er niet veel tekende. Hij deed me denken aan Ethan toen die een paar jaar oud was: die had een zindelijkheids-dvd die zijn ouders voortdurend voor hem afspeelden helemaal uit zijn hoofd geleerd. Ethan kon elk woord, elk liedje opdreunen. Hij werd een expert in de theorie van het op het potje gaan. Evengoed vertikte hij het jarenlang om het potje te gebruiken. Festino was ook zo. Hij was een genie als het op contracten aankwam, maar kon ze niet sluiten.

'Eh, Houston, we hebben een probleem,' zei Festino. 'Hier staat "franco bestemming", maar ze willen het in Florida hebben, nietwaar? We krijgen die apparatuur nooit op tijd op hun laadplatform.'

'Verrek. Je hebt gelijk.'

'En volgens mij willen we ook niet de verantwoordelijkheid voor het transport.'

'Nee. Maar ze springen uit hun vel als ik zeg dat ik het contract wil veranderen.'

'Geen probleem. Bel ze en vraag ze om een kleine wijziging, een verandering in "franco verzending". Op die manier krijgen ze de apparatuur zes weken eerder. Herinner ze eraan dat orders met "franco verzending" het eerst de deur uitgaan.'

'Ja,' zei ik. 'Goed werk, man. Je hebt gelijk.'

Ik was op weg naar Gordy toen ik Trevor uit Joan Turecks kamer zag komen. Hij keek veel somberder dan ik van hem gewend was.

'Hoe gaat het ermee, Trevor?' zei ik.

'Geweldig,' zei hij met een doffe stem. 'Gewoon geweldig.'

Voordat ik de kans had gekregen hem mijn diepste, innigste deelneming te betuigen met het feit dat hij niet bij de president-directeur van Amerika's grootste bioscoopketen was komen opdagen, was hij al weg, zodat ik de kans niet meer had. Intussen maakte Joan weer dat gebaar met haar linkerhand om me bij zich te laten komen.

Ik was meteen op mijn hoede. Trevor had eruitgezien alsof hij in zijn ballen was geschopt. Ik vermoedde dat Joan hem slecht nieuws had verteld en dat ik misschien de volgende was.

'Ga zitten, Jason,' zei ze. 'Gefeliciteerd met de Lockwood-order. Ik dacht niet dat je die zou binnenhalen, maar we moeten je blijkbaar niet onderschatten.'

Ik knikte en glimlachte bescheiden. 'Soms moet je gewoon de juiste woorden zeggen en dan vallen alle puzzelstukjes op hun plaats,' zei ik. 'Ik denk dat ik hiermee aan Gordy heb laten zien dat ik een vleeseter ben.'

'Dick Hardy heeft het persbericht over de Lockwood-order al uitgestuurd,' zei ze. 'Dat zul je wel al gezien hebben.'

'Nog niet.'

Joan stond op en maakte de deur dicht. Toen keek ze me aan. Ze slaakte een lange, diepe zucht. Geen gunstige zucht. De wallen onder haar ogen waren donkerder dan ik ze ooit had gezien. Ze ging naar haar bureau terug. 'Gordy geeft me Crawfords baan niet,' zei ze vermoeid.

'Wat bedoel je?'

'Er is iets aan mij waar Gordy een hekel aan heeft.'

'Er is iets aan iederéén waar Gordy een hekel aan heeft. Plus dat je een vrouw bent.'

'En geen vrouw bij wie hij in het broekje wil komen.'

'Misschien ben ik naïef, maar is dat niet bij de wet verboden?'

'Ja, je bent naïef, Jason. Hoe dan ook, managers gebruiken fusies al sinds mensenheugenis als excuus om zich te ontdoen van personeelsleden die hun niet aanstaan.'

'Zo bot kan hij niet zijn.'

'Natuurlijk niet. Gordy is slim. Als je iemand wilt ontslaan, kun je altijd wel een excuus bedenken. Ik haalde mijn target niet omdat jullie het afgelopen kwartaal dat van jullie niet haalden. Het fusieteam vindt mij toch al een overbodige managementlaag. Daar willen ze het mes in zetten. Ze hebben besloten de functie van regiomanager helemaal op te heffen. En dus hoeft Gordy alleen een nieuwe adjunct-directeur te benoemen. Jou of Trevor of Brett. Dat betekent dat degene die het wordt onder veel druk komt te staan. Dat is nu een afschuwelijk zware baan.'

'Hij wil jou de laan uit sturen?' Nu voelde ik me echt beroerd. Ik zat naar promotie te hengelen en zij verloor haar baan. 'Dat vind ik heel erg.' Toen kwam er een onwaardige gedachte bij me op: ik had haar gevraagd een goed woordje voor me te doen, en nu bleek zij besmet te zijn. Zou dat op mij overslaan?

'Eigenlijk vind ik het niet zo erg,' zei ze. 'Ik ben al een tijdje in gesprek met FoodMark.'

'Dat bedrijf dat eetstalletjes exploiteert in winkelcentra?' Ik probeerde het neutraal te zeggen, maar blijkbaar kon ik mijn gevoelens niet goed verbergen.

Haar glimlach was flets en een beetje beschaamd. 'Het is geen slecht bedrijf, en ik sta daar onder veel minder druk dan hier. Daar komt nog bij dat Sheila en ik wat meer willen reizen. Samen van het leven genieten. Eigenlijk komt dit me wel goed uit. Plasmaschermen of burrito's – wat is het verschil?'

Ik wilde haar niet mijn leedwezen betuigen, maar gelukwensen leken me ook niet op hun plaats. Wat zeg je in zo'n geval? 'Dan is het misschien wel goed.'

'Nou ja...' zei ze. 'Heb ik je ooit verteld dat ik vegetariër ben?'

'Misschien is dat de echte reden,' zei ik, een halfslachtige poging tot zwarte humor. Kates steaks van een paar avonden geleden, die onappetijtelijke geschroeide plakken, zouden van iedereen een strenge veganist maken.

'Misschien,' zei ze met een zuur glimlachje. 'Wie weet? Evengoed kun je Trevor Allard vandaag maar beter voorzichtig aanpakken. Hij heeft een grote tegenslag gehad.'

'Wat dan?'

'Hij is net de grootste order van zijn leven misgelopen.'

'Je hebt het over Pavilion?'

Ze knikte en drukte haar lippen op elkaar.

'Omdat hij vanwege een lekke band één afspraak was misgelopen?'

'Eén keer zou aanvaardbaar zijn geweest. Maar niet twee keer.'

'Twee keer?'

'Vanmorgen was hij op weg naar de verzette afspraak met Watkins, de president-directeur van Pavilion. En wat denk je? De Porsche hield het onderweg weer voor gezien.'

'Je maakt een grapje.'

'Was dat maar waar. Het elektrisch systeem deed het opeens niet meer. Het is wel heel toevallig dat zijn auto het twee dagen achterelkaar laat afweten. Hij had nog niet eens de kans gehad zijn mobieltje te vervangen, en dus kon hij Watkins' kantoor niet op tijd bellen. En toen was de maat vol. Ze zijn met Toshiba in zee gegaan.'

'Jezus!' zei ik. 'Zomaar?'

'Die order was al als een afgedane zaak in onze cijfers van het volgend kwartaal verwerkt. Dit is een ramp voor ons allemaal, vooral nu het fusieteam in alle hoeken aan het zoeken is. Voor júllie allemaal, moet ik zeggen, want ik ben hier weg. Al denk jij natuurlijk in de eerste plaats aan de gevolgen die dit voor je promotiekansen heeft.'

'Nee, helemaal niet,' protesteerde ik zwakjes.

'Blijkbaar zijn de kansen gekeerd. Het ziet er nu naar uit dat jij er beter voorstaat dan de andere twee.'

'Tijdelijk wel, ja.'

'Gordy kijkt altijd bij wie de vaart erin zit, en op dit moment ben jij dat. Maar laat me één ding zeggen. Ik weet hoe graag je die baan wilt, maar wees voorzichtig. Je weet nooit in welk wespennest je trapt.'

Toen ik tien minuten later, nog steeds niet van de schok bekomen, mijn e-mail doorkeek, zag ik Brett Gleason in de deuropening van mijn kamer staan.

Wat hij ook wilde, het was vast niet gunstig. 'Hé, Brett,' zei ik. 'Ik dacht dat je een presentatie bij de Bank of America had.'

'Ik kon het niet vinden,' zei hij.

'De Bank of America? Die zitten in Federal Street. Dat weet je.'

'Veel verdiepingen. Veel kantoren.'

'Kun je niet gewoon je contactpersoon bellen?'

'Die kerel is nieuw en staat niet op hun website, en trouwens, ik weet zijn achternaam niet meer.'

'Je hebt zijn nummer niet?' Ik vroeg me af waarom hij naar mijn kamer was gekomen. Gleason praatte zo min mogelijk met me, en hij zou me nooit om hulp vragen.

'Dat is ook weg.'

'Wat bedoel je, weg?'

'Vind je dat grappig?'

'Ik lach niet, Brett. Waar heb je het over?'

'Het Blauwe Scherm des Doods.'

'Is je schijf gecrasht of zoiets?'

'Permanente en fatale fout. Iemand heeft aan mijn computer geknoeid.' Hij wierp me een zijdelingse blik toe. 'En daardoor ging ook alles op mijn Palm Pilot verloren, toen ik die vanmorgen aansloot. Al mijn contactpersonen, al mijn gegevens – allemaal weg. De IT-sukkels zeggen dat de gegevens niet meer terug te halen zijn. Leuke grap, hè?' Hij stond op.

Ik dacht – maar zei niet – dat als Brett zijn agenda had geprint hij dit probleem niet zou hebben gehad, maar ik hield mijn mond. 'Je denkt toch niet serieus dat iemand je dit heeft aangedaan, Brett?' zei ik tegen Gleasons rug.

Hij liep door.

Op dat moment verscheen er een berichtje op mijn computerscherm. Het was Gordy, en hij wilde me onmiddellijk spreken.

15

GORDY DROEG EEN kraakhelder wit buttondownoverhemd met een groot blauw KG-monogram op het zakje. Hij gaf me geen hand toen ik binnenkwam. Hij bleef achter zijn bureau zitten.

'Je hebt Lockwood binnengehaald,' zei hij.

'Ja.'

'Booya.'

'Dank je.'

'Ik weet niet hoe je ze uiteindelijk hebt overgehaald, maar ik ben onder de indruk. We hadden die order nodig. Heel erg nodig. Vooral nu Allard en Gleason de laatste tijd ballen uit hun klauwen laten vallen.'

'Doen ze dat? Dat is jammer.'

'Alsjeblieft,' zei Gordy. 'Doe me een lol en bewaar die onzin voor iemand die niet beter weet. Gleason heeft een presentatie bij de Bank of America gemist. Hij had een of ander lullig excuus, dat zijn computer was gecrasht of zo. Wat mij betreft, kan hij ophoepelen. En nu Trevor.' Hij schudde zijn hoofd. 'Weet je, ik hou net zoveel van golf als ieder ander' – hij wees naar zijn putter – 'maar je laat geen cliënt van zeventig miljoen dollar barsten om negen holes te spelen op de Myopia Hunt Club.'

'Je maakt een grapje,' zei ik, echt verrast. Dat leek me helemaal niets voor Trevor.

'Was dat maar waar,' zei Gordy. 'Hij weet niet dat ik het weet, maar ik heb het gehoord van Watkins van de Pavilion Group. Ik probeerde de zaak te redden, maar Watkins wilde daar niets van weten.'

'Trevor was op de gólfbaan?'

'Hij dacht dat hij zoiets wel kon flikken. Twee dagen kwam hij niet bij Watkins opdagen, en dan zei hij steeds dat hij autopech had. De eerste dag zegt hij dat hij een lekke band had, en de volgende dag was het zijn wisselstroomdynamo of zoiets, en hij zegt dat zijn mobieltje het beide dagen niet deed.'

'Ja, maar dat is allemaal echt gebeurd,' zei ik.

'Welnee. En weet je waarvandaan die idioot naar Watkins' kantoor belt? Vanaf de golfbaan. Dat zag Watkins' secretaresse op de nummerherkenning.' Hij schudde vol walging met zijn hoofd. 'Zoiets valt niet te verdedigen. Natuurlijk ontkent hij het, maar... Nou ja, ik ben geneigd Allard nog een kans te geven. Hij is een echte vleeseter. Maar ik heb iets voor jou.'

'Vertel maar.'

'Wie is die kerel van NEC die zo populair bij iedereen is?'

'Je bedoelt Jim Letasky? De man die de SignNetwork-account in zijn zak heeft zitten?'

'Ja, die. Ik wil SignNetwork binnenhalen. En blijkbaar kan dat alleen als we Letasky in ons team hebben. Denk je dat je het in je hebt om hem te rekruteren? Hem weg te kapen?'

'Van NEC? Hij woont in Chicago, heeft vrouw en kinderen, en waarschijnlijk verdient hij al veel geld.'

'Zo te horen geef je het al op voordat je begint,' zei Gordy. 'Ik dacht dat je Crawfords baan wilde.'

'Nee, alleen... het zal niet makkelijk zijn. Maar ik zal het proberen.'

'Proberen. Waarom zeg je niet: "Het komt voor elkaar, Gordy?"'

'Het komt voor elkaar, Gordy,' zei ik.

Ik liet er geen gras over groeien en probeerde meteen James Letasky te bereiken. Ik vond zijn kantoornummer op de website van NEC, maar ik wilde hem thuis bellen – de discretere benadering. Jammer genoeg stond Letasky's privénummer niet in het telefoonboek. Ik wachtte tot Gordy naar een bespreking was en ging toen naar zijn secretaresse. Ze beheerde zijn enorme database van namen en contactpersonen en ik dacht dat zij misschien wel aan Letasky's privénummer zou kunnen komen.

'Jim Letasky?' zei Melanie. 'Ja. Geen probleem.'

'Je klinkt alsof je die man kent.'

Ze schudde haar hoofd, stak haar onderlip naar voren en typte bliksemsnel iets in. 'Daar heb ik hem.'

'Hoe heb je dat gedaan?'

'Tovenarij.'

'Heb je de privénummers van alle verkopers van NEC?'

'Nee. Kent probeert Letasky al jaren te rekruteren. Ik stuur altijd bloemen naar zijn vrouw.' Ze keek onschuldig. Blijkbaar wist ze niet dat haar baas deed alsof hij amper wist wie Letasky was. 'Maar Letasky is daar niet weg te krijgen. Wil je de naam van haar favoriete bloemist? Die heb ik hier ook.'

'Nee, dank je, Mel,' zei ik. 'Ik ga geen bloemen sturen.'

16

NA WERKTIJD REED ik naar Willkie Auto Body om mijn Acura op te halen. Onderweg luisterde ik nog wat naar generaal Patton. Hij gromde iets over 'de enige manier om een hinderlaag te overleven: meteen het vuur beantwoorden, dwars door de vijandelijke schutters heen gaan en zo je vijand dwingen dekking te zoeken'.

Ik liet de Geo Metro bij het schadebedrijf achter, waar hij door Enterprise Rent-A-Car zou worden opgehaald. Gelukkig keek ik in de kofferbak, waarin ik bijna de tas met zakelijke zelfhulpboeken had achtergelaten.

Een auto-ongeluk brengt één voordeel met zich mee: als je je auto uit de werkplaats terugkrijgt, ziet hij er gloednieuw uit. De Acura zag eruit alsof ik hem net van de dealer had gehaald. Toen ik de generaal in de cd-speler deed, klonk hij door het surround-soundsysteem van mijn Acura nog gezaghebbender.

Toen gebruikte ik mijn mobiele telefoon om Kurt Semko te bellen en zei tegen hem dat ik nog geen tien kilometer van zijn huis vandaan was – hij had me verteld dat hij een huis in Holliston huurde – en dat ik een cadeautje voor hem had. Hij zei: goed, kom maar langs.

Ik kon het gemakkelijk vinden. Hij woonde in een buitenwijk en het was een klein huis in ranchstijl, rode baksteen, witte overnaadse planken, zwarte luiken, zoals je in alle buitenwijken van Amerika ziet. Het was erg klein, maar het was pas geschilderd en zag er goed verzorgd uit. Wat had ik dan verwacht, een oude golfijzeren loods?

Ik parkeerde op het pad, dat gitzwart was en blijkbaar kortgeleden opnieuw was verhard. Ik pakte de stapel boeken uit de kofferbak en belde bij Kurt aan. Ik had ze uit, en trouwens, ik dacht dat Kurt ze meer nodig had dan ik.

Hij kwam in een wit T-shirt naar de deur.

'Welkom in het Fort van Eenzaamheid. Ik zou je een hand geven, maar dan zou je er net zo gaan uitzien als ik.' Hij maakte de hordeur voor me open. 'Ik ben de elektra aan het vervangen.'

'Doe je dat zelf?'

Hij knikte. 'Het is een huurhuis, maar ik had er genoeg van dat de stoppen steeds weer doorslaan. Met honderd ampère red je het gewoon niet. En dan die oude bedrading. Ik installeer een groepenkast van vierhonderd ampère. En omdat ik toch bezig ben, gooi ik die oude aluminium bedrading er ook uit.'

Hij zag de stapel boeken in mijn armen. 'Zijn die voor mij?'

'Eh, ja,' zei ik.

Hij keek naar de stapel. '*Eten of gegeten worden: hoe overleef ik het bedrijfsleven?*,' las hij. '*Gids voor de genadeloze manager.* Wat is dit allemaal?'

'Een paar boeken waarvan ik dacht dat je er iets aan hebt.' Ik legde ze op de tafel in de hal. 'Nu je in het bedrijfsleven werkt.'

'*Teamgeheimen van de SEAL's: leiderschapsprincipes van de militaire eliteeenheid voor het bedrijfsleven*,' zei hij. Hij klonk geamuseerd. '*De manager als krijger.* Dit is allemaal militair spul, baas. Daar hoef ik niet over te lezen. Ik heb genoeg meegemaakt.'

Ik voelde me een idioot. Ik had te maken met een man die al die dingen uit eigen ervaring wist, en ik gaf hem een stel boeken voor leunstoelkrijgers in het bedrijfsleven. Bovendien was hij misschien wel een van die kerels die nooit een boek lazen. 'Ja, maar weet je, ze gaan over toepassing van wat jij al weet op een wereld die je niet kent.'

Hij knikte en zei: 'Ik begrijp het.'

'Bekijk ze maar eens,' zei ik. 'Zie maar wat je ervan denkt.'

'Doe ik, baas. Doe ik. Ik ben een groot voorstander van zelfverbetering.'

'Dat is cool. Hé, luister. Ik wil je om een dienst vragen.'

'Zeg het maar. Kom binnen. Ik zal je iets te drinken geven. Dan kun je meteen mijn oorlogstrofeeën bekijken.'

Het huis was binnen even netjes als buiten. Schoon, ordelijk en eenvoudig. Het zag er bijna uit alsof hij hier maar tijdelijk woonde. In zijn koelkast stonden alleen flesjes Poland Spring-water, Gatorade en proteïneshakes. Ik zou geen bier krijgen.

'Gatorade?'

'Liever water,' zei ik.

Hij gooide me een flesje water toe, nam er zelf ook een, en we liepen naar zijn sober ingerichte huiskamer – een bank, een luie stoel, een oude tv – en gingen zitten.

Ik vertelde hem een beetje over de race om de baan van adjunct-directeur: dat Gleason een belangrijke presentatie bij de Bank of America had verknoeid en dat Trevor de Pavilion-order was kwijtgeraakt. Aan de andere kant hield Trevor maandag een demo bij Fidelity, zei ik. Daarmee zou hij de order binnenhalen en dan stond hij weer bij Gordy in de gunst.

Toen vertelde ik hem dat Gordy wilde dat ik Jim Letasky van NEC rekruteerde. 'Dat is zoiets als: "Breng me de bezemsteel van de Gemene Heks van het Westen,"' zei ik.

'Waarom?'

'Het is een onmogelijke opdracht. Hij wil dat het me mislukt. Dan kan hij de promotie aan Trevor geven.'

'Waarom weet je zo zeker dat het je niet lukt?'

'Omdat ik van Gordy's secretaresse heb gehoord dat Gordy het al veel vaker heeft geprobeerd, en die man woont met vrouw en kinderen in Chicago en heeft geen enkele reden om naar Boston te verhuizen en aan een nieuwe baan bij Entronics te beginnen.'

'Ben jij hoog genoeg om die kerel te rekruteren?'

'Officieel wel. Ik ben districtsmanager. Maar ik heb hem ontmoet en we mogen elkaar graag.'

'Ken je hem goed?'

'Nee, dat is het nou juist. Ik ken hem helemaal niet goed. Ik heb de gebruikelijke research gedaan, een stel telefoontjes gepleegd, maar ik heb niets gevonden waarin ik me kan vastbijten. Jij kent toevallig niet iemand bij de beveiliging van NEC, hè?'

'Sorry.' Hij glimlachte. 'Hoezo, wil je een onderzoek naar hem laten instellen?'

'Zou jij zelfs dat kunnen doen?'

'Ik zou alleen moeten weten waar ik moet zoeken.'

'Denk je dat je erachter kunt komen wat zijn beloningspakket bij NEC precies is?'

'Ik denk dat ik heel wat meer kan doen.'

'Dat zou geweldig zijn.'

'Geef me een paar dagen de tijd. Ik zal zien wat ik kan ontdekken. Actiegerichte inlichtingen, noemden we dat vroeger.'

'Bedankt, man.'

Hij haalde zijn schouders op. 'Je hoeft me niet te bedanken. Jij hebt het voor me geregeld.'

'Ik?'

'Bij Scanlon, bedoel ik. Je stond voor me in.'

'Dat? Dat is niets.'

'Het is niet niets, Jason,' zei hij. 'Het is niet niets.'

'Ik deed het graag. Wat voor oorlogstrofeeën heb je?'

Hij stond op en maakte de deur open van een kamer die blijkbaar als logeerkamer bedoeld was. Het rook daar naar kruit en andere dingen, scherp en muf tegelijk. Op een lange bank lagen vreemd uitziende wapens netjes in rijen. Hij pakte een oud geweer met een gladde houten kolf op. 'Moet je kijken. Een Mauser K98 uit de Tweede Wereldoorlog. Het standaardwapen van de Wehrmacht-infanterie. Gekocht van een Irakese boer die beweerde dat hij een van onze Apache-helikopters ermee had neergeschoten.' Hij grinnikte. 'Er zat geen schrammetje op de helikopter.'

'Werkt het?'

'Geen idee. Dat wilde ik niet proberen.' Hij pakte een pistool op en liet het me zien. Blijkbaar wilde hij dat ik het in handen nam, maar ik beperkte me tot kijken. 'Dat lijkt op een Beretta Model 1934, nietwaar?'

'Absoluut,' zei ik met een stalen gezicht. 'Geen twijfel mogelijk.'

'Maar kijk eens naar de tekens op de schuif.' Hij hield het wapen dicht bij mijn ogen. 'Gemaakt in Pakistan, zie je? In de werkplaatsen van Darra Adam Khel.'

'Wie?'

'Dat is een stadje tussen Peshawar en Kohat. Beroemd om zijn replica's van elk wapen ter wereld. Wapenmakers voor de Pashtun, de talibanstrijders in Stan.'

'Stan?'

'Afghanistan. Aan het rommelige reliëfwerk op de schuif kun je zien dat het een Darra is. Zie je wel?'

'Is het een vervalsing?'

'Het is verbazingwekkend wat je met onbeperkte tijd, een doos vijlen en negen zoons kunt doen. En moet je hier eens kijken.' Hij liet me een zwarte rechthoek met een kogelgat in het midden zien. 'Dat is een SAPI-plaat. *Small arms protection insert.*'

'Hij is gebruikt of hij is niet goed.'

'Hij heeft mijn leven gered. Ik stond in een tankkoepel op Highway One in Irak, en plotseling werd ik naar voren gegooid. Een sluipschutter had me te pakken gekregen. Gelukkig had ik dit in mijn kogelwerende vest gedaan. Je ziet dat de kogel erdoorheen is gegaan. Hij ging zelfs door mijn kleren heen. Ik had een lelijke blauwe plek, maar hij kwam niet tot aan mijn wervelkolom.'

'Mocht je al die dingen mee naar huis nemen?'

'Een hoop jongens deden dat.'

'Legaal?'

Hij liet een schor lachje horen.

'Werkt er nog iets van?'

'De meeste zijn replica's. Vervalsingen. Niet betrouwbaar. Je zou ze niet willen gebruiken. Ze kunnen in je gezicht ontploffen.'

Ik zag een dienblad met buisjes, als olieverf van een kunstenaar. Ik pakte een van de buisjes op. Op het etiket stond LIQUID METAL EMBRITTLEMENT AGENT (LME) – KWIK/INDIUMAMALGAAM. Er stond ook UNITED STATES ARMY. Ik wilde hem net vragen wat het was, toen hij zei: 'Kun je met een wapen overweg?'

'Kwestie van richten en schieten, hè?'

'Eh, niet precies. Sluipschutters moeten jaren oefenen.'

'Idioten die in stacaravans wonen en met hun nicht getrouwd zijn, schijnen het zonder veel training te kunnen.'

'Weet je wat terugslag is?'

'Ja. Het wapen springt achteruit. Ik heb *Bad Boys* wel twintig keer gezien. Alles wat ik weet, heb ik van films geleerd.'

'Wil je leren schieten? Ik ken iemand die een schietbaan heeft, hier niet ver vandaan.'

'Niks voor mij.'

'Toch zou je dat moeten doen. Elke man zou moeten leren schieten. In de tijd waarin we leven. Je hebt een vrouw te beschermen.'

'Als de terroristen op ons afkomen, bel ik jou.'

'Serieus.'

'Nee, dank je. Geen interesse. Ik ben nogal bang voor wapens. Dat is niet persoonlijk bedoeld.'

'Zo vat ik het ook niet op.'

'Hoe kom ik toch aan het gevoel dat je de Special Forces mist?'

'De Special Forces hebben mijn leven veranderd.'

'Hoe dan?'

'Thuis was het beroerd.'
'Waar ben je opgegroeid?'
'Grand Rapids, Michigan.'
'Mooie stad. Ik heb zaken gedaan met Steelcase.'
'Ik woonde niet in het mooie deel van Grand Rapids. Aan de verkeerde kant van het spoor.'
'Dat klinkt als mijn buurt in Worcester.'
Hij knikte. 'Maar ik kwam altijd in de problemen. Ik heb nooit gedacht dat ik iets zou bereiken. Zelfs toen ik door de Tigers werd gevraagd, dacht ik dat ik nooit tot het eerste team zou doordringen. Ik was niet goed genoeg. Toen ging ik bij het leger en was ik eindelijk ergens goed in. Er geven zich veel kerels voor de Special Forces op, maar de meesten komen er niet door. Toen ik door de Q Course heen was, wist ik dat ik iets kon. Twee derde van onze klas kwam er niet door.'
'Wat voor course?'
'Q Course. *Qualification Course.* Kwalificatieopleiding. Het draait om selectie – het is een voortdurende kwelling, vierentwintig uur per dag. Ze geven je een uur slaap, en dan maken ze je om twee uur in de nacht wakker voor gevechten van man tegen man. Telkens wanneer iemand het opgeeft, komt er "Another One Bites the Dust' uit de luidsprekers, wat voor uur van de dag of nacht het ook is.'
'Ik geloof dat ik nu weet waar Gordy zijn managementtechnieken vandaan heeft.'
'Je hebt geen idee, man. Het laatste deel van de cursus heet Robin Sage. Dan zetten ze je midden in tweeduizend vierkante kilometer bos in North Carolina en moet je landnavigatie doen. Je mag niet over wegen lopen. Je moet van noten en bessen leven, en in het begin gooien ze je een dier toe, een konijn of een kip, en dat is dan je eiwitvoorziening. Aan het eind van de week moet je de achterpoten inleveren. De kerels die het einde halen, zijn degenen die het gewoon niet opgeven. Kerels als ik.'
'Lijkt me een soort survivalproject.'
Hij maakte een *pfft*-geluid. 'En als je dan geluk hebt, sturen ze je naar een van de ergste schijtgaten van het universum, zoals Afghanistan of Irak. En als je heel veel geluk hebt, zoals ik, naar beide.'
'Leuk.'
'Ja. Je bent in Irak, midden in een zandstorm waar maar geen eind

aan wil komen, en de woestijn is 's nachts verrekte kóúd; dat had je nooit verwacht. Je handen zijn zo erg verdoofd dat je geen koffie kunt zetten. Je rantsoenen zijn verkleind tot één maaltijd per dag. Er is niet genoeg water om je te wassen of te scheren. Of je zit in een ellendige legerplaats in Basra, waar de zandvlooien over je heen kruipen en je bijten, en er zijn muskieten die malaria overbrengen, en je zit onder de rode bulten, en hoeveel insecticide je ook op jezelf en in de lucht spuit, het maakt geen moer verschil.'

Ik knikte en zweeg een tijdje. 'Man,' zei ik ten slotte. 'Je zult je baan heel saai vinden.'

Hij haalde zijn schouders op. 'Ach, het is mooi om eindelijk een echte baan te hebben. Wat geld te verdienen. Ik kan nu een auto kopen. Scanlon wil dat ik er een heb, voor besprekingen met klanten en zo. Misschien koop ik zelfs een nieuwe Harley. Ik kan sparen voor een huis. En misschien ontmoet ik op een dag een leuke meid en besluit ik weer te gaan trouwen.'

'De vorige keer ging het niet goed, hè?'

'Het duurde nog geen jaar. Ik weet niet of ik wel geschikt ben voor het huwelijk. De meeste kerels bij de Special Forces zijn gescheiden. Als je een gezin wilt stichten, zijn de Special Forces niets voor je. Nou, wat wil jíj?'

'Wat ik wil?'

'In het leven, bedoel ik. Op je werk.'

'Seizoenkaarten voor de Red Sox. Vrede op aarde.'

'Je wilt kinderen?'

'Ja.'

'Wanneer?'

Ik haalde mijn schouders op en glimlachte vaag. 'We zullen zien.'

'O,' zei hij. 'Een belangrijk punt voor jou.'

'Nee.'

'Wel degelijk. Je vrouw en jij zijn het er niet over eens. Of jullie proberen het, en het lukt niet. Dat zie ik aan je gezicht.'

'Heb je ook een kristallen bol in die kamer?'

'Serieus. Als je er niet over wilt praten, is dat best, maar ik zie het aan je gezicht. Weet je wat een "tell" is?'

'Poker, hè? Kleine tekens waaraan je kunt zien dat iemand bluft.'

'Precies. De meeste mensen vinden het niet prettig om te liegen. Dus als ze bluffen, glimlachen ze. Of ze trekken een onbewogen gezicht. Of ze krabben aan hun neus. Sommigen van ons bij de Special Forces volgden cursussen over gelaatsuitdrukkingen en bedreigingsbeoordeling bij een beroemde psycholoog. Om te leren bedrog te doorzien. Soms wil je weten of iemand zijn pistool pakt of alleen maar een strip kauwgom tevoorschijn haalt.'

'Ik kan altijd zien wanneer Gordy liegt,' zei ik.

'O ja?'

'Ja. Dan beweegt hij zijn lippen.'

'Ja, ja.' Hij lachte niet. 'Dus je wilt kinderen. Je wilt een groter huis, een mooiere auto. Meer speelgoed.'

'Vergeet de wereldvrede niet. En kaartjes voor de Sox.'

'Je wilt de leiding van Entronics hebben?'

'De laatste keer dat ik keek, was ik geen Japanner.'

'Maar je wilt wel de leiding van een bedrijf hebben.'

'Daar heb ik wel eens aan gedacht. Meestal wanneer ik een paar biertjes opheb.'

Hij knikte. 'Je bent ambitieus.'

'Mijn vrouw denkt dat ik ongeveer zo ambitieus ben als een schildpad.'

'Ze onderschat je.'

'Misschien.'

'Nou, ik niet, man. Ik heb het al eerder gezegd en ik zal het opnieuw zeggen. Ik vergeet nooit wie me een dienst heeft bewezen. Dat zul je zien.'

17

OP ZATERDAGOCHTEND BELDE ik Jim Letasky thuis.

Hij was verbaasd van me te horen. We praatten een beetje. Ik feliciteerde hem met de Albertson-order die hij voor onze neus had weggekaapt en kwam toen ter zake.

'Moet je dit van Gordy doen?' zei Letasky.

'We hebben je al een tijd op het oog,' zei ik.

'Mijn vrouw houdt van Chicago.'

'Ze zal nog meer van Boston houden.'

'Ik voel me gevleid,' zei hij. 'Echt waar. Maar ik heb al twee keer een aanbod van Gordy afgewezen. Drie keer, nu ik erover nadenk. Sorry, maar het bevalt me hier goed. Ik hou van mijn baan.'

'Ben je ooit voor zaken naar Boston geweest?' zei ik.

'Steeds weer,' zei hij. 'Elke week. Boston valt onder mijn territorium.'

We spraken af elkaar over een paar dagen te ontmoeten, als hij in Boston was. Hij wilde me niet op het hoofdkantoor van Entronics ontmoeten, waar hij mensen zou tegenkomen die hij kende, zodat ze het bij NEC te horen zouden krijgen. We spraken af in zijn hotel te ontbijten.

Maandagmorgen in alle vroegte ging Kurt met me naar zijn sportschool in Somerville. Er waren daar geen beeldschone vrouwen in bodystockings van lycra aan het werk op gloednieuwe elliptische trainers. Er was geen bar met yoghurtdrankjes en Fiji-water.

Dit was een serieuze sportzaal die naar zweet, leer en adrenaline stonk. De vloer bestond uit oeroude splinterige planken. Er waren rekken voor wandboksballen, er waren oefenballen en zware bokszakken en *double-end*-zakken, en er was een boksring in het midden van de zaal. Kerels waren aan het touwtjespringen. Blijkbaar kenden ze Kurt allemaal en mochten ze hem graag. Het toilet had een ouderwetse houten stortbak, en je trok aan een ketting om door te spoelen. Er hing een bord met NIET SPUWEN. De kleedkamer was verschrikkelijk.

Maar ik vond het er prachtig. Het was echt, veel echter dan CorpFit of een van de andere 'fitnessclubs' waar ik lid van was geweest en bijna nooit heen was gegaan. Er waren een paar oude tredmolens en steppers, en rekken met vrije gewichten.

We zaten allebei op een fietshometrainer om de spieren warm te maken, Kurt en ik. En dat om halfzes 's morgens. Tien of vijftien minuten hard fietsen om onze bloedsomloop op gang te krijgen, zei Kurt, voordat we aan de echte training begonnen. Kurt droeg een zwart mouwloos T-shirt van Everlast. De man had kolossale biceps; zijn deltaspieren puilden als grapefruits uit zijn shirt.

Onder het trainen praatten we een beetje. Hij zei dat hij het systeem van bewakingscamera's in ons gebouw digitaal ging maken. 'Alle opnamen worden digitaal,' zei hij. 'En dan gaan ze ook via internet. En daarna moet ik iets aan ons systeem van toegangscontrole doen.'

'Maar we hebben allemaal van die badges,' zei ik.

'De schoonmakers hebben ze ook. Die kunnen elke kamer in. En hoeveel denk je dat het kost om een van die illegale buitenlanders om te kopen en zijn kaart in handen te krijgen? Honderd dollar misschien? We moeten met biometrie gaan werken. Duimafdrukken of vingerafdrukken.'

'Denk je echt dat Scanlon daarmee akkoord gaat?'

'Nog niet. Hij ziet er wel wat in, maar het is duur.'

'Heeft Scanlon er met Gordy over gepraat?'

'Gordy? Nee, Scanlon zegt dat het op het niveau van Dick Hardy moet worden goedgekeurd. Hij wil een paar maanden wachten. Weet je, niemand wil in beveiliging investeren, tot zich een probleem voordoet. De geldstroom komt pas op gang als er bloed vloeit.'

'Jij bent nieuw,' zei ik. 'Waarschijnlijk zou je Scanlon niet onder druk moeten zetten.'

'Ik zet hem helemaal niet onder druk. Je moet weten wanneer het tijd is om te vechten en tijd om je terug te trekken.' Hij glimlachte. 'Een van de eerste dingen die je in de box leert. Het staat ook in die boeken die je me hebt gegeven.'

'De box?'

'Sorry. Op een missie.'

'O. Begrijpelijk.' Ik kwam adem tekort en probeerde zuinig te zijn met mijn woorden.

'Hé, ik vind die boeken over oorlogvoering in het bedrijfsleven geweldig. Ik snap het, man. Ik snap het helemaal.'

'Ja,' hijgde ik. 'Waarschijnlijk op een manier... waarop de meeste managers het niet snappen.'

'Zo is dat. Al die zogenaamde krijgers uit het bedrijfsleven met al hun gelul over het "killen" van de concurrentie. Dat is grappig.' Hij sprong van de hometrainer af. 'Klaar voor abs-training?'

Nadat we hadden gedoucht en ons hadden verkleed, gaf Kurt me een map. Ik stond in de vroege ochtendzon buiten op straat, de auto's ronkten voorbij, en ik las hem door.

Ik had geen idee hoe hij het had gedaan, maar het was hem gelukt tot op de dollar nauwkeurig te weten te komen hoeveel Jim Letasky de afgelopen vier jaar had verdiend: salaris, commissie en premies. Hij wist hoeveel hypotheek Letasky had, de maandelijkse betaling, het rentetarief, het eigen geld, plus wat hij voor zijn huis in Evanston had betaald en wat het nu waard was.

Zijn betalingen voor zijn auto. De namen van zijn vrouw en drie kinderen. Het feit dat Letasky was geboren en getogen in Amarillo, Texas. Kurt had genoteerd dat Letasky's vrouw niet werkte – niet buitenshuis, zoals ze dan zeggen – en dat zijn drie kinderen naar een particuliere school gingen, en wat dat kostte. Het saldo van zijn bankrekening, hoeveel saldo hij op zijn creditcards had, wat zijn grote uitgaven waren. Het was griezelig zoveel als Kurt te weten was gekomen.

'Hoe ben je achter dat alles gekomen?' vroeg ik toen we naar zijn motor liepen.

Kurt glimlachte. 'Dat hoef je niet te weten,' zei hij. 'Het enige wat jíj moet weten, is dat je altijd betere inlichtingen dan de vijand moet hebben.'

Het was Kurts eerste dag op zijn werk en ik wilde hem op een lunch trakteren om het te vieren, maar hij zat met allerlei papieren en inwerksessies en zo. Toen Trevor Allard om een uur of twaalf van Fidelity terugkwam – eerder dan ik had verwacht – liep ik naar zijn kamer en zei zo nonchalant als ik kon: 'Hoe ging het?'

We mochten elkaar niet graag, maar we konden elkaar wel vrij goed doorgronden, zoals twee wolven ook binnen een paar seconden weten waar ze met de ander aan toe zijn. Ik had de vraag niet op een provocerende manier gesteld, maar hij wist wat ik in werkelijkheid vroeg: *Heb je de order binnengehaald? Word je nu mijn baas?*

Hij keek me met een onbewogen gezicht aan.

'De demo,' bracht ik hem in herinnering. 'Vanmorgen. Bij Fidelity.'

'Ja,' zei hij.

'Je was daar toch de 61-inch aan het demonstreren?'

Hij knikte en bleef me aankijken, zijn neusgaten wijd open. 'De demo flopte.'

'Flopte?'

'Ja. De monitor wilde niet eens aan. Totaal fiasco.'

'Je maakt een grapje.'

'Nee, Jason, ik maak geen grapje.' Zijn stem was koud en hard. 'Ik maak beslist geen grapje.'

'Natuurlijk niet. Goh, wat erg. Wat gebeurde er toen – ben je Fidelity kwijt?'

Hij knikte weer en bleef me aandachtig aankijken. 'Allicht. Niemand wil tienduizend dollar per stuk betalen voor een stel plasmaschermen van dubieuze kwaliteit. Dus ja, ik ben ze kwijt.'

'Wat rottig. En je had Fidelity als "toezegging" in de prognose gezet. Dat komt zo dicht bij zekerheid als het maar kan.'

Hij drukte zijn lippen op elkaar. 'Weet je wat het is, Jason? Brett en ik hebben de laatste tijd steeds weer pech. Mijn auto krijgt een lekke band en daarna een probleem met het elektrisch systeem. Bretts computer crasht onherstelbaar. En nu krijg ik een slechte monitor mee, nadat ik hem eerst had laten testen. Allebei verliezen we daardoor grote orders.'

'Ja?'

'Wat hebben Brett en ik met elkaar gemeen? We zijn allebei in de running voor Crawfords baan. Tegen jou. En jou overkomt niets. En dus vraag ik me onwillekeurig af hoe en waarom dit allemaal gebeurt.'

'Je zoekt een reden? Een verklaring? Ik bedoel, het is rottig en ik vind het erg voor jullie, maar jullie hebben de laatste tijd gewoon veel pech gehad. Dat is alles.'

Misschien was het niet alleen maar een kwestie van pech. Gleason en Allard waren twee competitief ingestelde kerels. Ze aasden op een baan die hun een veel hoger salaris zou opleveren en een opstapje zou zijn naar een topfunctie. Was het mogelijk dat ze elkaar hadden gesaboteerd? Sommige mensen waren daartoe in staat. Zelfs vrienden als die twee. Schorpioenen in een pot. Was het gewoon pesterij? Er gebeurden wel vreemdere dingen in ondernemingen als de onze, waar iedereen onder hoge druk stond. Ik nam me voor om reservekopieën van al mijn bestanden te maken en ze mee naar huis te nemen.

'Pech,' herhaalde hij. Zijn neusgaten gingen weer wijd open. 'Weet je, ik heb altijd juist veel geluk gehad.'

'O, nu snap ik het. Jij loopt de ene na de andere order mis, maar het is *míjn* schuld. Dat is triest. Luister, Trevor. Je maakt je eigen geluk.'

Ik wilde net in woede uitbarsten – ik was het zat – toen op de gang een gil klonk. We keken elkaar verbaasd aan.

Weer een gil, een vrouw, en toen schreeuwde er iemand anders. We gingen kijken wat er aan de hand was.

Er stond een groepje voor het plasmalab. De vrouw die had gegild, een jonge administratief medewerkster, gilde nog harder en klampte zich aan de deurpost vast om niet in elkaar te zakken.

'Wat is er?' zei ik. 'Wat is er gebeurd?'

'Meryl bleef kloppen en kloppen, en toen Phil niet reageerde, maakte ze de deur open om te kijken of hij er was,' zei Kevin Taminek, de manager voor verkoop binnendienst. 'Hij is er altijd, en het is op het eind van de ochtend. En, jezus...'

Gordy kwam erbij. Hij was buiten adem en riep: 'Wat is híér aan de hand?'

'Laat iemand de beveiliging bellen,' zei een ander, die samen met Taminek over de verkoop binnendienst ging. 'Of de politie. Of allebei.'

'O, godallemachtig,' zei Gordy, zijn stem hard en bevend.

Ik kwam wat dichterbij om te zien waar ze allemaal naar keken, en mijn mond viel open van schrik.

Philip Rifkin hing aan het plafond.

Zijn ogen waren open en puilden uit. Hij had zijn bril niet op. Zijn mond hing enigszins open en het puntje van zijn tong stak eruit. Zijn gezicht was donker en blauwig. Een zwart koord sneed diep in zijn hals, met de knoop aan de achterkant. Ik zag dat het componentkabel was; daar had hij gigantische spoelen van. Een meter of zo van hem vandaan lag een omgevallen stoel. Ik zag dat hij een van de plafondpanelen had weggehaald en het andere eind van de kabel aan een stalen balk had vastgebonden.

'Allemachtig!' zei Trevor, en hij wendde zich kokhalzend af.

'Jezus,' zei ik ademloos, 'hij heeft zich opgehangen.'

'Bel de beveiliging!' riep Gordy. Hij pakte de deurknop vast en trok de deur dicht. 'En ga hier weg, jullie allemaal. Ga weer aan het werk.'

18

MIJN SPIEREN STONDEN in brand, maar Kurt wilde me niet laten ophouden. Hij liet me de trap van het Harvard Stadium op en neer rennen. Hij noemde dat de 'Stairway to Heaven'.

'Tijd voor een rustpauze,' zei ik.

'Nee. Doorgaan. Ontspan je lichaam. Laat je armen helemaal naar achteren zwaaien, tot aan je schouders.'

'Ik ga hier dood. Het lijkt wel of mijn spieren in brand staan.'

'Melkzuur. Heel goed.'

'Is dat niet slecht?'

'Doorgaan.'

'Jij bent niet eens buiten adem.'

'Er is veel voor nodig om mij buiten adem te krijgen.'

'Goed,' zei ik. 'Jij wint. Ik geef me over. Ik beken.'

'Nog twee keer.'

Toen we klaar waren, liet hij ons in een hoog tempo langs de oever van de Charles lopen om af te koelen. Volgens mij werkt een frappucino van Starbucks beter.

'Was het voor jou net zo goed als voor mij?' zei ik, nog hijgend.

'Pijn is alleen maar zwakheid die het lichaam verlaat,' zei Kurt, en hij stompte me zacht tegen mijn schouder. 'Ik hoorde dat er gisteren iets lelijks is gebeurd bij jullie. Iemand heeft zich verhangen, hè?'

'Afschuwelijk,' zei ik, hoofdschuddend, hijgend.

'Scanlon zei dat hij een snoer of zoiets had gebruikt.'

'Ja. Componentkabel.'

'Triest.'

'Heeft Scanlon je verteld... of Rifkin een briefje heeft achtergelaten?'

Kurt haalde zijn schouders op. 'Geen idee.'

We liepen een paar minuten tot ik bijna normaal kon praten. 'Trevor denkt dat ik hem probeer dwars te zitten. Dat ik de boel saboteer. Weet je nog, die grote demonstratie die hij zou geven? Bij Fidelity – een van onze 61-inch plasma's? Het ding deed niks toen hij het aanzette. Natuurlijk verloor hij de order.'

'Slecht voor hem, goed voor jou.'

'Misschien, maar hij denkt dat ik de monitor heb gesaboteerd.'

'Heb je dat?'

'Kom nou, dat is niet bepaald mijn stijl. Daar komt nog bij dat ik niet zou weten hoe je zoiets doet.'

'Kan de monitor onderweg niet kapot zijn gegaan?'

'Zeker. Een plasmamonitor kan op allerlei manieren defect raken. Een paar maanden geleden zei Circuit City dat zes van onze flatpanel-tv's het bij aankomst niet deden. Het bleek dat een of andere achterlijke schoonmaker in ons pakhuis in Rochester de wc's had schoongemaakt met een mengeling van toiletreiniger en Clorox. Hij wist niet dat er dan chloorgas vrijkomt. Dat tast de microchips of de printplaten of weet ik veel aan – de monitors waren helemaal naar de maan. Het kan van alles zijn geweest.'

'Je moet die kerel gewoon negeren. Er is toch niemand die zijn beschuldigingen serieus neemt? Blijkbaar probeert hij een excuus te verzinnen.'

Ik knikte. Liep een tijdje door. 'Ik kan donderdagmorgen niet naar onze training,' zei ik. 'Ik heb een ontbijtafspraak met Letasky.'

'Je gaat hem een aanbod doen dat hij niet kan afslaan, hè?'

'Ik zal mijn best doen. Dankzij jou.'

'Ik ben blij dat ik kan helpen. Als ik iets voor je kan doen, hoef je het maar te vragen.'

Ik zweeg even. 'Zeg, ik heb dat dossier doorgelezen dat je me gaf. Ik heb enorm veel aan die inlichtingen. Enorm veel.'

Hij haalde bescheiden zijn schouders op.

'En ik stel echt op prijs wat je allemaal voor me doet. Sommige dingen... Nou, ik wil niet weten hoe je erachter bent gekomen, maar... je moet wel heel voorzichtig zijn met die dingen. Voor een deel gaan we ermee over de schreef. Als een van ons ermee wordt betrapt, kunnen we in grote moeilijkheden komen.'

Hij zweeg. De ochtend werd al wat warmer en zijn tanktop begon vochtig te worden. Mijn T-shirt was al druipnat.

Een minuut ging in stilte voorbij, en toen nog een minuut. Er waggelde een stel ganzen bij de Lars Anderson Bridge over de rivieroever. Ik zag twee vroege joggers, een man en een vrouw.

'Jij hebt me zelf om informatie over Letasky gevraagd,' zei hij. Hij klonk bijna verontschuldigend.

'Dat weet ik. Je hebt gelijk. Maar dat had ik niet moeten doen. Dit zit me gewoon niet lekker.'

Weer een minuut van stilte. Over Storrow Drive reed een auto voorbij.

'Dan zul je wel niet geïnteresseerd zijn in nog een stukje informatie over James Letasky dat net is binnengekomen.'

Ik sloeg mijn ogen neer. Ademde langzaam uit. Ik wilde nee zeggen, maar kon dat niet opbrengen.

Zonder op antwoord te wachten ging Kurt verder: 'De laatste jaren gaan de Letasky's in hun vakanties kamperen. Wisconsin, Indiana, Michigan, dat soort plaatsen. Maar James en zijn vrouw houden het meest van Martha's Vineyard. Daar zijn ze op huwelijksreis geweest. Ze willen steeds terug, maar het is te ver van Chicago vandaan.'

'Interessant,' zei ik. Martha's Vineyard was veel dichter bij Boston dan bij Chicago. 'Hoe heb je...' Ik zag Kurts gezicht en zweeg. 'Oké. Dat hoef ik niet te weten.'

Kurt keek op zijn horloge. 'We moeten allebei aan het werk,' zei hij.

'Kom je vanavond softballen?'

'Ik zou het niet willen missen,' zei Kurt.

19

De topverkoper van NEC, Jim Letasky, was een dikke man met een rond gezicht. Hij was midden dertig en had blond haar dat in bloempotmodel was geknipt, zoals dat van franciscaner monniken. Hij had een gulle glimlach en was zo charismatisch en innemend als het maar kon. Hij was direct en rechtdoorzee – geen gedachtenspelletjes, geen aarzelingen – en daar hield ik wel van. Hij wist dat we hem in dienst wilden nemen, en hij wist ook waarom, en hij liet duidelijk weten dat hij niet veel belangstelling had. Evengoed had hij de deur niet dichtgegooid, want hij zat nu met mij te ontbijten in het Hyatt Regency aan Memorial Drive in Cambridge.

We wisselden de gebruikelijke nieuwtjes uit en ik feliciteerde hem weer met de Albertson-order, en hij reageerde daar met gepaste bescheidenheid op. Ik probeerde hem iets te laten vertellen over zijn connectie met dat tussenbedrijf, SignNetwork, maar daar wilde hij niet veel over zeggen. Dat was het geheim van de smid en zo. We praatten over Amarillo in Texas, waar hij vandaan kwam, en ik vertelde hem over mijn zwak voor Big Red-frisdrank, waar hij ook van hield.

Toen hij zijn derde kop koffie op had, zei Letasky: 'Jason, ik vind het altijd geweldig je te ontmoeten, maar kunnen we openhartig spreken? Entronics kan zich mij niet veroorloven.'

'Toptalent kost geld,' zei ik.

'Jij weet niet wat ik verdien.'

Ik deed mijn best om niet te glimlachen. 'Je beloningspakket is maar een klein deel van wat we je te bieden hebben,' zei ik.

Hij lachte. 'Niet een te klein deel, hoop ik,' zei hij.

Ik vertelde hem wat we te bieden hadden. Het was precies vijfentwintig procent meer dan wat hij bij NEC kreeg, en hij hoefde er niet zo hard voor te werken. Ik wist dat hij zich bij zijn baas over zijn vele reizen had beklaagd – in Kurts map hadden zelfs privémailtjes van Letasky gezeten. Hij wilde graag wat meer thuis bij zijn kinderen zijn. Gezien de orders die Letasky binnenhaalde, en onze premiestructuur, zou Entronics er toch nog bij winnen.

'Weet je, we willen dat onze verkopers een goed leven hebben,' zei ik. Dat was zo'n grove leugen dat ik bijna niet kon geloven dat de woorden uit mijn mond tuimelden. 'Zoals het pakket in elkaar zit, kun je veel meer verdienen dan je nu verdient, terwijl je veel minder uren werkt. Begrijp me niet verkeerd, je zou nog steeds een heleboel kilometers maken, maar op deze manier kun je je kinderen zien opgroeien. Je kunt naar Kenny's hockeytraining en de balletvoorstellingen van de tweeling gaan.'

'Hoe weet je...?' begon hij.

'Ik heb mijn huiswerk gedaan. Weet je, ik heb opdracht gekregen je niet van deze tafel te laten opstaan tot je ja hebt gezegd.'

Hij knipperde met zijn ogen, wist even niet wat hij moest zeggen.

'Dit zijn kostbare jaren in het leven van je kinderen,' zei ik. Dat was zo ongeveer letterlijk wat hij aan zijn baas had gemaild. 'En ze gaan snel. Zeker, je bent de kostwinner, maar wil je nou echt elke avond te laat thuiskomen om ze in te stoppen? Denk eens aan wat je mist.'

'Ik heb daarover nagedacht,' gaf hij met een klein stemmetje toe.

'Je kunt een beter leven krijgen en ook meer tijd hebben voor je vrouw en kinderen. Zou het niet leuk zijn om drie weken in de Grand Tetons op vakantie te gaan in plaats van één?' Dat was een voltreffer, wist ik. Hij had dat ook aan zijn baas gemaild.

'Ja,' zei hij. Zijn wenkbrauwen gingen omhoog en de glimlach verdween van zijn gezicht. 'Dat is zo.'

'En waarom zou je er drie kwartier over doen om op je werk te komen? Die tijd zou je met je kinderen kunnen doorbrengen. Je zou ze met hun huiswerk kunnen helpen.'

'We hebben een prachtig huis.'

'Heb je ooit Wellesley gezien?' zei ik. 'Heeft Gail daar niet op school gezeten?' Gail was zijn vrouw, en ze had inderdaad in Wellesley College op school gezeten. 'Dat is een kwartier rijden vanuit Framingham. Je neemt gewoon de 135.'

'Is het zo dichtbij?'

'Met het geld dat je voor je huis in Evanston kunt krijgen zou je dit huis kunnen kopen.' Ik haalde een foto tevoorschijn die ik die ochtend van de website van een makelaar in Wellesley had gehaald. 'Meer dan tweehonderd jaar oud. Een oude boerderij die in de loop van de jaren is uitgebreid. Mooi, hè?'

Hij keek naar de foto. 'Man.'

'Cliff Road is de exclusiefste buurt van Wellesley. Zie je hoe groot het perceel is? Je kinderen kunnen in de tuin spelen en Gail en jij zouden jullie niet druk hoeven te maken om de auto's. Er is een grote montessorischool niet ver daarvandaan – gaat de tweeling niet naar een montessorischool?'

Hij ademde uit. 'De heisa van het verhuizen,' begon hij.

Ik schoof nog een stuk papier over de tafel naar hem toe. 'Dit is de verhuis- en contractpremie die we je kunnen aanbieden.'

Hij las het bedrag en knipperde twee keer met zijn ogen. 'Hier staat dat het aanbod alleen vandaag van kracht is.'

'Ik wil dat je de tijd hebt om dit met Gail te bespreken. Maar ik wil niet dat je dit gebruikt om NEC onder druk te zetten en op die manier een beter pakket uit ze los te krijgen.'

'Hier kunnen ze nooit tegenop,' zei hij. Ik stelde zijn eerlijkheid op prijs. Die was verfrissend. 'Het zou geen zin hebben.'

'Jij bent daar niet de beste verkoper. Hier wel. Daar willen we voor betalen.'

'En ik heb tot vijf uur vandaag om te beslissen?'

'Boston-tijd,' zei ik. 'Dat is vier uur Chicago-tijd.'

'Goh, man, ik... Dit komt zo plotseling.'

'Je hebt er al een hele tijd over nagedacht,' zei ik. Ik wist dat hij kortgeleden een aanbod van Panasonic had afgewezen. 'Soms moet je gewoon je ogen dichtdoen en springen.'

Hij keek me aan, maar zijn ogen staarden ergens in de verte. Ik zag dat hij diep nadacht.

'En weet je hoe dicht bij de Vineyard we zitten?' zei ik. 'Hink, stap, sprong. Ben je daar ooit geweest? Je vrouw en kinderen zouden het prachtig vinden.'

Ik stelde voor dat hij naar zijn hotelkamer zou teruggaan om zijn vrouw te bellen. Ik zei dat ik in de hal zou wachten, dan kon ik wat telefoontjes plegen en e-mail afhandelen met mijn BlackBerry. Ik had alle tijd van de wereld, zei ik, en dat was niet waar.

Drie kwartier later kwam hij naar de hal terug.

Gordy's mond viel open. Je hoort die uitdrukking vaak, maar hoe vaak zie je echt iemands mond openvallen? Gordy's mond viel open en gedurende enkele seconden was hij sprakeloos.

'Allemachtig,' zei hij. Hij keek steeds weer naar Jim Letasky's handtekening op het contract, en keek toen mij weer aan. 'Hoe heb je dat klaargespeeld?'

'Je gaat dus akkoord met het pakket,' zei ik.

'Ik heb hem al verdraaid goede pakketten aangeboden. Wat heb je hem beloofd?' vroeg hij argwanend.

'Geen dingen waar jij niet van weet. Ik denk dat we gewoon zijn weerstand hebben doorbroken.'

'Nou,' zei hij, 'goed werk.' Hij legde zijn beide handen op mijn schouders en kneep er hard in. 'Ik weet niet hoe je het hebt gedaan, maar ik ben onder de indruk.'

Hij keek niet blij.

20

TOEN IK VRIJDAG na de lunch in mijn kamer terugkwam, was er voicemail van Gordy. Hij wilde dat ik om drie uur naar zijn kamer kwam.

Ik belde meteen terug, praatte met Melanie, en zei dat ik zou komen.

Het lukte me door anderhalf uur van telefoontjes en papierwerk heen te komen. Al die tijd speelde ik Gordy's boodschap in mijn hoofd af. Ik probeerde iets af te leiden uit zijn ondoorgrondelijke stem, erachter te komen of het slecht of goed nieuws was.

Enkele minuten voor drie uur liep ik door de gang naar zijn kamer.

'Booya,' zei Gordy. Hij stond zelfs op toen ik zijn kamer binnenkwam. Naast hem stond Yoshi Tanaka, de ogen dood achter dikke brillenglazen. 'De beste heeft gewonnen. Onze nieuwe adjunct-directeur Verkoop. Gefeliciteerd.'

Gordy schudde me de hand, al kon ik merken dat hij dat met grote tegenzin deed. Zijn kolossale gouden gemonogrammeerde manchetknopen glinsterden. Yoshi gaf me geen hand. Hij maakte een heel lichte buiging. Hij wist niet hoe hij iemand een hand moest geven, maar ja, ik wist niet hoe je moest buigen. Geen van beide mannen glimlachte. Yoshi wist blijkbaar ook niet hoe dat moest, maar Gordy kwam ongewoon terughoudend op me over, alsof iemand een pistool tegen zijn rug drukte.

'Dank je,' zei ik.

'Ga zitten,' zei Gordy. We namen alle drie onze plaats in.

'Ik wou dat ik kon zeggen dat dit uit je eigen succes is voortgekomen,' zei Gordy, 'maar dat is niet het hele verhaal. Je hebt een paar mooie overwinningen behaald. Gróte overwinningen. Je schijnt echt te weten wat je doet. De rekrutering van Letasky was een grote coup, en eerlijk gezegd dacht ik niet dat je het voor elkaar zou krijgen. Maar nog belangrijker is het dat ik op deze baan geen stuntelaar wil hebben. Ik wil daar iemand hebben op wie ik volkomen kan rekenen. Niet iemand als Gleason, die zijn afspraken verknoeit. Zelfs niet Trevor, die Fidelity door zijn vingers liet glippen. Die ging golfen en verspeelde daardoor Pavilion.'

'Nou, ik verheug me op de uitdaging,' zei ik. Toen ik de woorden uit mijn mond hoorde komen, moest ik bijna overgeven.

'En een uitdaging zal het zijn,' zei Gordy. 'Je hebt daar nog geen idee van. Je krijgt Joans baan én Crawfords baan. Trouwens, ik denk dat Yoshi-san enkele woorden tot je wil richten.'

Tanaka boog ernstig zijn hoofd. 'Mijn meeste gelukwensen... aan jou.'

'Dank je.'

'Je hebt erg... bedange... werk te doen.'

'Wat voor werk?'

'Bedange... belangele.'

'Belangrijk, ja.'

'Geen goede tijd voor onze... zaken.'

Ik knikte.

'Heel... moeilijke tijd.'

'Ik begrijp het.'

'Ik denk jij niet weet hoe moeilijke tijd,' zei Tanaka rustig.

'Dank je, Yoshi-san,' zei Gordy. 'Ik wil nu graag met Steadman over de salarisvoorwaarden praten. Misschien wil je ons wel even alleen laten.'

Tanaka stond op, boog zijn hoofd voor een afscheidsbuiging en liep de kamer uit.

'Wil je de deur dichtdoen?' riep Gordy. 'Dank je, Yoshi-san.'

Ik was vastbesloten het initiatief te nemen, want Gordy mocht niet denken dat ik een watje was. Kurt zou trots op me zijn. 'Ik heb een vrij goed idee van wat mijn salariseisen zijn...' begon ik.

'Je éísen?' snauwde Gordy. 'Laat me niet lachen. We zijn niet aan het onderhandelen. Het pakket staat vast; het is graag of niet. Ik zei dat alleen maar om die jap de kamer uit te krijgen.'

Ik keek hem aan en knikte afwachtend. Hij hoefde zich nu niet meer sympathiek voor te doen, nam ik aan.

Hij vertelde me wat het salaris was, en ik deed mijn best om niet te glimlachen. Het was meer dan ik had verwacht. Veel meer.

'Je was niet mijn eerste keuze. Dat zul je wel weten,' zei Gordy.

Nu begreep ik waarom Yoshi erbij was. Hij had het afgedwongen. Hij had ervoor gezorgd dat Tokio's wil geschiedde, of in elk geval dat Gordy zich ervan bewust was wie het voor het zeggen had. Gordy moest daar de pest aan hebben gehad: een man die officieel zijn ondergeschikte was en nauwelijks Engels sprak en die toch tegen hem zei wat hij moest doen.

'Ik hoop te bewijzen dat je je vergist,' zei ik.

Hij keek me kwaadaardig aan. 'Ik heb je al gezegd dat we de wind van voren krijgen uit de MegaTower in Tokio. En ik zal je nu vertellen van wie die wind afkomstig is. Je kent de naam Hideo Nakamura, neem ik aan.'

'Ja.' Een paar weken geleden was per e-mail een persbericht verspreid met de mededeling dat de president-directeur van Entronics, een zekere Ikehara met nog iets ervoor, was 'gepromoveerd' en vervangen door die Nakamura. Niemand wist iets van Nakamura – dat was veel te hoog in de stratosfeer – maar ze zeiden dat de vorige opperbaas, Ikehara, een *madogiwa-zoku* was geworden, zoals de Japanners het noemden, een 'raamkijker'. In feite wilde dat zeggen dat hij de laan uit was gestuurd. In Japan werd niemand ontslagen; in plaats daarvan werd je vernederd doordat je op de loonlijst werd gezet zonder dat je iets anders te doen had dan uit het raam te kijken. Ze gaven je letterlijk een bureau bij het raam, wat in Japan niet als iets goeds wordt beschouwd, zoals bij ons. In Japan is een hoekkamer zoiets als een dodencel voor topmanagers.

'Ik ben naar Santa Clara gevlogen om die Nakamura te ontmoeten, en het is een verfijnde man. Heel verfijnd. Spreekt goed Engels. Houdt van golf en whisky. Toch is hij een beul. Hij zou net zo goed een zwarte kap kunnen dragen en een strop in zijn hand kunnen hebben. Ze hebben hem benoemd omdat de allerhoogste jongens in de MegaTower heel ongelukkig zijn. Ze zijn slecht te spreken over onze cijfers. Daarom hebben ze de Amerikaanse activiteiten van Royal Meister gekocht. Ze willen hun greep op de Amerikaanse markt versterken.'

'Ik begrijp het.'

'Dus nu moeten we Nakamura laten zien wat voor kerels we zijn. Kun je dat?'

'Ja.'

'Kun je de mannen aansporen om harder te werken? Kun je de zweep laten knallen?'

'Ja.'

'Kun je een konijn uit je hoed toveren?'

Ik zei bijna: *Ik zal mijn best doen.* Of: *Ik ga het proberen.* Maar ik zei: 'Dat weet je.'

'Ik verwacht niet veel van je. Ik zal je keihard laten werken. En nu wegwezen. We moeten ons voorbereiden op de wekelijkse telefonische vergadering.'

Ik stond op.

Hij stak zijn hand uit. 'Ik hoop dat ik geen fout heb gemaakt,' zei hij.

Ik deed mijn best om niet te glimlachen. 'Dat heb je niet,' zei ik.

Melanie glimlachte naar me toen ik wegging. 'Doe de groeten aan Bob,' zei ik.

'Dank je. De groeten aan Kate.'

Ik ging naar mijn kamer. Uit de herentoiletten kwam Cal Taylor. Hij keek me met een scheve grijns aan en veegde met de rug van zijn hand over zijn mond. Ik wist dat hij midden op de dag een opkikkertje had genomen – zijn eigen kamer lag daarvoor te veel in het zicht. 'Hallo, daar,' zei Cal, zwaaiend naar me.

'Hallo, Cal,' zei ik opgewekt, en ik liep door.

'Je ziet eruit als een kat met een potje room,' zei hij. Zelfs in de beschonken staat waarin hij het grootste deel van de tijd verkeerde had hij een griezelig scherp waarnemingsvermogen.

Ik grinnikte beleefd, zwaaide hem vriendelijk toe en liep glimlachend door naar mijn kamer. Daar deed ik de deur dicht en stompte ik in de lucht.

Ik belde naar Kates mobieltje. 'Hallo, schat,' zei ik. 'Ben je op je werk?'

'Ik zit bij Starbucks koffie te drinken met Claudia.' Claudia had met Kate op de lagere en middelbare school gezeten. Ze was steenrijk en deed blijkbaar niets anders dan uitgaan met haar vriendinnen. Ze begreep niet waarom Kate met alle geweld voor die stichting wilde werken.

'Ik kom net van Gordy vandaan.' Ik zei dat zo neutraal mogelijk.

'En? Je klinkt niet zo goed. Heb je de baan niet gekregen?'

'Ik heb hem.'

'Wat?'

'Ik heb de promotie,' zei ik, nu luider. 'Je praat met een adjunct-directeur. Ik wil enige eerbied in je stem horen.'

Ze slaakte een gil.

'O mijn god. Jason! Wat is dat geweldig!'

'Weet je wat dit betekent? Een enorme salarisverhoging. Een gróte premie.'

'Dat moeten we vieren,' zei ze. 'Laten we uit eten gaan. Ik zal bij Hamersley reserveren.'

'Ik ben doodmoe,' zei ik. 'Het is een lange dag geweest.'

'Goed, schat. Dan doen we thuis iets.'

Het werd vrij snel bekend. De reacties van de Band of Brothers waren interessant en niet geheel en al onverwacht. Ricky Festino was enorm blij voor me. Hij gedroeg zich alsof ik tot president van de Verenigde Staten was gekozen, in plaats van adjunct-directeur Verkoop. Brett Gleason deed iets wat hij anders nooit deed: hij erkende dat ik bestond door me een goed weekend te wensen. Dat was eerlijk gezegd nogal edelmoedig van hem, want ik had net de baan gekregen die hij had willen hebben. Trevor Allard negeerde me. Dat had ik ook verwacht en het bezorgde me eindeloos veel voldoening, want het was duidelijk dat hij kookte van woede.

Alles voelde nu goed aan. In de lift en op het scherm was 'gefeliciteerd' het woord van de dag. Het klonk als iets heel positiefs. De prijs van het aandeel Entronics was gestegen. Iedereen in de lift zag er goed uit en rook goed.

Op weg naar buiten ging ik naar Bedrijfsbeveiliging en trof daar Kurt in zijn kamer aan. Ik vertelde hem het goede nieuws.

'Te gek,' zei hij. 'Ben jij het? Ben jij benoemd?'

'Ja.'

Hij stond op en gaf me een mannelijke omhelzing. 'Topper. Je hebt je strepen, man. Bravo Zoeloe.'

'Hè?'

'Legertaal. Gefeliciteerd, jongen.'

21

In de auto, onderweg naar het winkelcentrum Atrium Mall in Chestnut Hill, luisterde ik weer een tijdje naar 'generaal Patton'. 'Als je op onbeschut terrein bent, en je wordt beschoten,' blafte hij, 'moet je onmiddellijk handelen. De vijand kan je net zo gemakkelijk in de rug schieten wanneer je wegloopt als hij je in je borst kan schieten wanneer je op hem af rent. In de tijd die je nodig hebt om deze alinea te lezen, zal een van je teamleden sterven. Dus je moet een bevel geven, en snel ook. Aarzel niet. Neem verdomme een besluit!'

Ik luisterde half en dagdroomde half over mijn nieuwe baan. Wat zou Kate blij zijn dat ik eindelijk veel geld ging verdienen! Nu konden we verhuizen. Eindelijk een huis kopen dat ze mooi vond.

Ik nam de lift naar Tiffany en vroeg of ik de broches mocht zien. Ik was nooit eerder bij Tiffany geweest, of je dat nu gelooft of niet, en ik ontdekte dat hun sieraden niet zijn ingedeeld naar categorie, bijvoorbeeld halssnoeren in de ene cassette en oorhangers in de andere, maar naar wat je je kon veroorloven. Aan de ene kant van de winkel hadden ze de dingen die gewone welgestelde mensen zich konden veroorloven, vooral zilver en halfedelstenen. Aan de andere kant van de winkel hadden ze het goud en de diamanten. Daar durfde je geen voet te zetten als je niet schatrijk was of je eigen beleggingsfonds beheerde.

Toen ik vertelde wat voor broche ik zocht, ging de verkoopster met me naar de verkeerde kant van de winkel, de dure kant. Ik was verbijsterd. Ze ging achter een glazen vitrinekast staan, haalde er de zeester uit, legde hem op een zwartfluwelen vierkant en keek er vol bewondering naar.

'Dat is hem,' zei ik. Ik nam hem in mijn handen en deed alsof ik naar de achterkant keek, terwijl ik in werkelijkheid alleen maar het prijsje wilde zien. Toen ik dat zag, was ik opnieuw verbijsterd. Het was meer dan ik aan Kates diamanten verlovingsring had uitgegeven. Toen herinnerde ik mezelf eraan dat ik zojuist een aanzienlijke salarisverhoging had gekregen en dat ik een fikse premie zou krijgen. Daarom haalde ik mijn Visa-card tevoorschijn en vroeg haar de broche in geschenkverpakking te doen.

Toen ik naar huis reed, vond ik het leven geweldig. Ik had net promotie gekregen en ik had een klein hemelsblauw Tiffany-tasje naast me op de passagiersstoel liggen. Zeker, de auto was een Acura, en geen nieuwe, maar evengoed... Ik was góéd, verdomme, en ik werkte voor een geweldig bedrijf. Ik was een vleeseter.

Kate vloog me bij de deur tegemoet. Ze droeg een wit T-shirt en een spijkerbroek, zag er fantastisch uit en rook ook fantastisch. Ze sloeg haar armen om me heen en kuste me op mijn lippen, en ik kuste haar terug en ging daarmee door. Ik was meteen opgewonden.

Als je een tijdje getrouwd bent geweest, komt zo'n spontane ontvlamming niet al te vaak voor, maar nu ging er een golf van testosteron door me heen. Ik voelde me de overwinnaar die naar huis terugkeert voor een potje neuken. Ik was Og, de cro-magnonman, die een hele mammoet aan zijn speer had geregen en nu terugkeerde naar zijn vrouw in de grot.

Ik liet mijn koffertje en het blauwe Tiffany-tasje op de vloer vallen en schoof mijn handen onder de band van haar spijkerbroek. Ik voelde haar gladde warme huid en begon haar billen te kneden.

Ze liet een schor giechellachje horen en trok zich terug. 'Wat is de bijzondere gelegenheid?' zei ze.

'Elke dag dat ik met jou getrouwd ben, is een bijzondere gelegenheid,' zei ik, en ik kuste haar weer.

Ik leidde haar naar de huiskamer en duwde haar op oma Spencers keiharde, met sits beklede bank. De vloer zou comfortabeler zijn geweest.

'Jase,' zei ze. '*Wauw.*'

'We mogen dit ook zonder een plastic monsterbekertje doen, weet je,' zei ik, terwijl ik haar T-shirt begon uit te trekken.

'Wacht,' zei ze. 'Wacht.' Ze wriemelde zich los en ging de gordijnen dichtdoen. Op die manier voorkwam ze dat de buren een gratis voorstelling kregen en hun kleine kinderen tientallen jaren van hoge therapierekeningen tegemoet gingen.

Toen ze terugkwam, trok ik haar T-shirt uit. Ik had zo lang niet goed naar haar borsten gekeken dat ik net zo opgewonden werd als toen we het voor het eerst deden. 'Je bent een mooie vrouw; heeft iemand je dat ooit verteld?' zei ik, en ik maakte de rits van haar spijkerbroek los. Ze was al opgewonden, zag ik tot mijn verrassing.

'Zouden we... Vind je dat we naar de slaapkamer moeten gaan?' zei ze.

'Nee,' zei ik, en ik streelde haar daar beneden.

Op dat moment zoemde mijn Blackberry – die zat aan mijn riem geklemd, ergens in de hoop kleren op de vloer – maar ik negeerde hem. Ik ging boven op haar liggen en gleed zonder nog enig voorspel met een gelukzalig gemak in haar glibberigheid.

'Jase,' zei ze. '*Wauw.*'

'Blijf daar,' zei ze na afloop.

Ze rende naar de badkamer om te plassen en ging toen naar de keuken. Ik hoorde de koelkast die openging en het getinkel van glazen, en een paar minuten later kwam ze met een dienblad terug. Ze liep er naakt mee naar de bank en zette het op de salontafel. Het was een fles Krug-champagne met twee champagneglazen en een berg zwarte kaviaar in een zilveren kom met twee schildpadden kaviaarlepels en kleine ronde blini's. Er was ook een plat rechthoekig pakje in cadeaupapier.

Ik houd niet van kaviaar, maar omdat we het zo weinig hebben gehad, was ze dat blijkbaar vergeten.

Met alle opwinding die ik kon opbrengen zei ik: 'Kaviaar!'

'Wil jij hem openmaken?' Ze gaf me de koude champagnefles. Vroeger dacht ik dat je een feestelijke harde knal en een hoge geiser wilde als je zo'n fles openmaakte. Kate had me geleerd dat het niet op die manier moest. Ik haalde de loodfolie eraf, draaide de kooi van draadgaas weg en werkte de kurk er behendig uit, waarbij ik de fles licht draaide. De kurk kwam met een zacht boergeluid uit de hals. Geen geiser. Ik goot de champagne langzaam in de glazen, liet de luchtbellen tot rust komen en schonk nog wat meer in. Toen gaf ik haar een glas en klonken we.

'Wacht,' zei ze, toen ik het glas naar mijn lippen bracht. 'Een toost.'

'Op de klassieken,' zei ik. 'Champagne, kaviaar en seks.'

'Nee,' zei ze met een lachje. 'Op liefde en verlangen – de vleugels die de geest naar grote daden brengen. Goethe.'

'Ik heb geen grote daden verricht.'

'Zoals Balzac zei: "Er bestaat niet zoiets als een groot talent zonder grote wilskracht".'

Ik liet mijn glas weer tegen het hare tikken en zei: 'Achter elke grote man staat een grote vrouw.'

'... met haar ogen te rollen,' zei Kate. 'En haar tong uit te steken.' Ze glimlachte. 'Schat, besef je wel wat je hebt bereikt? Dat je je hele carrière erbovenop hebt geholpen?'

Ik knikte, kon haar niet aankijken. Mijn vader had een baan. Ik had een *carrière*.

En ze moest eens weten wat voor hulp ik kreeg.

'Adjunct-directeur Verkoop. Ik ben zo trots op je.'

'Ach, onzin,' zei ik.

'Je kunt er dus best hard tegenaan gaan als je het wilt.'

'Nou, jij hebt me het duwtje gegeven.'

'Liefste.' Ze nam het pakje van het dienblad en gaf het aan mij. '*Un petit cadeau.*'

'*Pour moi?*' zei ik. 'Wacht even.' Ik stond op en pakte het Tiffanytasje van de vloer. Ik gaf het aan haar. 'Ruilen.'

'Tiffany? Jason, je bent een slechte man.'

'Ga je gang. Jij eerst.'

'Nee, jij. Het is maar een kleinigheid.'

Toen ik het cadeaupapier verwijderde, zei ze: 'Iets nieuws om naar te luisteren als je naar je werk rijdt.'

Het was een cd van een boek: *Je bent nu de baas – wat nu? Een tienpuntenplan.*

'O, wat leuk,' zei ik. Ik probeerde het overtuigend te laten klinken. 'Dank je.' Ik ging haar niet vertellen dat ik al op zwaardere drugs was overgestapt: de viersterrengeneraal.

Ik wist dat ze niets van mijn wereld wist en er nauwelijks in geïnteresseerd was. Maar als ze dan toch met een Yanomami-krijger getrouwd zou zijn, waarom dan niet met een stamhoofd? En dus zou ze ervoor zorgen dat ik tenminste mijn oorlogsbeschildering op mijn gezicht had. Ze begreep niet wat ik de hele dag deed, maar verdomme, ze zou ervoor zorgen dat mijn hoofdtooi van buizerdveren recht zat.

'Altijd meteen doorrennen,' zei ze. 'En iets om het in te dragen.' Ze greep onder de bank en haalde er een veel groter pak uit.

'Wacht, ik weet wat het is,' zei ik.

'Dat weet je niet.'

'Toch wel. Het is zo'n Yanomami-blaaspijp. Met giftige pijltjes. Ja?'

Ze keek me met haar stralende, sexy glimlach aan. Wat hield ik van die glimlach. Ik smolt er steeds weer van.

Ik pakte het uit. Het was een prachtig leren diplomatenkoffertje van kastanjebruin leer met koperbeslag. Het had een fortuin gekost. 'Jezus,' zei ik. 'Wat schitterend.'

'Het is gemaakt door Swaine Adeney Briggs & Sons in St. James. Londen. Claudia heeft me geholpen het uit te kiezen. Ze zegt dat het de Rolls-Royce onder de diplomatenkoffertjes is.'

'En misschien heb ik op een dag een Rolls-Royce om hem in te zetten, ' zei ik. 'Schat, dit is ongelooflijk lief van je.'

'Jouw beurt.'

Haar ogen schitterden van opwinding toen ze voorzichtig het blauwe papier weghaalde en het doosje openmaakte. Toen zag ik het licht in haar ogen dof worden.

'Wat is er?'

Ze keerde de gouden, met juwelen bezette zeester argwanend om, alsof ze naar het prijsje zocht, net als ik in de winkel. 'Ik kan het niet geloven,' zei ze toonloos. 'Mijn god.'

'Herken je hem niet?'

'Ja. Alleen...'

'Susie vindt het niet erg als jij er ook een hebt.'

'Nee, ik denk niet dat ze... Jason, hoeveel heeft hij gekost?'

'We kunnen ons zoiets veroorloven.'

'Weet je dat zeker?'

'Ja,' zei ik. 'Ik heb net mijn strepen gekregen.'

'Je strepen?'

'Legertaal,' zei ik.

Ze nam een slokje champagne en draaide zich toen om naar de salontafel. Ze smeerde wat van de vieze, olieachtige zwarte eitjes op een cracker en bood hem mij met een gelukzalige glimlach aan. 'Sevruga?'

DEEL TWEE

22

TWEE WEKEN LATER bleek Kate zwanger te zijn. Ze was naar de ivf-kliniek teruggegaan en had nog meer dan anders opgezien tegen het gruwelijke proces dat ze opnieuw moest doormaken, de injecties en de thermometers en de koude stijgbeugels en de hooggespannen verwachtingen die waarschijnlijk de bodem zouden worden ingeslagen. Ze deden het gebruikelijke bloedonderzoek en alle andere dingen die ik nooit helemaal heb begrepen. Het had te maken met bepaalde hormoonspiegels waaruit de artsen konden afleiden wanneer haar volgende ovulatie zou zijn. Ik hoefde het trouwens ook niet te begrijpen. Ik deed gewoon wat ze zeiden, ging naar binnen als ze zeiden dat ik dat moest doen en deed mijn heldhaftige plicht. De volgende dag werd Kate gebeld door dokter DiMarco. Hij zei dat zich een interessante complicatie had voorgedaan en dat er misschien geen ivf-cyclus meer nodig zou zijn. Hij klonk een beetje gepikeerd, zei Kate. We waren op de ouderwetse manier zwanger geworden. Dat was eigenlijk niet de bedoeling.

Ik had een geheime theorie waarover ik Kate nooit iets zou vertellen. Ik denk dat ze zwanger werd omdat het mij nu eindelijk meezat. Je zult zeggen dat ik niet goed snik ben, maar je weet toch dat sommige ouders jarenlang proberen een baby te krijgen en meteen zwanger raken als ze een kind geadopteerd hebben? Hun biologische barrière wordt weggevaagd door de beslissing om te adopteren. Misschien ook door de opluchting. Uit onderzoek is gebleken dat mannen die trots zijn op zichzelf vruchtbaarder zijn. Tenminste, ik geloof dat ik daar iets over heb gelezen.

Aan de andere kant was ze misschien zwanger geraakt omdat we eindelijk echte seks hadden gehad, nadat ik het maanden in een plastic bekertje had gedaan in een laboratorium.

Wat de reden ook was, we waren allebei uitbundig blij. Kate vond dat we het niemand konden vertellen tot we de hartslag hadden gehoord, na zeven of acht weken. Dan pas zou ze het haar vader – haar moeder was lang voordat ik Kate ontmoette al gestorven – en haar zus en al haar vriendinnen vertellen. Mijn beide ouders waren dood – rokers allebei, dus ze gingen vroeg – en ik had geen broers of zussen om het aan te vertellen.

Ik had altijd veel vrienden gehad, maar dan trouw je en ga je alleen nog om met andere getrouwde mensen, en die kerels mogen niet zonder hun vrouw de deur uit tenzij ze een elektronische enkelband om hebben, en dan krijgen ze kinderen, en na een tijdje heb je niet zoveel vrienden meer. Er waren nog wel vrienden uit mijn studietijd met wie ik in contact bleef. Een paar medebewoners van mijn studentenhuis. Maar ik ging niemand iets vertellen voordat we de hartslag hadden gehoord.

Ik vond het toch al niet zo belangrijk om het aan mensen te vertellen. Het ging erom dat ik verliefd was op de mooiste vrouw van de wereld, en dat we een baby kregen, en ik had zo langzamerhand ook echt veel zin in mijn werk. Alles ging goed.

Toen de zwangerschap twaalf weken had geduurd, vertelde ik het mijn collega's. Gordy liet het koud. Hij had vier kinderen en ging ze zo veel mogelijk uit de weg. Hij mocht er graag over opscheppen hoe weinig hij zijn gezin zag. Dat vond hij macho.

Festino schudde mijn hand en dacht even niet aan de handreiniger. 'Gefeliciteerd met de dood van je seksleven, Teigetje,' zei hij.

'Het is nog niet helemaal dood,' zei ik.

'Nou, wacht maar af. Baby's zelf zijn de beste vorm van geboortebeperking. Je zult het zien.'

'Als jij het zegt.'

'O ja. Mijn vrouw en ik doen het op zijn hondjes. Ik ga rechtop zitten en bedel, en zij rolt zich om en houdt zich dood.'

Ik deed of ik een roffel op een kleine trom gaf. 'Dank u, u bent een fantastisch publiek, ik ben hier de hele week,' zei ik. 'Probeer de kalfslapjes, die zijn geweldig.'

'Wacht maar tot je het thema van *Sesamstraat* de hele tijd in je hoofd hebt zitten,' zei Festino. 'Of tot je alleen nog maar naar tekenfilms mag kijken. En als je uit eten gaat, is het om vijf uur naar de Mac. Nou, wanneer doen jullie een punctie?'

'Een punctie?'

'Je weet wel, dat onderzoek naar geboorteafwijkingen.'

'Jij ziet het wel somber in, hè?' zei ik. 'Kate is nog lang geen vijfendertig.'

'Dat zeggen artsen altijd: bereid je voor op het ergste.'

Ik vond het een nogal persoonlijke vraag, maar het verbaasde me vooral dat Festino zich erom bekommerde. 'Het is "Hoop op het beste en bereid je voor op het ergste",' zei ik. 'Je hebt het eerste deel weggelaten.'

'Ik kortte het alleen maar af,' zei Festino.

In de eerste twee maanden na mijn promotie was de zwangerschap het beste wat ons overkwam, maar het was niet het enige. We verhuisden van het kleine huis in Belmont naar een herenhuis in Cambridge. We konden nog steeds niet een van die huizen in de Brattle Street-wijk kopen waarover Kate had gefantaseerd, maar we kochten een prachtig victoriaans huis in Hilliard Street, niet ver van Brattle. Het was een paar jaar geleden gerenoveerd door een Harvard-professor die naar Princeton was weggelokt. We wilden een paar dingen veranderen – de vloerbedekking op de steile trap naar de eerste verdieping was bijvoorbeeld erg versleten – maar we dachten dat we daar nog wel aan toe zouden komen.

Waarschijnlijk vroegen we te weinig voor het huis in Belmont, want Kate kon bijna niet wachten tot we naar Cambridge konden verhuizen. Het was binnen twee dagen verkocht, en dus zaten we binnen twee maanden in ons nieuwe huis. Ik had haar in geen jaren zo gelukkig meegemaakt, en dat maakte mij ook gelukkig.

Op de oprit – ongelooflijk genoeg waren er geen garages in dit dure deel van Cambridge – stonden onze twee gloednieuwe auto's. Ik had mijn totaal verbouwde Acura ingeruild voor een nieuwe Mercedes SLK 55 AMG Roadster, en Kate had haar aftandse oude Nissan Maxima met enige tegenzin ingeruild voor een Lexus SUV hybride, alleen omdat die veel zuiniger en minder vervuilend was, zei ze. Mijn Mercedes zag er fantastisch uit.

Het ging allemaal snel – misschien te snel.

Inmiddels ging ik bijna elke morgen met Kurt trainen. Dan gingen we naar zijn sportschool of het Harvard Stadium, of we renden langs de Charles. Kurt was mijn persoonlijke trainer geworden. Hij zei dat ik mijn buikje kwijt moest raken en slank en gespierd moest worden, en als mijn lichaam me een beter gevoel gaf, zou de rest wel volgen.

Hij had natuurlijk gelijk. In veertien dagen viel ik vijf kilo af, en na twee maanden was ik vijftien kilo kwijt. Ik moest nieuwe kleren kopen, en Kate vond dat prachtig. Ze zag het als een gelegenheid om mijn garderobe op een hoger plan te brengen. En zo verruilde ik mijn Men's Warehouse-pakken voor pakken van Louis of Boston, pakken met verwarrende maten en onuitsprekelijke namen van Italiaanse ontwerpers.

Kurt had ook duidelijke gedachten over mijn eetgewoonten – dat wil zeggen: ik was mezelf aan het vergiftigen – en hij liet me veel eiwitten en weinig vetten en alleen 'goede' koolhydraten eten. Veel vis en groente en zo. Mijn lunch bestond niet meer uit stokboord met aubergines en Parmezaanse kaas en sandwiches van olijfbrood. Ik ging ook niet meer naar mijn wietrokende vriend Graham, rookte helemaal geen wiet meer, want Kurt had me ervan overtuigd dat het een slechte gewoonte was en dat ik mijn geest scherp moest houden. Een gezonde geest in een gezond lichaam; je kent dat wel.

Hij stond erop dat ik minstens één keer per week de trap nam in plaats van de lift. *Twintig verdiepingen?* piepte ik. *Je bent niet goed bij je hoofd!* Op een ochtend probeerde ik het, en toen moest ik na aankomst in mijn kamer een schoon overhemd aantrekken. Maar na een tijdje klimmen (of afdalen) waren twintig verdiepingen niet zo verschrikkelijk meer. Als je liftvrees hebt, wil je heel wat moeite doen om niet in die verticale doodkist te hoeven staan.

Kate vond het geweldig dat ik zo intensief aan mijn lichaam werkte. Ze was vastbesloten gedurende haar hele zwangerschap gezond te eten, en nu deed ik ook nog mee. Ze had die Kurt nooit ontmoet, maar wat hij voor me deed, stond haar wel aan.

Ze wist natuurlijk nog niet de helft.

In mijn nieuwe, grotere kamer hing ik motiverende managementposters met militaire thema's. Er zat een foto bij van een sluipschutter in camouflagepak en met camouflagebeschildering op zijn gezicht. Hij lag op de grond en richtte zijn wapen op ons, en daaronder stond in grote letters MOED en dan: 'Alleen een buitengewoon persoon kan in de confrontatie met gevaar zijn kalmte bewaren.' Op een andere poster zag je een paar mannen op een tank en de woorden: 'GEZAG: het is de sterkste die de overhand behaalt.' Ik had ook STANDVASTIGHEID en GEDULD. Hocus pocus? Zeker. Maar ik hoefde er maar naar te kijken en ik zat al boordevol energie.

Vooral op het werk liep alles op rolletjes voor mij. Het was of elke bal die ik sloeg een homerun werd, of elke golfbal zijn hole vond, of elke basketbal vanzelf door het net viel. Ik had gouden handen. De ene goede ontwikkeling leidde tot de volgende.

Zelfs de aankoop van de nieuwe Mercedes leidde tot een grote verkoopcoup.

Op een ochtend zat ik in de luxe wachtkamer van Mercedes-dealer Harry Belkin in Allston te wachten tot mijn nieuwe auto klaar was. Ik zat daar ruim een uur op een leren bank, dronk een cappuccino uit een automaat en keek naar *Live with Regis and Kelly* op hun tv met *surround*-sound.

En toen dacht ik: waarom hebben ze hier geen Entronics-plasmaschermen waarop ze reclame voor de nieuwste Mercedes-modellen laten zien? Je weet wel, van die mooie plaatjes. Mercedes zou daarvoor betalen. Toen dacht ik: de Harry Belkin Company was de grootste autodealer in New England. Ze hadden talloze vestigingen, waren dealer van BMW, Porsche en Maybach. En van veel andere merken. Waarom zou ik het niet voorstellen? Supermarkten deden het ook – waarom niet dealers van dure automerken?

Ik deed wat research op internet en vond de juiste man om mee te praten. Het was de adjunct-directeur Marketing en hij heette Fred Naseem. Ik belde hem, legde hem mijn idee voor en hij was meteen geïnteresseerd. Natuurlijk was de prijs een probleem, maar is dat niet altijd zo? Ik gebruikte mijn hele arsenaal van beproefde verkooptrucs. Ik vertelde hem hoeveel extra inkomsten de supermarktketens genereerden door reclame te vertonen op plasmaschermen bij de kassa's. Wachtkamers zijn te vergelijken met rijen voor kassa's, zei ik. Iedereen heeft een hekel aan wachten. Het is tijdverspilling. Aan de andere kant wilden mensen graag geïnformeerd worden, nieuwe informatie krijgen. En vermaakt worden. Nou, vermaak en informeer ze dan – en vertel ze over de opwindendste eigenschappen van je nieuwste automodellen. Toen analyseerde ik de kosten voor hem, waarbij ik natuurlijk niet van ‘kosten’ of ‘prijs’ sprak, maar van ‘investering’. Ik berekende de investering tot op dollars per dag en stelde daar de extra inkomsten tegenover. Het was heel simpel. Toen werkte ik met de klassieke ‘ja’-vragen: ik stelde hem een serie vragen waarop hij eigenlijk alleen met ‘ja’ kon antwoorden. Uw klanten zijn gesteld op het goede in het leven, nietwaar? Ik wed dat ze de voorzieningen in uw wachtkamers op prijs stellen, zoals de koffie en de broodjes. Zouden ze ook niet denken dat die Entronics-monitors aan de muur er goed uitzien? Beng beng beng. Ja ja ja. En dan: mag ik veronderstellen dat uw baas, Harry Belkin, de extra omzet in elk van uw dealerbedrijven op prijs zou stellen? Nou, wat zegt hij daarop? Nee? En toen sloeg ik toe. Ik stelde de Grote Vraag: bent u er klaar voor om de extra winst te maken die de Entronics-monitors u vast en zeker zullen opleveren?

Het Grote Ja.

Toen hij op het allerlaatst aarzelde, zoals klanten vaak doen, gebruikte ik een paar legendarische verkooptrucs die ik van mijn Mark Simkins-cd’s had opgepikt. Ik geloof dat het de schijf met de titel *Het Mark Simkins-college Verkopen voor gevorderden* was. De laatste zet, als je ze ertoe brengt een eis te stellen waarvan je weet dat je eraan kunt voldoen. Ik zei dat in verband met de voorraad de levering waarschijnlijk pas over zes maanden zou plaatsvinden. Nu hij helemaal opgewonden was en die flatscreens in zijn bedrijven wilde hebben, wilde hij het onderste uit de kan, en nu meteen. Hij wilde levering in de helft van die tijd. Drie maanden.

Dat kon ik toezeggen. Het had ook in twee maanden gekund, als hij daarop had aangedrongen. Maar ik wilde dat hij iets eiste waaraan ik kon voldoen. Zodra ik akkoord was gegaan, wist ik dat de order zo goed als binnen was.

Toen kwam ik met de truc van de ‘verkeerde conclusie’. Je zegt iets waarvan je weet dat het verkeerd is, zodat ze je moeten verbeteren.

‘Dus dat is zeshonderd 36-inch monitors en twaalfhonderd 59-inchers?’

‘Nee, nee, nee,’ zei Freddy Naseem. ‘Het is andersom. Zeshonderd 59-inchers en twaalfhonderd 36-inch.’

‘Aha,’ zei ik. ‘Ik vergiste me. Nu heb ik het goed.’

Ik had hem in mijn zak zitten. Ik zag de ironie er wel van in om iets te verkopen aan iemand die in de autoverkoop zat. Niemand was veilig.

Hij was in de wolken. Dit was zelfs zijn idee geworden – daardoor wist ik dat ik vat op hem had. Hij praatte met Harry Belkin zelf, belde me terug en zei dat meneer Belkin het een goed idee vond en dat we nu alleen nog over de prijs moesten onderhandelen.

Soms verbaas ik me over mezelf.

Een dag later belde hij me terug. 'Jason,' zei hij, een en al opwinding. 'Ik heb wat cijfers voor je, en ik hoop dat jij cijfers voor mij hebt.' Hij vertelde me hoeveel plasmaschermen ze wilden: kolossale schermen voor de muren van hun zesenveertig dealers, kleinere aan het plafond. Ik begreep het niet. Het waren er opeens veel meer. En toen legde hij het uit: het ging niet alleen om de BMW- en Mercedes-dealers, maar ook om de Hyundai- en Kia-dealers. Cadillac. Dodge. Alles.

Ik kon bijna geen woord uitbrengen. Dat is voor mij heel ongewoon.

Toen ik hersteld was, zei ik: 'Laat me wat cijfers voor je op een rijtje zetten, dan neem ik morgen weer contact met je op. Ik ga je tijd niet verspillen. Ik zorg dat je een zo gunstige prijs krijgt als ik kan bieden.'

Alles leek in mijn voordeel te werken.

Behalve Gordy. Ik zat nog steeds met Gordy. Dat was het grootste nadeel van mijn nieuwe baan: ik had voortdurend met Gordy te maken. Hij liet me om zeven uur 's morgens op de zaak komen en stormde regelmatig mijn kamer binnen met een of andere klacht. Hij ontbood me, schijnbaar met grote spoed, in zijn kamer, en dan bleek het niets bijzonders te zijn. Hij wilde dat ik aantekeningen voor een presentatie doornam. Een spreadsheet bekeek. Wat het maar voor onbeduidends was dat hij op dat moment belangrijk vond.

Ik beklaagde me vaak over hem bij Kate. Ze luisterde geduldig. Toen ik op een avond thuiskwam van mijn werk, gaf ze me een witte plastic draagtas van een boekwinkel. Er zaten cd's in die ik op weg naar werk en huis kon afspelen: *Hoe werk je voor bullebakken en tirannen?* en *Aangezien wurgen geen optie is.*

'Gordy gaat niet weg,' zei ze. 'Je moet met hem leren leven.'

'Wurgen,' zei ik. 'Dat is misschien een idee.'

'Liefje,' zei ze, 'waarom vraag je mij nooit naar míjn dag?'

Ze had gelijk; dat deed ik bijna nooit en daardoor voelde ik me opeens erg schuldig. 'Omdat ik een man ben?'

'Jason.'

'Sorry. Hoe was jouw dag?'

Toen de Harry Belkin-onderhandelingen in een ver genoeg stadium waren gekomen, ging ik naar Gordy om hem het goede nieuws te vertellen. Hij knikte, stelde een paar vragen, maar was blijkbaar niet erg geïnteresseerd. Hij gaf me de maandelijkse onkostenrapporten en zei dat ik ze moest doornemen. 'Nog twee maanden,' zei hij. 'Nog twee maanden tot het eind van Q2.' Entronics werkte met het Japanse boekjaar. Soms was dat verwarrend.

Ik wierp een blik op het onkostenrapport en zei: 'Jezus, de Band of Brothers geeft veel uit aan reis en verblijf, hè?' Het ging om hotels, reiskosten, maaltijden.

'Zie je?' zei hij. 'Het is absurd. Ik ben al een tijdje van plan om maatregelen tegen misbruik van bedrijfscreditcards te nemen. Maar nu ik iets concreets in handen heb, wil ik dat jíj een nieuw onkostenbeleid invoert.'

Hij wilde dat ik de kwaaie pier werd. *Waarom jijzelf niet?* dacht ik. *Iedereen heeft toch al de pest aan je.*

'Begrepen,' zei ik.

'Nog één ding. Het wordt tijd voor schiften en schoppen.'

Ik wist wat hij bedoelde – iedereen in categorieën indelen en de slechte presteerders ontslaan – maar wilde hij dat ík dat ging doen?

'Je meent het.'

'Niemand zei dat het gemakkelijk zou zijn. Jij en ik gaan onze mannen op een schaal van vijf punten klasseren, en dan stuur je de slechte presteerders de laan uit. Wegwezen en niet terugkomen.'

'De slechte presteerders?' zei ik. Ik wilde het hem hardop horen zeggen.

'De C-spelers worden ontslagen.'

'De onderste tien procent?'

'Nee,' zei hij, en hij keek me strak aan. 'Het onderste derde.'

'Een dérde?'

'We kunnen ons die mensen niet meer permitteren. Dit is een darwinistische strijd. Alleen de besten blijven in leven. Ik wil dat Tokio een onmiddellijke verandering in onze cijfers ziet.'

'Wat bedoel je met "onmiddellijk"?'

Hij keek me enkele seconden aan en stond toen op om de deur van zijn kamer dicht te maken. Hij ging zitten, leunde achterover en sloeg zijn armen over elkaar.

'Het zit als volgt, Steadman, en heb niet het lef hierover ook maar een wóórd tegen je Band of Brothers te zeggen. Aan het eind van het tweede kwartaal, dus over amper twee maanden, moeten Dick Hardy en de jongens in de MegaTower een beslissing nemen: wij of de verkopers van Royal Meister. Framingham of Dallas. Niet beide.'

'Ze laten alleen de beste presteerders over.' Ik knikte. 'Consolidatie. *Survival of the fittest.*'

Hij keek me met die haaienglimlach van hem aan. 'Je snapt het nog steeds niet, hè? Ze gaan geen verkopers selecteren. Het ene team blijft in leven, het andere gaat dood. Zo simpel ligt het. Het team met de beste cijfers mag blijven bestaan. Het andere verkoopteam wordt opgedoekt. En een "zwak kwartaal" is niet meer te vergoelijken. Het is een doodvonnis. Nog één zo'n kwartaal als het vorige en iedereen in dit gebouw krijgt de zak. Nou, ben je klaar voor het slechte nieuws?'

'Was dat het goede nieuws?'

'Het komt allemaal op jou aan, jongen. In de komende twee maanden moet je een konijn uit je hoed toveren, anders wordt iedereen op het kantoor van Entronics Framingham, dus ook jij en je zogenaamde Band of Brothers, ontslagen. Je kunt je geen enkele misstap veroorloven.'

'Moeten we iedereen niet laten weten wat er op het spel staat?' zei ik.

'Absoluut niet, Steadman. Bange verkopers kunnen niet verkopen. Cliënten zien het angstzweet. Ze ruiken de paniek. Het is al erg genoeg dat er zoveel geruchten de ronde doen, dat er zoveel tumult is. Dit is dus een geheimpje van ons. Van jou en mij. Je werkt nu rechtstreeks voor mij. En als je dit verknoeit, moet ik mijn cv ook printen. Er is wel een verschil. Ik vind gemakkelijk een andere baan. Jij daarentegen komt op de zwarte lijst van hier tot Tokio. Daar zal ik persoonlijk voor zorgen.'

Ik wilde zeggen dat angstzweet ook niet goed voor managers was, maar ik zweeg.

'Weet je,' zei Gordy, 'ik wilde jou die baan eerst niet geven, maar nu ben ik blij dat ik dat heb gedaan. Weet je waarom?'

Ik probeerde te slikken, maar mijn mond was droog geworden. 'Waarom, Gordy?'

'Omdat ik Trevor veel sympathieker vind dan jou, en ik zou hem dit niet toewensen.'

Toen ik Gordy's kamer had verlaten, kwam ik Cal Taylor op de gang tegen. Hij kwam net van het toilet en keek een beetje wazig. Tien uur in de morgen; die arme kerel.

'Hallo, baas,' zei hij. 'Iets mis?'

'Mis? Nee, er is niets mis.'

'Je ziet eruit alsof je een bedorven mossel hebt gegeten,' zei Cal.

Je hebt geen idee, dacht ik.

23

DE REST VAN de ochtend nam ik de onkosten van de verkopers door en stippelde ik het harde nieuwe beleid uit dat Gordy wilde. Ik ging ervan uit dat ik met deze memo mijn populariteit onder de verkopers zou verspelen. Het was tamelijk streng, moet ik toegeven. Er zou niet meer businessclass worden gevlogen: altijd economy, tenzij je eigen *frequent-flyer*-miles gebruikte om je ticket te upgraden. Geen dure hotels meer: de limiet was voortaan honderdvijfenzeventig dollar per nacht. Alle zakenreizen moesten zeven dagen van tevoren worden geregeld, want dat was goedkoper; voor reizen die op het laatste moment werden gemaakt moest toestemming aan mij worden gevraagd. Ik verlaagde de dagelijkse onkosten tot vijftig dollar per dag, wat nogal hard maar waarschijnlijk wel haalbaar was. Daarboven kon je geen maaltijden declareren, tenzij je met een klant uit eten ging. En je mocht niet meer met klanten uit drinken gaan tenzij er ook werd gegeten. We gaven te veel geld uit aan ontmoetingen buiten kantoor, en daar zette ik dus ook het mes in. Er was veel geld uitgegeven aan gecaterde lunchbesprekingen op kantoor, maar dat was nu verleden tijd. Voortaan moest je je eigen lunch meebrengen.

Ik deed wat rekenwerk, becijferde hoeveel dit nieuwe beleid de onderneming zou besparen, en mailde de memo naar Gordy.

Meteen na de lunch belde hij en zei: 'Ik vind het geweldig.'

Ik onderbrak mijn werk even, beantwoordde een paar telefoontjes en las toen mijn memo nog eens door. Hier en daar verzachtte ik het taalgebruik. Toen mailde ik het naar Franny, dan kon die het doorlezen en kijken of er typefouten en dergelijke in stonden.

Franny – Frances Barber – was de secretaresse die mij was toegewezen. Ze werkte al meer dan twintig jaar voor de zaak en had maar één gebrek: elk halfuur nam ze een rookpauze. Ze zat in de ruimte voor mijn nieuwe kamer. Franny had een nuchtere uitstraling, een strakke mond met verticale lijnen boven haar bovenlip. Ze was vijfenveertig, maar leek tien jaar ouder, en ze gebruikte een sterk, onaangenaam parfum dat naar muggenspray rook. Als je haar niet kende, kon ze nogal intimiderend op je overkomen, maar we konden meteen goed met elkaar opschieten. Ze gaf zelfs blijk van een kurkdroog gevoel voor humor, al duurde het even voor het zover was.

Ze zei door de intercom tegen me: 'Een meneer Sulu voor je?' Ze klonk onzeker. Haar stem was zozeer verwoest door de sigaretten dat hij dieper was dan de mijne. 'Al klinkt hij niet bepaald Japans. Hij klonk meer als een surfer.'

Blijkbaar kende ze de klassieke *Star Trek*-serie niet. 'Graham,' zei ik toen ik opnam. 'Dat is lang geleden.'

'Je klinkt nogal afgepeigerd.'

'Het is hier een gekkenhuis.'

'Ga je me uit de weg, J-man? Ik voel me net een Klingon.'

'Sorry, Graham, ik... Nou, ik probeer gezond te leven.'

'Gezond te leven? Het is Kate, hè? Ze heeft eindelijk gewonnen.'

'Het zijn een heleboel dingen. Kate is zwanger, weet je.'

'Hé, gefeliciteerd! Ja? Of gecondoleerd. Wat is het?'

'Ik aanvaard je felicitatie.'

'Een baby Steadman. Helemaal te gek. Het trippelen van kleine Tribble-voetjes, hè?'

'De Tribbles hadden geen voeten,' zei ik.

'Daar heb je me,' zei Graham. 'En dan noem ik mezelf een Trekker. Nou, waar ik voor bel. Ik heb hier wat fantastische shit. De allerbeste White Widow.'

'Is dat een soort *heroïne*?'

Hij antwoordde met een Jamaicaans accent: 'Ganja, man. Alleen wat uit de aarde komt, is goed.' Hij voegde daaraan toe: 'En ook niet zomaar ganja. We hebben het over de Cannabis Cup, de eerste prijs.

Mengsel van indica en sativa, maar meer sativa. Erg stimulerend spul. Een legende, J-man.'

'Nee, dank je.'

'Kom nou naar Central Square. Ik draai een grote joint of ik steek het Starship *Enterprise* aan, en we gaan een eind rijden met de Kever.'

'Ik heb je al gezegd dat ik het niet meer doe, Graham,' zei ik op besliste toon.

'Hé, man, je hebt nog nooit White Widow gehad.'

'Sorry, Graham. De... de dingen zijn veranderd.'

'Omdat die kleine Jason op komst is? Heeft ze je aan de ketting gelegd?'

'Kom nou, man. Dat is het niet.'

Hij kreeg een klein stemmetje. 'Goed, man, ik denk dat ik het snap. Je bent nu adjunct-directeur, hè? Dat staat op de website van je bedrijf. Je hebt je eigen secretaresse en een groot duur huis. Op die manier komt er een beetje afstand tussen je afkomst en het leven dat je nu leidt, hè?'

'Zou dat iets voor mij zijn, Graham?'

'Ik weet het niet,' zei hij. 'Ik weet niet eens zeker meer wie je tegenwoordig bent.'

'Dat is overdreven. Ga nou niet op mijn gemoed werken.'

'Ik zeg het zoals ik het zie, jongen. Dat heb ik altijd gedaan.'

'Wil je me wat speelruimte geven? Ik zit tot over mijn oren in het werk. Zodra ik kan, gaan we ergens heen. Dan trakteer ik je op een etentje. Goed?'

'Ja,' zei Graham nors. 'Dan wacht ik op je telefoontje.'

'Graham...' zei ik, maar hij had al opgehangen, en nu voelde ik me beroerd.

Franny kwam mijn kamer in. 'Eh, Jason,' zei ze. Ze bleef aarzelend bij de deur staan en zette haar bril recht. 'Weet je zeker dat je dit wilt versturen?'

'Waarom niet?'

'Omdat ik je net aardig begon te vinden, en ik weet niet of ik de volgende baas even aardig zal vinden.'

Ik glimlachte. 'Gordy heeft het goedgekeurd,' zei ik.

'Dat wil ik wel geloven,' zei Franny, en ze liet een nerveus lachje horen dat in een rokershoest overging. 'Hij wil dat jouw naam eronder staat, want dan krijg jij iedereen over je heen, niet hij.'

'Het is een rotklus, maar iemand moet het doen,' zei ik, en ik keek weer naar mijn computerscherm.

'Als je me wilt excuseren, ga ik een sigaret roken en een kogelvrij vest kopen,' zei Franny, en ze ging naar haar eigen plaats terug.

Ik keek nog één keer naar de memo. Die was hard en zou absoluut niet populair zijn, hetgeen betekende dat de opsteller ook onpopulair zou worden. Gordy had dit zelf moeten doen. Dit kon alleen maar slecht aflopen.

Ik klikte op VERZENDEN.

En toen waren de poppen aan het dansen.

Hooguit vijf minuten later kwam Rick Festino mijn kamer binnenstormen. 'Wat moet dit voorstellen?' zei hij. Hij had niets in zijn hand en wees ook niet naar iets.

'Wat bedoel je?' vroeg ik neutraal.

'Je weet verdomd goed wat ik bedoel. Dat gezeik over onkosten.'

'Kom nou, Rick. Iedereen maakt misbruik van het systeem, en we proberen kosten te besparen...'

'Jason. Hallo? Je hebt het tegen mij. Bespaar me dat geouwehoer. We zijn vrienden.'

'Het is geen geouwehoer, Rick.'

'Je hebt net je zesennegentig stellingen op de deur gespijkerd, en het lijkt me meer iets van Gordy dan van Jason Steadman. Wat ben je in godsnaam aan het doen?'

'Ik heb altijd gedacht dat het vijfennegentig stellingen waren,' zei ik.

Hij keek me aan. 'Heeft Gordy je gedwongen je naam eronder te zetten?'

Ik schudde mijn hoofd. 'Hij heeft het goedgekeurd, maar het was mijn werk.'

'Wou je vermoord worden? Het is hier op kantoor niet veilig.'

'Zo gaat het voortaan,' zei ik. 'De nieuwe norm.'

'De afranselingen gaan door tot het moreel beter is, hè? Je lijkt kapitein Queeg wel.'

'Kapitein wie?'

'Heb je *The Caine Mutiny* nooit gezien?'

'Ik heb *Mutiny on the Bounty* gezien.'

'Ja, nou, wat dan ook. Daar krijg jij mee te maken. Denk je dat Trevor en Gleason en al die kerels het pikken om in een Motel Six te zitten en met hun klanten bij Applebee's te gaan eten?'

'Ik heb niks over Motel Six of Applebee's gezegd. Kom nou.' Hij overdreef, maar zo heel veel zat hij er niet naast.

'De jongens pikken dit niet.'

'Ze hebben niet veel keus.'

'Wees daar maar niet zo zeker van,' zei Festino.

Ik wilde het kantoor verlaten – Kate wilde naar de winkel om babyspullen te kopen, en dat was wel het laatste waar ik zin in had – en was al op weg naar buiten toen Trevor Allard me staande hield.

'Leuke memo,' zei hij.

Ik knikte.

'Briljante strategie: extraatjes afpakken. Op die manier houd je je toptalent vast.'

'Ga je op zoek naar een andere baan?' zei ik.

'Dat hoef ik niet. Ik hoef alleen maar te wachten tot jij op je bek valt. En blijkbaar gaat dat eerder gebeuren dan ik had gehoopt.'

'In een team bestaat geen "ik", Trevor,' zei ik.

'Nee, maar wel een "wij", en dat zul je nog merken.'

Op weg naar BabyWorld dacht ik aan die verrekte memo die ik de wereld in had gezonden. Iedereen sprak nu van de Queeg-memo. Kerels die niet eens wisten wie Queeg was, spraken van de Queeg-memo. Ik vroeg me af of Gordy zo'n onmiddellijke, woedende reactie had verwacht. Geen wonder dat hij mij het vuile werk liet opknappen.

'Jason,' onderbrak Kate mijn gedachtegang.

Ik keek haar aan. Ze klonk somber. Haar haar was met een elastiek naar achteren getrokken. Haar hoekige gezicht begon voller te worden; haar teint werd rozig. De zwangerschap stond haar goed. 'Wat is er, schat?'

'Ik struikelde weer op de trap.'

'Wat is er gebeurd? Mankeer je niets?'

'Ik heb niets, maar ik ben zwanger, weet je nog wel? Ik moet erg voorzichtig zijn.'

'Ja.'

'De vloerbedekking op de trap is hier en daar versleten. Je struikelt heel gauw.'

'Goed.' Ik was niet in de stemming om over verbeteringen in huis te praten. Ik zou over Gordy, Trevor en de Queeg-memo willen praten, maar ik wist dat ze niet geïnteresseerd was.

'Wat bedoel je, "goed"? Kun je er iets aan doen?'

'Ik ben Superklusser niet. Bel maar iemand, Kate.'

'Wie?'

'Kate,' zei ik, 'hoe moet ik dat nou weten?'

Ze keek me enkele ogenblikken met koude ogen aan. Ik keek naar de weg, maar ik voelde dat haar ogen op me gericht waren. Toen schudde ze bedroefd met haar hoofd. 'Bedankt voor je hulp,' zei ze.

'Zeg, het spijt me, ik word in beslag genomen door...'

'Belangrijker dingen. Ik weet het.'

'Het is Gordy weer.'

'Wat een verrassing. Nou, ik hoop dat je je werk lang genoeg uit je hoofd kunt zetten om de wieg van je baby uit te kiezen.'

Soms begreep ik niets van mijn vrouw. De ene dag wilde ze dat ik Napoleon Bonaparte was. De volgende dag wilde ze dat ik een moederrol speelde.

Het zou wel door de hormonen komen, maar daar ging ik niets over zeggen.

BabyWorld was buitengewoon irritant. Het was een gigantisch pakhuis, verlicht met tl-lampen, en ze hadden alleen babyspullen, van goedkoop tot duur. Hun slogan was: 'Is uw baby niet het beste waard?' Er was reden genoeg om naar buiten te lopen, maar Kate wilde absoluut de babykamer inrichten. Tot overmaat van ramp speelden ze ook keer op keer van die ellendige muziek, hun jingle, kinderstemmetjes en een xylofoon. Ik kreeg hoofdpijn.

Kate walste als een Abrams-tank door de afdelingen. Ze koos een commode, een aankleedkussen met contouren, en een mobile waaraan boerderijdieren hingen en die klassieke muziek speelde. Dat mobile moest de baby helpen cognitieve vaardigheden te ontwikkelen.

Intussen wierp ik steeds een heimelijke blik op mijn BlackBerry en mijn mobieltje. Mijn mobieltje zei dat er geen signaal was – weer een reden om BabyWorld te haten – terwijl mijn BlackBerry het ene na het andere bericht ontving. Waarschijnlijk hadden ze verschillende providers. Ik kreeg op mijn BlackBerry veel e-mails waarin geklaagd werd over de Queeg-memo.

Kate liet me een Bellini-wieg zien. 'Sally Wynter heeft deze voor

Anderson gekocht,' zei ze, 'en ze denkt dat het de beste is.' Ze hoorde mijn BlackBerry zoemen en keek me geërgerd aan. 'Ben je hier of ben je op je werk?'

Elke andere plaats was mij liever geweest. 'Sorry,' zei ik. Ik zette de BlackBerry op geluidloos, dan hoorde ze hem niet meer. 'Wordt hij kant-en-klaar afgeleverd?'

'Hier staat dat enige montagewerkzaamheden vereist zijn. Ik denk niet dat het erg ingewikkeld is.'

'Niet als je vliegtuigbouw hebt gestudeerd,' zei ik.

We gingen naar een luierrijke omgeving, hoge stapels Huggies en Pampers, van vloer tot plafond, een verbijsterende collectie. Dit was nog verwarrender dan de maandverbandafdeling van de CVS, waar Kate me een keer heen had gestuurd. Daar was ik schreeuwend van angst uit weggerend.

'Ik kan niet kiezen tussen de Diaper Genie en de Diaper Champ,' zei ze. 'Deze kan in gewone vuilniszakken.'

'Maar deze maakt een soort van saucijsjes van de luiers,' zei ik. 'Dat vind ik wel cool.' Je moet ervan maken wat ervan te maken valt.

We gingen naar de elektronica. Ze pakte een doos van de plank en liet hem in ons winkelwagentje vallen. 'Dit is zo handig,' zei ze. 'Het is een babymonitor voor op de achterbank.'

'In de auto?'

'Je sluit hem aan op je sigarettenaansteker, en de camera gaat op de achterkant van de hoofdsteun. De monitor komt op het dashboard. Dan kun je de baby in het oog houden zonder je om te draaien.'

Daar zit ik op te wachten, dacht ik. Nog meer afleiding onder het rijden. 'Cool,' zei ik.

'En dit is een videomonitorsysteem,' zei ze. Ze pakte een andere doos van de kast en liet hem aan me zien. 'Zie je dat kleine videoapparaatje dat je overal met je mee kunt dragen? Dan is de baby nooit uit het zicht. Er zit ook infrarood op voor in het donker.'

Jezus, dacht ik, die baby wordt beter bewaakt dan Patrick McGoohan in die oude tv-serie *The Prisoner.*

'Geweldig idee,' zei ik.

'O, nu zijn we er,' zei Kate. 'Dit is het mooiste.' Ik volgde haar naar de kinderwagenafdeling, waar ze meteen op een groot, angstaanjagend, zwart gevaarte met grote wielen af ging. Het zag er antiek en onverbiddelijk uit, als iets uit *Rosemary's Baby.*

'God, Jason, wil je eens naar deze Silver Cross Balmoral-kinderwagen kijken?' zei ze. 'Hij is zo ongelooflijk elegant, vind je niet?'

'Welke film was dat waarin die kinderwagen al die trappen af rijdt?'

'*Potemkin*,' zei ze, en ze schudde geërgerd met haar hoofd.

Ik keek naar de prijs. 'Staat daar achtentwintighonderd of heb ik al een leesbril nodig?'

'Is het zoveel?'

'Misschien is het in Italiaanse lires.'

'Ze hebben de lire niet meer. Het is nu de euro.'

'Tweeduizend achthonderd dollar?'

'Vergeet het maar,' zei Kate. 'Dat is absurd. Sorry.'

'Alles wat je maar wilt, Kate.'

'Voor veel minder geld is er de Stokke Xplory,' zei ze. 'De baby ligt hoger boven de grond. Dat komt de band tussen ouder en kind ten goede. Maar er zit niet veel opslagruimte onder. Aan de andere kant ziet hij er wel macho uit, vind je niet? Die telescopische handgrepen?' Ik zag haar een verlangende blik op de Silver Cross Balmoral-wagen werpen toen ze dacht dat ik niet keek.

'Hij is inderdaad macho,' zei ik. Ik wierp stiekem een blik op mijn BlackBerry en zag een e-mail van Gordy. Het onderwerp was: DRINGEND!

'Natuurlijk is er altijd de Bugaboo Frog.'

Ik klikte op het bericht en las: 'Ik probeerde je mobieltje te bellen, maar kreeg geen reactie. Bel me DIRECT.'

'Doet hij je niet aan een mountainbike denken?' zei Kate.

'Wat? Een mountainbike?'

'Ik heb veel over de Bebe Confort Lite Chassis gehoord,' zei Kate. 'Die kost een beetje meer dan de Bugaboo, maar toch nog maar een fractie van de prijs van de Silver Cross.'

'Ik moet iemand bellen,' zei ik.

'Kan het niet wachten?'

'Het is belangrijk.'

'Dit is ook belangrijk.'

'Gordy probeerde me te bereiken en hij zegt dat het dringend is. Sorry. Het hoeft niet meer dan een minuut te duren.'

Ik draaide me om en liep door de gangpaden naar het parkeerterrein, waar ik weer een signaal had. Ik toetste Gordy's nummer in, maakte een fout, probeerde het opnieuw.

'Wat doe je toch?' blafte Gordy toen hij had opgenomen.

'Babyspullen kopen.'

'Die vervloekte onkostenmemo van je. Wat stel je je daarbij voor?'

'Gordy, jij ging ermee akkoord voor ik hem verstuurde.'

Hij aarzelde maar even. 'Ik heb me niet met de details beziggehouden. Die heb ik aan jou overgelaten.'

'Is er een probleem?'

'Of er een probléém is? Trevor kwam net mijn kamer binnen en zei dat het hele verkoopteam op het punt staat in opstand te komen.'

'Trevor?' zei ik. Die vervloekte Trevor ging achter mijn rug om naar Gordy – was dat het? 'Trevor spreekt niet namens "het hele verkoopteam",' zei ik.

'Nou, ik heb nieuws voor je. We zijn Forsythe hierdoor kwijtgeraakt.'

'Wat bedoel je, Forsythe "kwijtgeraakt"?'

'Het was voor hem de druppel die de emmer deed overlopen. Blijkbaar had hij een aanbod van onze oude vriend Crawford van Sony gekregen, en weet je wat? Op het eind van de middag belde hij om hun aanbod te accepteren. Waarom? Door die verrekte bezuinigingscampagne van jou. Je laat de mannen bij Denny's eten en in groezelige motels slapen, en nu zijn we onze beste verkoper kwijt.'

Míjn campagne?

'Wie is de volgende? Gleason? Allard? Alleen om wat de jongens de Queeg-memo noemen.'

'Wat wil je dat ik doe?'

'Ik heb het al geregeld,' zei Gordy. 'Ik heb net een e-mail uitgestuurd waarin ik je nieuwe beleid ongedaan maak. Ik zei dat het een misverstand was.'

Ik knarste met mijn tanden. *Die vervloekte kerel.* 'En hoe zit het met Forsythe?' zei ik. 'Gaat hij evengoed weg?'

Maar Gordy had al opgehangen.

Ik liep door BabyWorld. Die verrekte xylofoon en die kinderstemmen deden pijn aan mijn oren, als nagels die over een schoolbord krassen. Kate keek me vragend aan.

'Gaat het wel?' zei ze. 'Je ziet eruit alsof je een schop in je maag hebt gekregen.'

'Eerder in mijn ballen. Kate, er is allerlei rottigheid aan de hand op mijn werk.'

'Nou, ik ben toch al klaar om te vertrekken. Maar je had vanavond niet moeten komen. Je had beter op je werk kunnen blijven.'

'Wat bedoel je?'

'Je wordt helemaal afgeleid door je werk. Je hoeft niet met me te gaan winkelen, Jase.'

'Ik wilde dit doen,' zei ik.

'Als je jou zo hoort, is het een klus die je moet opknappen.'

'Dat is niet eerlijk. We kopen babyspullen. Ik vind het belangrijk dat we dat samen doen.'

'Ja, maar jij bent er niet helemaal bij, hè? Met je gedachten ben je op kantoor.'

'En ik dacht altijd dat je om mijn lichaam van me hield.'

'Jason.'

Ze duwde het winkelwagentje naar de kassa en ik volgde haar. We zwegen allebei, mokten in stilte. Toen we in de rij stonden, zei ik ten slotte: 'Waarom ga je het bonnetje voor de *Rosemary's Baby*-kinderwagen niet halen?'

'De Silver Cross Balmoral?' zei Kate. 'Maar die is absurd duur.'

'Het is de wagen die je wilt. En dus nemen we hem.'

'Jason, we hoeven niet zoveel geld aan een kinderwagen uit te geven.'

'Kom nou, Kate. Het zou volstrekt onverantwoordelijk zijn om onze baby in een wagen te leggen die geen schokdempers en stootbeveiliging aan de zijkanten heeft.' Ik zweeg even. 'Zeg, ik wil dit goed doen. Baby Steadman gaat reizen in stijl. Er zit ook een goede besturing op, hè?'

Toen de caissière alles had aangeslagen, keek ik enkele ogenblikken verbijsterd naar de rekening. Als mijn vader had gezien hoeveel we aan babyspullen uitgaven, had hij in zijn luie stoel voor de tv een hartaanval gekregen.

Ik haalde dapper mijn gouden MasterCard tevoorschijn. 'Ik word onderdrukt door de schuld van de kapitalistische samenleving,' zei ik.

24

ZODRA DOUG FORSYTHE de volgende morgen binnenkwam, liep ik naar zijn kamer en tikte op zijn schouder.

'Heb je even?' zei ik.

Hij keek naar me op en zei: 'Tuurlijk, baas.' Hij wist waar het over ging en probeerde het niet te verbergen.

Hij volgde me naar mijn kamer.

'Doug, laat me je wat vragen. Heb je zojuist een aanbod van Sony aangenomen?'

Hij zweeg, maar niet langer dan een seconde. 'Mondeling, ja,' zei hij. 'Ik zal niet tegen je liegen. Crawford heeft me een fenomenaal aanbod gedaan.'

Mondeling, zei hij, voorzichtig als hij was. Dat betekende dat er nog speelruimte was.

'Je bent hier nu acht jaar. Ben je ontevreden?'

'Ontevreden? Nee, helemaal niet. God, nee.'

'Waarom praat je dan met Crawford?'

Hij haalde zijn schouders op en hield zijn handpalmen naar boven. 'Hij deed een aanbod.'

'Hij zou geen aanbod doen als hij niet wist dat je erover dacht om hier weg te gaan.'

Forsythe zweeg weer. 'Hoor eens, Jason, ik weet niet eens of ik hier over een jaar nog ben.'

'Je bent gek, Doug. Je zit hier geramd. Met cijfers als die van jou hoef je je nergens zorgen over te maken.'

'Ik heb het niet over mij persoonlijk. Ik heb het over ons allemaal.'

'Ik kan je niet volgen.'

'Nou, die onkostenmemo... Je hebt ons daarmee de stuipen op het lijf gejaagd. Entronics moet er wel heel slecht aan toe zijn.'

'We zijn er niet slecht aan toe,' zei ik. 'We moeten alleen wat competitiever worden. Kosten besparen. Veel van onze reiskosten zijn echt niet normaal meer. Trouwens, Gordy heeft mijn maatregelen ingetrokken.' Ik kwam in de verleiding om de waarheid te spreken – dat Gordy mij het vuile werk had laten opknappen en zich had teruggetrokken toen het misging – maar besloot mijn mond te houden.

'Dat weet ik,' zei Forsythe. 'Maar ik krijg het gevoel dat het maar het topje van de ijsberg is.'

'Hoezo?'

Hij dempte zijn stem. 'Ik heb erover horen praten. Dat is alles.'

'Wat heb je gehoord?'

'Dat Entronics van plan is het hele verkoopteam van Visuele Systemen weg te doen. Nu ze Royal Meister hebben, hebben ze ons niet nodig.'

'Waar heb je dat gehoord?'

'Ik heb het gehoord,' zei hij.

'Dat is belachelijk.'

'Is het niet waar?' Hij keek me nu recht aan.

Ik schudde mijn hoofd. Ik loog als een kind dat met zijn hand in de koektrommel was betrapt. 'Helemaal niet waar,' zei ik.

'Nee?' Hij klonk oprecht verbaasd.

'Je wilt toch niet naar New Jersey verhuizen?' zei ik.

'Ik ben geboren en getogen in Rutherford.'

'Zo bedoelde ik het niet,' zei ik vlug. 'Nou, natuurlijk doen we je hetzelfde aanbod als Sony. We willen je niet kwijt. Dat weet je.'

'Ja.'

'Kom op, Doug,' zei ik. 'We hebben je hier nodig. Je hoort bij Entronics thuis,' zei ik.

Hij zei niets.

'Vergeet die geruchten nou maar,' zei ik. 'Je moet niet naar zulke belachelijke geruchten luisteren.'

Hij knipperde met zijn ogen en knikte langzaam.

'Dan zie ik je vanavond bij de wedstrijd,' zei ik. 'Ja?'

Om een uur of zes wilde ik net naar huis gaan toen mijn telefoon ging. De telefoontjes die je na vijf uur krijgt, komen vaak van mensen die liever niet met een mens willen praten. Ze willen de voicemail krijgen. Eigenlijk willen ze je juist ontwijken, en dat wordt tegenwoordig steeds moeilijker, met mobiele telefoons en e-mail, dus wanneer iemand het probeert, heb je het meteen in de gaten.

Franny was er nog, en ik hoorde haar zeggen: 'Een ogenblik, meneer Naseem. U hebt geluk. Hij wilde net weggaan.'

'Ik neem hem wel,' zei ik, en ik ging naar mijn bureau terug. Dit kon het grote moment zijn, dacht ik. We hadden cijfers heen en weer laten gaan, en de laatste keer dat we elkaar spraken, zei Freddy Naseem dat Belkin zelf al bijna akkoord was gegaan. Dit zou de grootste order worden die ik in maanden binnenhaalde.

'Hallo, Freddy,' zei ik. 'Hoe staat het ermee?'

'Jason,' zei hij, en ik hoorde aan zijn stem dat het geen goed nieuws werd. 'Er heeft zich een kleine complicatie voorgedaan.'

'Maak je geen zorgen,' zei ik. 'Dat kunnen we samen oplossen.'

Hij zweeg even. 'Nee, weet je... Ik heb slecht nieuws.'

'Oké.' Dit wilde ik niet horen.

'Ik heb net gehoord dat we de plasmaschermen van Panasonic gaan kopen.'

'Wat?' gooide ik eruit. En toen kalmer: 'Je praatte niet eens met Panasonic.'

'Jammer genoeg hadden we geen keuze. Meneer Belkin vond je idee zo goed dat hij niet wilde wachten. Hij wil de flatscreens over twee weken in drie van onze bedrijven installeren.'

'Twee weken? Maar we waren het eens over drie maanden...'

'En Panasonic heeft genoeg voorraad om volgende week al te kunnen leveren. Dus eigenlijk had ik geen keus.'

We konden onmogelijk honderden plasmamonitors binnen een maand afleveren, laat staan over een week. Bij Panasonic hadden ze blijkbaar veel extra voorraad liggen.

'Maar... maar het was mijn idee!' sputterde ik. Ik wou meteen dat ik dat niet had gezegd. Ik klonk als een pruilend kind van tien. 'Wil je me tenminste de kans geven om na te gaan of ik wat voorraad bij elkaar kan krijgen?'

'Ik denk dat we dat stadium al voorbij zijn.' Hij klonk stijf en formeel.

'Freddy,' zei ik, 'je moet me de kans geven om te zien wat ik kan doen. Omdat ik jullie in eerste instantie het idee aan de hand heb gedaan.'

'Mijn handen zijn gebonden. Soms neemt meneer Belkin beslissingen zonder mij te raadplegen. Hij is de baas. En je weet wat ze zeggen. "De baas heeft misschien niet altijd gelijk, maar hij is altijd de baas."' Hij liet er een hol lachje op volgen.

'Freddy...'

'Het spijt me, Jason. Het spijt me vreselijk.'

Ik ging naar Gordy. Misschien kon hij aan touwtjes trekken, ruilhandeltjes drijven, zelfs een paar honderd flatscreens loskrijgen.

Melanie was al naar huis, maar Gordy was nog in zijn kamer aan het telefoneren. Hij stond naar zijn PictureScreen-ramen te kijken. De oceaangolven stortten zich op het kristallijne witte zand. Het was vreemd: in het raam bij Melanies kamer zag ik het verblekende zonlicht, en een paar meter daarvandaan zag ik het oogverblindende middaglicht in Gordy's PictureScreen-ramen. Zijn denkbeeldige wereld.

Ik wachtte een paar minuten. Hij draaide zich toevallig om en zag me. Reageerde niet op mijn aanwezigheid. Hij bulderde van het lachen en maakte grote rondgaande gebaren met zijn handen. Ten slotte hing hij op en ging ik naar binnen.

Hij keek me met een triomfantelijk gezicht aan. 'Booya, Steadman. Booya! Dat was Hardy. Hij stuurde me een Hardygram én belde, én nodigde me uit voor een zeiltocht op zijn nieuwe jacht.'

'Wat is de bijzondere gelegenheid?'

'Hij sprong zowat een gat in de lucht toen ik hem over mijn Harry Belkin-idee vertelde, Steadman. Plasmaschermen installeren in zesenveertig dealerbedrijven – geweldig!'

Ik knikte. Ik bedankte hem niet, want hij gaf mij geen compliment. Hij feliciteerde zichzelf, want op de een of andere manier was het zijn idee geworden.

Hij wees met zijn dikke vinger naar me. 'Kijk, dat noemt Hardy nou kegelbaanpositionering. Als je de bal goed mikt, gooit de eerste kegel de rest om.'

'Ik kan je niet volgen.'

'Het is een soort hefboom. Als Harry Belkin eenmaal heeft getekend, zeggen alle andere autodealers in het land: "Waarom ben ik niet op dat idee gekomen? Doe mij er ook een stel." God, het is briljant.'

'Briljant,' zei ik. Ik wilde zijn kamer uit en naar huis.

'Wat is het laatste nieuws daarover?'

'Ik... ik ben er nog mee bezig,' zei ik.

'Allemachtig, haal die order binnen, man. Haal hem binnen. Ik wil hem niet verliezen. Als je die order binnenhaalt, en nog een paar grote orders, zitten we veilig. Hoe verlopen de onderhandelingen met Chicago Presbyterian?'

'Ik denk dat het bijna rond is.'

'En het vliegveld van Atlanta? Als je dat binnenhaalt, is het een enorme order. Enorm!'

'Daar werk ik ook aan.' Het vliegveld van Atlanta wilde alle monitors van hun vluchtinformatiesystemen vervangen. Het ging om honderden en honderden schermen.

'En?'

'Dat weet ik nog niet. Te vroeg.'

'Ik wil dat je alles op alles zet om Atlanta binnen te halen, begrepen?'

'Ik begrijp het,' zei ik. 'Ik ben er al heel druk mee bezig. Zeg, ik wil...'

'Heb je met Doug Forsythe gepraat?' Hij plukte aan zijn revers en trok zijn das recht.

'Dat lijkt me een verloren zaak, Gordy. Hij heeft al een mondelinge toezegging gedaan...'

'Een wát? Een verloren zaak? Kun je dat voor me vertalen? Ik spreek die taal niet. Dat woord komt niet in mijn vocabulaire voor. Als je in het G-team zit, accepteer je geen nederlaag. Zorg dat Forsythe niet weggaat. Is dat duidelijk?'

'Ja, Gordy.'

'Zit je in het G-team of niet?'

'Ja, Gordy,' zei ik. 'Ik zit in het G-team.'

25

In mijn woede en verwarring reed ik met een veel te hoge snelheid naar huis. Freddy Naseem had me belazerd, en Gordy ook, en nu was de order waarvoor hij de eer had opgeëist niet doorgegaan. Misschien zat daar een zekere ironie in, maar die kon ik niet waarderen. Daar was ik te kwaad voor.

Op de cd-speler praatte generaal Patton over 'de mentaliteit van het roofdier'. Hij gromde: 'Het is net als in het dierenrijk. Negentig procent van ons is prooi. De roofdieren zijn de andere tien procent. Wat ben jij?'

Toen ik thuiskwam, zag ik een bijna nieuw lijkende zwarte Mustang op ons smalle, met klinkers bestrate pad staan. Die was van Kurt. Hij had hem gekocht van zijn vriend die het schadebedrijf had.

Ik vroeg me af waarom hij bij ons thuis was en ging vlug naar binnen.

Kurt zat in onze huiskamer, de formele kamer die we nooit gebruikten, en praatte met Kate. Ze lachten om iets. Kate had oma Spencers theeblad met boterkoekjes neergezet.

'Hé, hallo,' zei ik. 'Sorry dat ik laat ben,' zei ik tegen Kate. 'Er gebeurt veel op de zaak.'

'Jason,' zei Kate, 'je hebt me nooit verteld dat Kurt ook klusjesman is.'

'Amateur,' zei Kurt.

'Hé, Kurt. Wat een verrassing.'

'Hé, Jason. Ik moest naar een leverancier in Cambridge. Ik heb eindelijk toestemming gekregen voor een biometrisch herkenningssysteem, en ik moest wat details afhandelen. Omdat ik toch in jullie deel van de rimboe was, besloot ik je een lift te geven naar de softbalwedstrijd.'

'Goed,' zei ik.

'Al zag ik je nieuwe Mercedes staan. Mooie kar. Glamour voor de baas, hè?'

'Wil je even naar de trap kijken?' zei Kate tegen mij. 'Moet je zien wat Kurt heeft gedaan.'

'Kom nou,' zei Kurt. 'Het stelt niets voor.'

Ik liep achter haar aan naar de trap. De oude havermoutkleurige vloerbedekking was verwijderd en er bleek mooi hout onder te zitten. De oude vloerbedekking lag in een keurige stapel, in rechthoekige stukken gesneden, naast houtstrips waar scherpe spijkertjes uit staken, ook netjes op stapels. Op de vloer lagen een koevoet en een stanleymes.

'Zie je hoe mooi dat hout is?' zei Kate. 'Je kon het niet zien zolang die lelijke vloerbedekking eroverheen zat.'

'Het was niet veilig,' zei Kurt. 'Je kon je nek breken. Nu Kate zwanger is en zo, moet je goed voor dat soort dingen zorgen.'

'Erg aardig van je,' zei ik.

'Jullie kunnen een loper laten leggen,' zei Kurt.

'O, maar ik vind dat hout zo mooi,' zei Kate.

'Je kunt het nog steeds aan weerskanten zien,' zei Kurt. 'Misschien zo'n oosterse loper van axminstertapijt. Met een mooie dikke onderlaag. Dat is veiliger.'

'En koperen roeden?' zei Kate opgewonden.

'Dat is gemakkelijk,' zei Kurt.

'Spreek namens jezelf,' zei ik een beetje gepikeerd. 'Ik had geen idee dat je dat kon. Jij kunt mensen doden én oude vloerbedekking verwijderen.'

Kurt negeerde de steek onder water. Of misschien voelde hij het niet zo. 'Het verwijderen is het gemakkelijkste,' zei hij met een bescheiden grinniklachje. 'Ik heb na mijn schooltijd voor een aannemer gewerkt. Ik heb allerlei klussen gedaan.'

'Zou je dat kunnen doen, denk je?' zei Kate. 'De loper en de roeden en zo? We zouden je natuurlijk betalen. Daar staan we op.'

'Dat hoeft niet,' zei Kurt. 'Je man hier heeft me aan mijn baan geholpen. Ik sta bij hem in het krijt.'

'Je bent me niets verschuldigd,' zei ik.

'Kurt denkt dat we veel te veel dingen op dat elektriciteitsding in de huiskamer hebben aangesloten.'

'Dat is riskant,' zei Kurt. 'Jullie zouden nog een stopcontact in die muur moeten hebben. Dat is gemakkelijk te installeren.'

'Je bent ook elektricien?' zei Kate.

'Je hoeft geen meester-elektricien te zijn om een stopcontact te installeren. Dat is gemakkelijk.'

'Hij heeft net de bedrading in zijn hele huis vervangen,' zei ik, 'en het is niet eens zijn eigen huis.'

'God,' zei Kate tegen Kurt. 'Is er iets wat je níét kunt?'

Kurt reed snel en behendig met zijn Mustang. Ik was onder de indruk. De meeste automobilisten die niet in Boston zijn opgegroeid laten zich intimideren door de agressie van de inheemse Boston-rijder. Kurt, die uit Michigan kwam, bewoog zich als een Bostonner door het verkeer.

We zaten ruim tien minuten zwijgend naast elkaar.

Toen zei Kurt: 'Hé, man, heb ik je kwaad gemaakt?'

'Me kwaad gemaakt? Waarom zeg je dat?'

'Bij je thuis. Je keek alsof je het niet leuk vond dat ik daar was toen je thuiskwam.'

'Nee,' zei ik op die norse, mannelijke toon die alles vertelt – je weet wel, *waar heb je het over?*

'Ik wilde alleen maar helpen, jongen. Met die trap. Ik dacht, ik kan dingen repareren, en jij bent een drukbezette manager.'

'Ik vind het prima,' zei ik. 'Ik bedoel, ik stel het op prijs. Kate ook. Je had gelijk: ze is zwanger en we moeten voorzichtig zijn met dat soort dingen.'

'Oké. Zolang het maar geen probleem tussen ons is.'

'Nee. Ik had gewoon een rotdag op de zaak.' Ik vertelde hem over mijn geweldige dealeridee, en dat Gordy met de eer was gaan strijken, en dat Harry Belkin toen had besloten met Panasonic in zee te gaan.

'Hij is een gluiperd,' zei Kurt.

'Wie? Gordy?'

'Allebei. Gordy kennen we. Maar die Harry Belkin – als hij de condities van de order wil veranderen, moet hij jou toch op zijn minst de kans geven om met een offerte te komen? Omdat het jouw idee was?'

'Ja, dat had hij moeten doen, maar ik had hem al verteld dat we het spul pas over een paar maanden konden leveren. Dat is standaard. Panasonic heeft blijkbaar extra voorraad. Het is net als wanneer je een proefrit met een auto maakt, en je wordt verliefd op die auto, en dan zegt de verkoper, sorry, de wachtlijst is twee maanden lang. En dan zeg jij: *Twee maanden? Ik wil hem vandaag!* Nou, Panasonic heeft blijkbaar gezegd: "Dit is uw geluksdag. We hebben er toevallig een stel in ons magazijn liggen. U kunt ze vandaag krijgen!"'

'Dat deugt niet. Dat is een rotstreek.'

'Ja.'

'Daar moet je iets aan doen, man.'

'Er valt niets aan te doen. Dat is het probleem. We liggen minstens een maand achter – we moeten de voorraad uit Tokio krijgen.'

'Je moet je er niet zomaar bij neerleggen. Ga erachteraan.'

'Hoe? Wat moet ik doen, een van jouw nagemaakte pistolen tegen Freddy Naseems voorhoofd drukken?'

'Nee, soms is de discrete benadering achter de schermen de beste manier. Zoals toen we in Afghanistan waren en we een luchtmachtbasis bij Kandahar vonden, met een grote oude Russische helikopter. Een van onze plaatselijke informanten vertelde ons dat hoge talibancommandanten die helikopter gebruikten om naar hun geheime hoofdkwartier in de bergen te gaan. Ik dacht, nou, we kunnen dit ding laten ontploffen, of we kunnen slim zijn. En dus wachtten we tot vier uur 's morgens, toen er maar één TB-schildwacht dienst had.'

'TB?'

'Taliban. Sorry. Ik besloop hem van achteren en maakte hem geruisloos met een wurgkoord af. Toen gingen we de basis op en schilderden wat LME op de staartsectie van de achterste rotor, en op de rotorbladen. Volkomen onzichtbaar.'

'LME?'

'*Liquid metal embrittlement*. Dat maakt metaal bros. Weet je nog, dat buisje in mijn verzameling oorlogstrofeeën waar je naar keek?'

'Ik geloof van wel.'

'Heel cool spul. Geheime technologie. Een mix van een vloeibaar metaal, bijvoorbeeld kwik, en een ander metaal. Koperpoeder of indium of zoiets. Je verft het op staal en het gaat een chemische reactie aan. Het maakt staal zo bros als beschuit.'

'Niet gek.'

'Voordat die talibanjongens met die helikopter opstegen, hebben ze waarschijnlijk wel gekeken of er bommen of zo waren aangebracht, maar ze zagen niks, hè? Die avond was er een grote knal: de helikopter vloog in de lucht uit elkaar. Zes talibangeneraals veranderden in porties gehakt. Dat was beter dan alleen maar een lege helikopter opblazen, hè?'

'Wat heeft dat met Entronics te maken?'

'Wat ik wil zeggen, is dat het soms de geheime dingen zijn die de doorslag geven. Daarmee win je het gevecht. Niet met geweren en bommen en mortiergranaten.'

'Ik heb liever niet dat je Freddy Naseem wurgt. Dat is niet goed voor het imago van ons bedrijf.'

'Vergeet Freddy Naseem maar. Ik zeg alleen: soms moet je iets achter de schermen ondernemen.'

'Wat bijvoorbeeld?'

'Ik weet het niet. Dan zou ik meer moeten weten. Maar ik ben er om te helpen, wat er ook aan de hand is.'

Ik schudde mijn hoofd. 'Ik hou niet van achterbakse methoden.'

'En die privé-informatie over Brian Borque van Lockwood Hotels dan? Of Jim Letasky?'

Ik aarzelde. 'Eerlijk gezegd zitten die dingen me niet lekker.'

'En je vindt het niet... achterbaks, zoals jij het noemt, van Panasonic dat ze die Harry Belkin-order hebben ingepikt?'

'Ja, dat wel. Maar ik geloof niet in oog om oog. Ik wil geen gluiperd zijn.'

'Laat me je dit vragen. Als je iemand ergens in een steegje doodmaakt, is het moord, nietwaar? Maar als je iemand midden op het slagveld doodmaakt, is het een heldendaad. Wat is het verschil?'

'Heel simpel,' zei ik. 'Het een is oorlog, het ander niet.'

'Ik dacht dat het bedrijfsleven ook oorlog was.' Kurt grijnsde. 'Dat staat allemaal in die boeken die je me hebt gegeven. Ik lees ze van begin tot eind.'

'Dat is bij wijze van spreken.'

'Vreemd,' zei hij. 'Dat moet me zijn ontgaan.'

Die avond speelden we tegen EMC, een gigantisch computeropslagbedrijf in Hopkinton, en opnieuw wonnen we. De jongens van EMC hadden blijkbaar gehoord dat we een heel ander team hadden, want ze speelden alsof ze eerst nog hard hadden getraind. Jammer genoeg kwamen we één speler tekort. Doug Forsythe kwam niet opdagen. Dat was geen goed teken.

Om de een of andere reden was mijn eigen softbalspel verbeterd. Toen ik op de plaat ging staan, voelde ik me zelfverzekerder. Ik haalde harder en met meer zelfvertrouwen uit. Omdat ik me zo ontspannen voelde, sloeg ik de ballen ver weg. Mijn veldspel was ook beter.

Toch gooide Trevor Allard de bal een paar keer opzettelijk langs me, alsof hij wilde laten zien dat ik niet met de bal te vertrouwen was. Hij gooide de bal ook een keer naar me toe toen ik niet voorbereid was – ik stond half afgewend – en dat kostte me bijna mijn oor.

Na de wedstrijd liepen Kurt en ik naar het parkeerterrein. Trevor zat in zijn auto, en toen ik voorbijliep, kwam dat nummer van Kanye West uit zijn speakers, 'Gold Digger' – *He got that ambition, baby, look in his eyes* – en dat leek me geen toeval.

Ik zei tegen Kurt dat ik meteen naar huis wilde, als hij me een lift wilde geven.

'Dus je wilt niet uitgaan met de jongens?' zei Kurt.

'Nee. Lange dag gehad. En ik heb ook tegen Kate gezegd dat ik naar huis zou komen. De laatste tijd vindt ze het niet prettig als ik laat wegblijf.'

'Zwangere vrouwen moeten het gevoel hebben dat ze beschermd worden,' zei Kurt. 'Een primitief instinct. Hoor mij nu – alsof ik daar iets van weet. Ze is een leuke meid. Leuk om te zien, ook.'

'En van mij.'

'Gaat alles goed aan het thuisfront?'

'Niet slecht,' zei ik.

'Het valt niet mee, het huwelijk.'

Ik knikte.

'Het is belangrijk om voor het thuisfront te zorgen,' zei hij. 'Als het thuisfront er slecht aan toe is, heeft al het andere daaronder te lijden.'

'Ja.'

'Hé, wat is er vanavond met Doug Forsythe gebeurd?' zei Kurt.

'Ik denk dat we hem aan Sony gaan verliezen.'

'Door die strenge memo van jou?'

'Dat was misschien de laatste druppel. Gordy wil dat ik hem bij ons houd; dat is een obsessie voor hem. Ik heb Doug onder druk gezet, hem gesmeekt, maar vergeefs. Meer kan ik niet doen. De man wil blijkbaar weg. En eigenlijk kan ik het hem niet kwalijk nemen. Het is niet leuk om voor Gordy te werken.'

'Ik wed dat er een Gordy in elk bedrijf is.'

'Ik zou dat niet graag willen geloven,' zei ik. 'Maar wat weet ik ervan? Ik heb voor maar één bedrijf gewerkt.'

'Hoor eens,' zei Kurt. 'Het zijn mijn zaken niet, maar je moet Trevor niet over je heen laten lopen.'

'Het is maar een spel.'

'Niets is maar een spel,' zei Kurt. 'Als hij denkt dat hij je op het speelveld met zo weinig respect kan behandelen, slaat dat over op de werkplek.'

'Het stelt niets voor.'

'Het stelt veel voor,' zei Kurt. 'En het is onbevredigend.'

26

Het was halfacht 's morgens en Gordy was aan zijn derde reuzenmok koffie bezig. Het was niet prettig om Gordy boordevol cafeïne mee te maken. Hij zat zowat te stuiteren.

'Tijd om te schiften en te schoppen,' zei hij, alsof hij een kampbegeleider was en het tijd was om met vlotten door de stroomversnellingen te gaan. 'Ik moet zeggen dat je prestatiebeoordelingen van sommigen van die kerels erg mild zijn. Vergeet niet dat ik die vrij goed ken.' Hij draaide zijn hoofd langzaam in mijn richting.

Ik zei niets. Hij had gelijk. Ik had ze mild beoordeeld. Ook had ik sommige slechte presteerders, zoals Festino en Taylor, een zetje in de rug gegeven. Ik wilde Gordy geen munitie geven die hij niet nodig had.

'Het wordt tijd dat Taylor en Festino hun biezen pakken,' zei hij.

Wat hadden die prestatiebeoordelingen die hij mij had laten maken voor zin? Ik had iedereen op een schaal van een tot vijf moeten zetten, en dat soort dingen, maar in werkelijkheid telde blijkbaar maar één cijfer.

'Cal Taylor zit twee jaar voor zijn pensioen,' zei ik.

'Hij is al jaren met pensioen. Alleen heeft hij dat niemand verteld.'

'Festino heeft alleen wat meer persoonlijke begeleiding nodig.'

'Festino is een volwassen man. We hebben hem jaren laten sukkelen. We gaven hem bijles. Hielden zijn handje vast.'

'Als we hem nu eens naar verkoop binnendienst overplaatsen?'

'Waarom? Om hem dat ook te laten verknoeien? Taminek doet verkoop binnendienst vrij goed. Festino ligt al te lang aan de beademing. Hij had zijn rechtenstudie moeten afmaken. Het wordt nu tijd om de stekker eruit te trekken. Gooi hem eruit.'

'Gordy,' zei ik, 'de man is een huisvader met een hypotheek en een kind op een particuliere school.'

'Je begrijpt het niet. Ik vroeg je niet om raad.'

'Dit kan ik niet doen, Gordy.'

Hij keek me aan. 'Waarom verbaast dat me niet? Waarom krijg ik het gevoel dat jij niet geschikt bent voor het G-team?'

Ik had nooit eerder iemand ontslagen en moest met een man van drieënzestig beginnen.

Cal Taylor huilde in mijn kamer.

Ik wist niet hoe ik daarop moest reageren. Ik schoof een doos Kleenex over het bureau naar hem toe en verzekerde hem dat het niet persoonlijk was. Hoewel het in zekere zin volkomen persoonlijk was. Hij kon de whiskyfles niet lang genoeg met rust laten om de telefoon te pakken en de voortdurende afwijzingen te incasseren waarmee wij verkopers elke dag te maken hebben. Dat was het probleem.

Ik zal niet zeggen dat het mij meer pijn deed dan hem. Toch kostte het me grote moeite. Hij zat daar tegenover me in zijn goedkope grijze zomerpak dat hij het hele jaar droeg en dat hij waarschijnlijk in de tijd van Lyndon Johnsons presidentschap in een optimistische bui had gekocht. De boord van zijn overhemd was versleten. Zijn witte haar was met Brylcreem naar achteren getrokken en zijn nicotinegele snor was netjes bijgeknipt. Zijn rokershoest was erger dan ooit.

En hij huilde.

Entronics had een 'beëindigingsscenario' dat je moest toepassen wanneer je iemand ontsloeg. Je mocht niet improviseren. Na mij zou hij naar Personeelszaken en dan naar Outplacementadvies gaan. Ze zouden hem vertellen hoe het met zijn ziektekostenverzekering gesteld was en hoe lang hij zijn salaris zou blijven ontvangen. Dan zou iemand van de bedrijfsbeveiliging hem naar buiten leiden. Dat was de ultieme vernedering. Veertig jaar bij het bedrijf, en ze escorteerden je naar buiten alsof je een winkeldief was.

En toen het was gebeurd, stond hij op en zei: 'En jij?'

'Ik?'

Hij keek me gekwetst aan. 'Ben je gelukkig? Vind je het fijn om Gordy's beul te zijn?'

Daar hoefde ik geen antwoord op te geven en dat deed ik dan ook niet. Ik had een gevoel alsof ik in mijn ballen was geschopt. Ik kon er alleen maar naar raden hoe hij zich voelde. Ik deed de deur van mijn kamer dicht, liet me op mijn bureaustoel zakken en zag hoe hij met ingezakte schouders naar zijn kamer sjokte.

Door de spleten in de luxaflex zag ik hem met Forsythe en Harnett praten. Mijn telefoon ging en ik liet Franny opnemen. Ze vroeg me via de intercom of ik een telefoontje wilde aannemen van Barry Ulasewicz van het Chicago Presbyterian-ziekenhuis, en ik zei tegen haar dat ik in bespreking was. Ze wist dat ik niet aan het telefoneren was en ook niemand bij me had en zei: 'Gaat het wel goed met je?'

'Straks wel weer,' zei ik. 'Ik heb even een paar minuten nodig.'

Iemand had Taylor een stapel witte kartonnen dozen gebracht en zette die voor hem neer. Toen hij zijn bezittingen in die dozen deed, kwamen er een paar mensen bij zijn kamer staan. Trevor wierp woedende blikken in mijn richting.

Het was een droevige pantomime: ik kon wel zien maar niet horen. Het nieuws had zich als rimpelingen op een vijver verspreid. Mensen kwamen naar hem toe, zeiden een paar troostende woorden en liepen vlug weg. Anderen kwamen voorbij en maakten grote gebaren zonder de pas in te houden. Het is gek zoals mensen zich gedragen tegenover iemand die ontslagen is. Ontslag is zoiets als een ernstige besmettelijke ziekte; tegenover elke persoon die bleef staan om deel te nemen aan zijn verdriet stonden er twee die uit angst voor besmetting niet bij hem in de buurt wilden komen. Of die niet de schijn wilden wekken dat ze met die arme Cal Taylor onder één hoedje speelden, met hem samenzweerden. Ze wilden laten zien dat ze neutraal waren.

Toen ik mijn telefoon pakte om Festino te vragen bij me te komen, werd er op de deur geklopt.

Het was Festino.

27

'Steadman,' zei Festino. 'Zeg dat je Cal Taylor niet zojuist hebt ontslagen.'

'Ga zitten, Ricky,' zei ik.

'Ik kan het niet gelóven? Komt het door de mannen met de snoeimessen? Het fusieteam? Hebben die de opdracht gegeven?'

Het was niet mijn idee, wilde ik zeggen, maar dat vond ik te laf. Al was het waar. Ik zei: 'Neem plaats, Ricky.'

Hij deed het. 'Waarom heeft Gordy het niet gedaan? Ik zou denken dat hij het zelf wilde doen. Hij geniet van zulke dingen.'

Ik zei daar niets op.

'Ik moet je zeggen, als vriend, dat ik het niet prettig vind wat er met jou gebeurt. Je bent naar de verkeerde kant overgegaan.'

'Ricky,' probeerde ik hem te onderbreken.

Maar hij was op dreef. 'Eerst is er die belachelijke Queeg-memo. Nu ben je Gordy's beul. Dat deugt niet. Ik vertel je dit als je vriend.'

'Ricky, hou even op met praten.'

'Dus Taylor is de eerste die bij de vissen mag zwemmen, hè? De eerste die van het eiland wordt weggestemd? Wie is de volgende? Ik?'

Ik keek hem enkele seconden aan en wendde toen mijn ogen af.

'Dat meen je toch niet? Neem me niet in de maling, Jason.'

'De onderste dertig procent moet weg, Ricky,' zei ik zachtjes.

Ik zag het bloed uit zijn gezicht wegtrekken. Hij schudde zijn hoofd. 'Wie kijkt je contracten na als ik er niet meer ben?' zei hij met een klein stemmetje.

'Ik vind het heel erg.'

'Jason,' zei hij, en zijn stem klonk nu bijna smekend. 'Ik heb een gezin te onderhouden.'

'Dat weet ik. Ik vind dit verschrikkelijk.'

'Nee, je weet niet wat het is. De ziektekostenverzekering van mijn vrouw en kinderen loopt ook via Entronics.'

'Dat houdt niet meteen op, Ricky. Je verzekering gaat nog anderhalf jaar door.'

'Ik moet schoolgeld betalen, Jason. Weet je wat die school me kost? Dertigduizend dollar per jáár.'

'Je kunt...'

'Ze geven me geen financiële steun. Niet aan kerels als ik.'

'In de plaats waar jij woont zijn goede openbare scholen, Ricky.'

'Niet voor een kind met het syndroom van Down, Steadman.' Zijn ogen waren fel, en ze waren ook vochtig.

Ik kon even niet praten. 'Daar had ik geen idee van, Ricky.'

'Is dit jouw beslissing, Jason?'

'Van Gordy,' zei ik ten slotte, en ik voelde me meteen een lafaard.

'En jij volgt alleen maar bevelen op. Net als die kerels in Neurenberg.'

'Ongeveer,' zei ik. 'Ik vind dit heel erg. Ik weet hoe rot dit is.'

'Bij wie kan ik in beroep gaan? Bij Gordy? Ik wil wel met Gordy praten als je denkt dat het helpt.'

'Het helpt niet, Ricky. Zijn besluit staat vast.'
'Dan kun jij een goed woordje voor me doen. Ja? Jij bent nu zijn rechterhand. Hij luistert naar je.'
Ik zweeg.
'Jason, alsjeblieft.'
Ik zweeg. Vanbinnen ging ik dood.
'Uitgerekend jij,' zei hij. Hij stond langzaam op en liep naar de deur.
'Ricky,' zei ik. Hij bleef staan, zijn rug naar me toe, zijn hand op de knop.
'Laat me met Gordy praten,' zei ik.

Melanie hield me staande voor Gordy's kamer. 'Hij is aan het bellen met Hardy,' zei ze.
'Dan kom ik terug.'
Ze keek door Gordy's luxaflex. 'Ik zie aan zijn lichaamstaal dat hij bijna klaar is.'
Melanie en ik praatten een tijdje over het plan van haar man Bob om met een stel anderen de franchise van een populaire Chileense broodjeszaak in het centrum van Boston over te nemen. Ik wist niet hoe hij het geld bij elkaar wilde krijgen. Bob werkte voor een verzekeringsmaatschappij.
Ten slotte was Gordy klaar met telefoneren en ik ging naar binnen.
'Ik moet met je praten over Festino,' zei ik.
'Als hij door het lint gaat, bel je de beveiliging. Dat doet hij misschien, weet je. Amok maken. Ik kan het aan hem zien.'
'Nee, dat is het niet.' Ik vertelde hem over Festino's kind en de bijzondere school. We hadden allemaal gedacht dat het een chique particuliere school was waar de jongens blauwe blazers en petjes droegen.
Gordy's ogen werden steeds kleiner. Ik keek naar zijn hoog opgekamde kapsel, want ik kon niet in zijn ogen kijken. Zijn kuif leek nog groter dan anders en het leek ook wel of hij kortgeleden zijn haar had geverfd. 'Het kan me echt geen moer schelen.'
'Dit kunnen we niet maken.'
'Denk je dat we hier een charitatieve instelling zijn? Een soort sociale dienst?'
'Ik doe het niet,' zei ik. 'Ik ontsla Festino niet. Ik kan het hem niet aandoen.'

Hij hield zijn hoofd schuin en keek me nieuwsgierig aan. 'Je wéigert?'

Ik slikte en hoopte dat het niet te horen was. Ik had het gevoel dat ik op het punt stond een soort kantoor-Rubicon over te steken. 'Ja,' zei ik.

Een lange, lange stilte. Zijn blik was meedogenloos. Toen zei hij langzaam en nadrukkelijk: 'Oké. Voorlopig laten we het erbij. Maar na TechComm gaan jij en ik met elkaar praten.'

TechComm was een grote handelsbeurs. We gaven daar altijd een uitgebreid diner voor onze grootste klanten. Het jaar daarvoor was het in Las Vegas geweest. Dit jaar was het in Miami. Gordy was altijd de ceremoniemeester van het diner, en hij mocht het thema graag geheimhouden tot we daar aankwamen. 'Ik wil geen verstoringen meer tot aan TechComm.'

'Goed,' zei ik.

'Weet je, volgens mij heb jij niet de vereiste capaciteiten.'

Deze keer gaf ik geen antwoord.

28

IK WILDE DIE dag op tijd naar huis. Kurt had kaartjes voor de Red Sox. Ik moest naar huis om mijn pak uit te trekken, Kate een kus te geven en om zeven uur bij het Fenway Park-stadion te zijn.

Ik pakte net mijn fraaie leren diplomatenkoffertje op toen ik Doug Forsythe in mijn deuropening zag staan.

'Hé, Doug,' zei ik. 'Kom binnen.'

'Heb je even?'

'Natuurlijk.'

Hij ging langzaam en aarzelend zitten. 'Weet je wat je gisteren zei? Daar heb ik over nagedacht.'

Ik knikte. Ik had geen idee waar hij heen wilde.

'Ik heb dus nagedacht. En... je hebt gelijk. Ik hoor bij Entronics thuis.'

Ik was stomverbaasd. 'O ja? Hé, dat is geweldig.'

Ik zag een berichtje opduiken op mijn computerscherm. Het was van Gordy. KOM METEEN, stond er.

'Ja,' zei hij. 'Ik denk dat ik hier moet blijven.'

'Doug, ik ben zo blij dat te horen. Iedereen zal het geweldig vinden dat je blijft.'

Nog een berichtje. WAAR BLIJF JE, VERDOMME? KOM HIER!

Ik draaide me om naar het toetsenbord en typte: IN BESPREKING, IK KOM ZO.

'Ja, nou,' zei hij. Hij klonk niet blij; dat was het vreemde. 'Het is het beste, denk ik.'

'Doug,' zei ik. 'Zeg het alsof je het meent.'

'Ik meen het. Het is het beste. Dus... Dus dat is het.'

'Je wilt dat we met hetzelfde aanbod komen als Sony,' zei ik. Misschien was dat het. 'En ik heb je gezegd dat we dat zouden doen. Stuur de e-mail maar naar me door, of de brief, en ik ga er meteen aan werken.'

Hij haalde langzaam en diep adem. 'Dat hoeft niet,' zei hij. 'Ik wil jullie niet meer geld afhandig maken.'

Geen enkele verkoper in de geschiedenis van de westerse beschaving heeft dat ooit gezegd. Tenminste niet terwijl hij het meende. Ik was meteen op mijn hoede. Wat was er aan de hand?'

'Doug,' zei ik. 'Ik heb je een belofte gedaan. Kom, laat me niet smeken.'

Forsythe stond op. 'Echt waar, het hoeft niet,' zei hij. 'Ik ben hier, en ik blijf hier. Ik vind dat prima. Ik ben echt tevreden.'

Hij ging weg en ik bleef nog enkele ogenblikken verbijsterd zitten. Toen keek ik weer naar het scherm en zag daarop weer een bericht van Gordy. NU! stond er. WAAR BLIJF JE?

Ik stuurde een berichtje terug: KOM ERAAN.

Toen ik Forsythe mijn kamer uit leidde, zag ik Trevor Allard in zijn kamer. Hij zat nors naar me te kijken. De achtergrond op zijn computerscherm was een foto van zijn dierbare Porsche Carrera. Ik vroeg me af of Trevor wist dat Forsythe een baan was aangeboden, of hij er bij Forsythe op had aangedrongen hier weg te gaan, dus of hij hem vergif had ingefluisterd. Ik vroeg me ook af of hij wist dat Forsythe had besloten te blijven.

Gordy leunde helemaal achterover in zijn bureaustoel, zijn armen op zijn rug. Hij straalde als een krankzinnige.

'Waar bleef je nou?' zei hij.

'Doug Forsythe kwam net mijn kamer binnen,' zei ik. 'Hij blijft.'
'O já?' zei hij met een schalkse blik. 'Waarom zou dát nou zo zijn?'
'Waar heb je het over, Gordy?'
'Heeft Forsythe plotseling geen zin meer om naar Sony over te lopen? Plótseling niet meer?'
'Het is vreemd,' zei ik.
'Ik vraag me af hoe dat komt,' zei hij. 'Wat ter wereld kan een toppresteerder als Doug Forsythe ertoe brengen om een aanbod af te slaan dat minstens dertig procent beter is dan wat hij hier krijgt?'
'Hij wilde niet naar New Jersey verhuizen.'
'Heeft hij je gevraagd hetzelfde aanbod te doen als Sony?'
'Nee.'
'Vond je dat niet heel erg vreemd?'
'Ja, dat was vreemd.'
'Heb je gevraagd of je Sony's aanbod mocht zien?'
'Wat bedoel je, dat Forsythe het allemaal heeft verzonnen of zo?'
'O, nee. Zo iemand is hij niet.'
'Wat dan?'
Hij liet zijn stoel helemaal naar voren kantelen, plantte zijn ellebogen op het bureau en zei triomfantelijk: '*Dat aanbod ging van tafel.*'
'Van tafel?'
'Sony trok het in.'
'Dat kan niet.'
'Ik neem je niet in de maling. Ik kreeg net een telefoontje van een vriend van me bij Sony. Er is iets gebeurd. Er deed zich een probleempje voor. Ergens hoog in de hiërarchie begon iemand aan Doug Forsythe te twijfelen. Hoger dan Crawfords niveau, denk ik. Hij kreeg vanmiddag te horen dat ze het aanbod introkken.'
'Maar waarom?'
Hij schudde zijn hoofd. 'Geen idee. Dat weet niemand. Er moet iets zijn gebeurd. Ik heb geen idee wat. Maar het is over en sluiten. Forsythe keert naar het moederschip terug.' Hij lachte hard. 'Ik vind het altijd prachtig als zoiets gebeurt.'

Toen ik naar huis reed, luisterde ik niet echt naar generaal Patton op mijn *Bedrijfsleven is oorlog!*-cd. Ik dacht aan Cal Taylor die door een beveiligingsman, niet Kurt, uit het gebouw werd geleid. Ik dacht aan Festino. Aan Doug Forsythe, en ik vroeg me af waarom Sony het aanbod had ingetrokken, want dat was iets ongehoords.

De presentator zei: 'Een zandtijgerhaai krijgt gewoonlijk maar één jong per jaar. Waarom? Omdat in de moederschoot de grootste haai zijn broertjes en zusjes opvreet. Of neem de gevlekte hyena. Die worden geboren met volledig ontwikkelde voortanden, en als twee jongen in een worp van hetzelfde geslacht zijn, doodt de een de ander bij de geboorte. De steenarend legt twee eieren, maar vaak verslindt het sterke kuiken het zwakkere binnen enkele weken nadat ze uit het ei zijn gekomen. Waarom? De *survival of the fittest!*'

Ik zette hem uit.

Toen ik thuiskwam, was ik vrij kalm. Ik ging erg zachtjes naar binnen. Kate kwam de laatste tijd vroeg thuis en deed dan een dutje in de zitkamer aan de voorkant van het huis. Haar ochtendziekte was voorbij, maar ze werd gauw moe.

De vloer van de hal was van antieke travertijn en galmde nogal als je eroverheen liep. Daarom deed ik mijn schoenen uit en liep ik op kousenvoeten langs de zitkamer. De airconditioning draaide op volle toeren.

'Je bent vroeg thuis.' Kate zat op oma Spencers harde bank. Eindelijk was oma Spencers meubilair op zijn plaats.

Ik ging naar haar toe en kuste haar. Ze las een boek, een zwarte pocket met verhalen van Alice Munro. 'Hé, schat. Hoe voel je je?' Ze had haar werkkleding verwisseld voor haar trainingsbroek. Ik schoof mijn hand onder haar T-shirt en streelde haar buik.

'Ik weet het niet. Een beetje raar.'

'Raar?' zei ik geschrokken.

'Nee, gewoon misselijk. Maagzuur. De gebruikelijke dingen.'

'O. Oké.'

'Hé, Jason, kunnen we praten?'

'Eh, goed.' *Kunnen we praten*: dat zijn samen met *We hebben een gezwel gevonden* zo ongeveer de angstaanjagendste woorden in de Engelse taal.

Ze klopte op de bank naast haar. 'Wil je gaan zitten?'

Ik ging zitten. 'Wat is er?' Ik keek stiekem op mijn horloge. Ik dacht dat ik op zijn hoogst tien minuten had om mijn spijkerbroek en Red Sox-trui aan te trekken, anders kwam ik niet meer op tijd bij het stadion.

'Zeg, schat, ik wil me verontschuldigen. Ik klaag steeds maar dat je zo hard werkt, en ik vind dat niet eerlijk van mezelf.'

'Geen probleem,' zei ik. 'Verontschuldiging aanvaard.' Ik wilde niet te kortaf overkomen, maar ik had echt geen tijd voor een diep gesprek.

'Ik weet hoe Gordy je op je huid zit, en ik wil je laten weten dat ik het op prijs stel. Ik ging in BabyWorld over de schreef.'

'Niks geen dank,' zei ik.

'"Niks geen dank"?' zei ze me na. 'Sinds wanneer zeg je dat?'

'Wie weet.'

'Ik bedoel, kijk eens om je heen.' Ze spreidde haar armen. 'Dit huis is fantastisch, en dat komt allemaal door jou. Doordat jij zo hard werkt. We hebben het aan jou te danken. En dat vergeet ik nooit.'

'Dank je,' zei ik. Ik stond op en kuste haar opnieuw. 'Ik moet weg.'

'Waar ga je heen?'

'Het Fenway-stadion,' zei ik. 'Dat heb ik je gezegd.'

'O ja?'

'Ik dacht van wel. Ik ben er vrij zeker van.'

'Met Kurt?'

'Ja,' zei ik. 'Ik moet me omkleden.'

Toen ik weer beneden kwam, was Kate in de keuken. Ze maakte een vegetarische hamburger met wat broccoli voor zichzelf klaar. En nog uit vrije wil ook.

Ik gaf haar een afscheidskus en ze zei: 'Ga je me niet vragen hoe mijn dag was?'

'Sorry. Hoe was je dag?'

'Het was ongelooflijk. Marie had een vernissage in een galerie, en ik ging daar als vertegenwoordiger van de stichting naartoe. En ze kwam met drie van haar kinderen – ze heeft hier geen oppas of familie. En dus bood ik aan om op de kinderen te passen terwijl zij met de kunstcriticus van de *Boston Globe* praatte.'

'Heb jíj op drie kinderen gepast?'

Ze knikte. 'Een uur.'

'O mijn god.'

'Ik weet wat je denkt. Dat het op een ramp uitliep, hè?'

'Niet dan?'

'Eerst wel. De eerste tien minuten dacht ik dat ik gek werd. Maar toen... Ik weet niet hoe, maar het lukte me. Het was geen probleem. Ik was er zelfs vrij goed in. En ik besefte... Ik kan dit, Jase. Ik kan dit.'

Er stonden tranen in haar ogen, en ook in de mijne. Ik kuste haar en zei: 'Ik vind het jammer dat ik weg moet.'

'Ga maar,' zei ze.

29

OM HET FENWAY Park-stadion heen stond de gebruikelijke menigte. De zwarthandelaren vroegen of ik een kaartje nodig had of er een wilde verkopen, en er waren mannen die Italiaanse worst en hotdogs en programma's verkochten. Ik trof Kurt bij het draaihekje van Poort A aan, zoals we hadden afgesproken. Tot mijn verbazing zag ik dat hij zijn arm om het middel van een vrouw had.

Ze had koperkleurig rood haar, een waterval van krullen, en ze droeg een perzikkleurig tanktopje dat strak om haar kolossale tieten zat. Ze had een smal middel en een geweldig achterste, dat goed tot zijn recht kwam in haar korte shorts, bijna hotpants. Ze had veel oogschaduw en lange wimpers en knalrode lipstick aangebracht.

Zodra ik over de rauwe dierlijke opwinding bij de aanblik van die meid heen was, voelde ik me teleurgesteld. Ik had niet verwacht dat Kurt met zo'n soort vrouw omging. Hij had het nooit over een vriendin gehad en je neemt niet zomaar iemand mee naar een wedstrijd van de Red Sox. Die kaartjes waren erg moeilijk te krijgen.

'Hé, baas,' zei hij. Hij stak zijn linkerhand naar me uit en porde even tegen mijn schouder.

'Sorry dat ik laat ben,' zei ik.

'Ze hebben nog niet geworpen,' zei hij. 'Jason, dit is Leslie.'

'Hallo, Leslie,' zei ik. We gaven elkaar een hand. Ze had erg lange rode nagels. Ze glimlachte, en ik glimlachte, en we keken elkaar een paar seconden aan en wisten niet wat we moesten zeggen.

'Laten we naar binnen gaan,' zei Kurt.

Ik liep met hen mee door de spelonkachtige onderbuik van het stadion, op zoek naar onze sectie. Ik voelde me een derde wiel aan de wagen.

Toen we bij de trap van onze sectie kwamen, zei Leslie dat ze naar de kleinemeisjeskamer moest. Zo noemde ze het. Nu zouden we de eerste worp vast en zeker missen.

'Ze is leuk,' zei ik, toen Leslie naar de kleinemeisjeskamer was gegaan.

'Ja.'

'Wat is Leslies achternaam?'

Hij haalde zijn schouders op. 'Vraag het haar.'

'Hoe lang ga je met haar om?'

Hij keek op zijn horloge. 'Ongeveer achttien uur. Ik heb haar gisteravond in een bar ontmoet.'

'Ik denk dat ik een broodje steak en kaas neem. Wil jij ook?'

'Je moet die troep niet eten,' zei Kurt. 'Je gaat zo goed vooruit, dan wil je die rotzooi toch niet in je lichaam?'

'Een Fenway Frank dan?' Dat zijn de hotdogs die ze in het stadion verkopen. Als je vaak naar Fenway gaat, kom je achter een geheim: als je je hotdog graag lekker warm hebt, moet je hem niet op de tribune kopen, waar hij vaak al lauw of zelfs koud is. Jakkes.

'Nee, dank je. Ik niet.'

Ik had geen trek meer. 'Hoe gaat het op je werk?'

'Goed,' zei hij. 'Ik heb wat achtergrondonderzoek gedaan en wat badges vervangen. Vandaag moest ik naar Westwood. Routinewerk. Al moest ik een onderzoek naar iemand openen.'

'O ja? Wie?'

'Dat mag ik niet zeggen. Niet iemand die jij kent. De man heelt lcd-monitors. Verkoopt ze op eBay. Ik moest een extra camera installeren en de harde schijf van de man kopiëren.'

'Krijg je hem te pakken?'

'Reken maar. En de biometrische vingerafdrukapparatuur is binnen. Iedereen moet de komende paar dagen even naar Bedrijfsbeveiliging om ons een vingerafdruk te geven.' Hij keek me aan. 'Jij slaapt niet goed. Wat is er?'

'Ik slaap wel.'

'Niet genoeg. Problemen aan het thuisfront?'

'Eigenlijk niet,' zei ik. 'Het is Gordy.'

'De man is een klootzak in het kwadraat,' zei hij. 'Een loeizware rekrutentraining in één persoon.'

'Ja, maar er is wel een verschil. Gordy probeert geen betere soldaat van me te maken.'

'Dat is zo. Hij probeert je eruit te werken. De man heeft de pik op je. Daar moet je iets aan doen.'

'Wat bedoel je, hij heeft de pik op mij? Weet jij iets?'

Hij zweeg net lang genoeg om me duidelijk te maken dat hij inderdaad iets wist. 'Een van mijn taken houdt in dat ik e-mail volg.'

'Doen jullie dat?'

'Dat moeten we wel. We scannen op bepaalde woorden en zo.'

'Maar je kijkt om andere redenen naar zijn e-mail,' zei ik.

Hij knipperde met zijn ogen.

'Dat zou je niet moeten doen.'

'Het hoort bij mijn werk,' zei hij.

'Wat zegt hij over mij?'

'Jij vormt duidelijk een bedreiging. We moeten iets aan die man doen.'

'Je geeft geen antwoord op mijn vraag.'

'Nee. Weet je, wat Gordy niet begrijpt, is dat zijn baan niet zo veilig is als hij denkt.'

'Wat bedoel je?'

'De Japanners houden niet van zijn stijl. Zijn grove taal. Zijn onbeschoftheid.'

'Daar weet ik niets van,' zei ik. 'Zolang hij resultaten behaalt, vinden ze hem een prima kerel. En hij behaalt resultaten. Dus hij heeft niets te vrezen.'

Hij schudde zijn hoofd. 'Hij is een racist. Heeft de pest aan de Japanners. En dat vinden de Japanners niet leuk. Ik heb daar wat over gelezen. De Japanners hebben bewondering voor de wilskrachtige Amerikaanse managementstijl, maar ze tolereren geen anti-Japans racisme. Geloof me, zodra hij in het openbaar laat blijken hoe racistisch hij is, is hij weg. Voordat je tot drie kunt tellen.'

'Daar is hij te intelligent voor.'

'Misschien,' zei Kurt.

Toen kwam Leslie in een gifwolk van goedkoop parfum naar ons toe. Ze sloeg haar arm om Kurt heen en pakte zijn achterste vast.

'Laten we onze plaatsen gaan opzoeken,' zei hij.

Ik ben vele tientallen keren, misschien wel honderd keer, in het Fenway-stadion geweest, maar toch voel ik me nog steeds opgewonden als ik de trap op ga en plotseling het veld voor me zie liggen, stralend groen en glinsterend in de zon of de lichten, het rode zand, de menigte.

We hadden schitterende plaatsen, recht achter de dug-out van de Red Sox, twee rijen van het veld vandaan. We konden de cameramannen van ESPN hun lenzen en zo zien verwisselen, en we zagen de blonde presentatrice haar lipstick opbrengen.

Leslie wist niet veel van baseball en wilde dat Kurt haar de spelregels uitlegde. Hij zei dat hij dat later zou doen.

'Er was vandaag ook een beetje goed nieuws,' zei ik zachtjes tegen Kurt terwijl we naar de wedstrijd keken. 'Doug Forsythe blijft toch bij ons.'

'O ja?'

Dat is het mooie van baseball: de wedstrijd ligt vaak stil en dan kun je praten. 'Ja. Er gebeurde iets met dat aanbod van Sony. Iemand ging twijfelen en het aanbod werd ingetrokken. Nooit eerder van zoiets gehoord.'

'Kurt,' zei Leslie. 'Ik geloof dat ik niet eens weet wat je sterrenbeeld is.'

'Mijn sterrenbeeld?' zei Kurt tegen haar. 'Dat is "niet storen".'

We hadden zoveel gepraat dat we een spectaculair stuk van de wedstrijd hadden gemist en daarom keken we nu naar het enorme elektronische scorebord waarop ze videoherhalingen lieten zien.

'Ik kan niet eens zien wat er gebeurd is,' zei Kurt.

'Het is een scherm van niks,' zei ik.

'Wij moeten iets beters hebben dan dat.' Hij bedoelde Entronics, en het was interessant dat hij al 'wij' zei.

'O god, ja. Dat is een oud RGB led-videoscherm, groot formaat. Het moet zes of zeven jaar oud zijn, maar de technologie gaat snel vooruit. Wij hebben een groot formaat hd-videoscherm dat kristalhelder is.'

'Nou?'

'Nou wat?'

'Ik ken de adjunct-stadionbeheerder. Je kunt met hem praten. Hij weet wel met wie je dan moet praten.'

'Over een vervanging van het scorebord? Interessant.'

'Ja.'

'Goed idee, man.'

'Ik heb daar nog een miljoen van.'

Plotseling sloegen de Sox een grand slam. Iedereen sprong overeind.

'Wat gebeurde er?' vroeg Leslie. 'Was dat goed of slecht?'

30

Ik kwam om precies zeven uur op de zaak, met nieuwe energie en een beetje suf na een bijzonder zware training in Kurts sportschool. Ik ploegde door papieren en rapporten heen en speelde nu zelf ook het ontwijkspelletje door telefonische boodschappen in te spreken voor mensen met wie ik niet wilde praten. Van de dertig of zo projecten waarbij ik betrokken was waren er, nu Freddy Naseem me met die Harry Belkin-order had belazerd, twee verreweg het belangrijkst: het Chicago Presbyterian-ziekenhuis en op de allereerste plaats het vliegveld van Atlanta. Ik stuurde daar wat mailtjes heen. Deed wat onderzoek naar de andere grote autodealerbedrijven in het land. Man, er waren een paar heel grote! AutoNation, met het hoofdkantoor in Fort Lauderdale, en United Auto Group, met het hoofdkantoor in Secaucus, New Jersey: vergeleken met die twee concerns was Harry Belkin een buurtgarage. Belkin was zoiets als nummer veertien op de lijst van grote autodealers. Alleen jammer dat ik zo verrekte veel werk in dat project had gestoken en er zo dichtbij was gekomen.

En dat scorebord van de Red Sox liet me niet los. Hoe meer ik me erin verdiepte, des te meer fascineerde het me. Het scorebord in het Fenway-stadion was in feite een videoscherm van tien bij acht meter dat gebruikmaakte van *light-emitting diodes* – led's dus. Een heleboel kleine pixels met een onderlinge afstand van ongeveer twee centimeter, waarbij elke pixel weer uit een heleboel kleine led's bestond, die een chemische stof bevatten waardoor verschillende kleuren werden opgewekt als je er elektriciteit doorheen voerde. Het geheel werd bestuurd door een gedigitaliseerde videodriver. Op een afstand zag het er geweldig uit, als een gigantisch televisiescherm. Op een afstand.

Ze hebben die elektronische digitale borden tegenwoordig op de hele wereld. Uit mijn online-onderzoek bleek dat het grootste zich in het centrum van Berlijn bevond, op de Kurfürstendamm. Dan zijn er nog het grote Coca-Cola-bord op Times Square in New York en het NASDAQ-scherm, en er zijn grote schermen in Londen, op het Reuters-gebouw en op Piccadilly Circus, en natuurlijk hebben ze er een heleboel in Las Vegas.

Het mooie van die borden is dat je het beeld met een paar toetsaanslagen volkomen kunt veranderen. We leven bepaald niet meer in de tijd van de oude reclameborden, toen mannen naar boven moesten klimmen om het oude aanplakbiljet weg te halen en het nieuwe aan te brengen. Tegenwoordig deed je dat in een paar seconden.

Het zijn mooie schermen, maar ze zijn ook nogal korrelig en grof. Je kunt de gekleurde stippen zien. De technologie is tien jaar geleden ontwikkeld. Entronics maakte die kolossale openluchtschermen niet. De technologie was te gespecialiseerd, en trouwens, onze lcd- en plasmaschermen waren nooit helder genoeg geweest om ze buiten te kunnen gebruiken.

Maar nu lag dat anders. Nu hadden we iets helderders, zelfs beters. We hadden het nieuwe flexibele OLED PictureScreen als prototype, zoals die in de ramen van Gordy's kamer. Dat was high-definition, low-glare, weerbestendig. Het was veel beter dan alles wat daar buiten hing.

Het Fenway Park-stadion was nog maar het begin. Fenway was de eerste kegel die zou omvallen. Als ik eenmaal een Entronics PictureScreen boven het veld in Boston had hangen, kon ik ze in andere baseballstadions krijgen, en ook in footballstadions. En dan op Times Square en Piccadilly Circus en de Kurfürstendamm en in Las Vegas. Filmtrailers op grote schermen in de openlucht. Popconcerten. De Tour de France. Formule Een. Het filmfestival in Cannes.

Het Vaticáán. Ze hadden die kolossale projectieschermen rond het Sint Pietersplein waarop mensen de paus de mis konden zien opdragen, of de begrafenis van de paus, of wat dan ook. Zou het Vaticaan, met al het goud dat daar was, niet de beste technologie moeten hebben?

Waarom, vroeg ik me af, had niemand in de top van Entronics in Tokio daaraan gedacht? Het was een fenomenaal idee. Het was kolossáál.

En waarom zou het ophouden bij schermen in de openlucht? Waarom niet ook schermen in gebouwen: luchthavens, winkelcentra, grote warenhuizen, hallen van kantoren...

Soms sta ik versteld van mezelf.

In een staat van delirium schreef ik een businessplan om uiteen te zetten hoe Entronics PictureScreens de wereld konden veroveren. Ik deed snel onderzoek naar de nadelen van de bestaande technologieën. Ik constateerde wat de grootste ondernemingen waren die over de hele wereld elektronische digitale schermen leverden, want daar zouden we mee te maken krijgen – wij hadden zelf niet de infrastructuur om dat voor elkaar te krijgen. Dit was een gigantische toepassing.

En om negen uur had ik een memo opgesteld die naar mijn volle overtuiging Entronics totaal zou veranderen, ons verkoopteam zou redden en mij in één klap tot de top van de onderneming zou opstuwen. Nou ja, niet de top. Niet Tokio, omdat ik geen Japanner ben. Maar dicht in de buurt.

Wat nu? Wat moest ik hiermee doen? Het aan Gordy geven, zodat hij het inpikte en met de eer ging strijken? Aan de andere kant kon ik het ook niet zomaar naar de MegaTower in Tokio mailen. Zo werkte onze onderneming niet.

Ik keek op en zag iemand langs mijn kamer lopen, een magere Japanse man met een vliegeniersbril.

Yoshi Tanaka.

De spion, de ambassadeur, de man die het contact met de hogere echelons in Tokio verzorgde.

Ik zou Yoshi kunnen gebruiken. Hij was degene met wie ik moest praten. Ik zwaaide naar hem om hem bij me te laten komen.

'Jason-san,' zei hij. 'Hallo.'

'Zeg, Yoshi, ik heb een fantastisch idee dat ik aan je wil voorleggen. Ik wil weten wat je ervan denkt.'

Er kwamen rimpels in zijn voorhoofd. Ik vertelde hem over het scorebord en de memo die ik had geschreven. En over de inkomsten die het de onderneming kon opleveren. We hadden de technologie al ontwikkeld; die kosten zaten al in de begroting. Er was geen extra onderzoek & ontwikkeling nodig. 'Weet je, we hoeven geen kleine schermen meer aan elkaar te schroeven om een heel groot scherm te krijgen,' zei ik. 'Vergeleken met onze PictureScreens is de bestaande led-schermtechnologie zoiets als de JumboTron uit 1985. De potentiële inkomsten zijn immens.' Hoe meer ik praatte, hoe beter het klonk.

Toen zag ik Yoshi's doffe, begriploze gezicht. De man had geen woord verstaan van wat ik zei. Ik had alleen maar vijf minuten aan loos gepraat verspild.

Ik had net zo goed... nou, net zo goed Engels kunnen spreken.

Na de lunch ging ik naar Bedrijfsbeveiliging en hield mijn wijsvinger ongeveer dertig seconden in een biometrisch afleesapparaat dat mijn afdruk in zich opnam. Toen ik daar klaar was, ging ik naar Gordy's kamer en zei dat ik een paar minuten van zijn tijd nodig had om hem te vertellen over een idee dat ik had gekregen.

Ik had beseft dat ik alleen met Gordy's toestemming iets met mijn idee van die grote elektronische openluchtschermen kon doen. Zonder zijn steun maakte het idee geen schijn van kans.

Hij leunde in zijn stoel achterover, zijn armen achter zijn rug, zijn houding van 'kom maar op'.

Ik vertelde het hem. Ik gaf hem een uitdraai van mijn businessplan.

'O, dus je doet nu ook aan marketing,' zei hij. 'Wij zijn van verkoop, weet je nog wel? Wou je naar Santa Clara verhuizen? Of Tokio?'

'We mogen met ideeën komen.'

'Verspil je tijd daar niet aan.'

Ik voelde me opeens moedeloos. 'Waarom is het tijdverspilling?'

'Geloof me, dat idee is al zo oud dat het snorharen en levervlekken heeft. Het is ter sprake gekomen op de laatste bespreking over productplanning in Tokio, en de Japanse ingenieurs zeiden dat het niet haalbaar was.'

'Waarom niet?'

'Niet genoeg candela's of zoiets om buiten te gebruiken.'

'Ik heb de technische gegevens van het PictureScreen doorgenomen, en het is net zo helder als een led-scherm.'

'Het heeft te maken met schittering.'

'Er doet zich geen schittering voor. Dat was de hele doorbraak.'

'Hoor eens, Jason, vergeet het! Ik ben geen ingenieur, maar ik kan je zeggen dat het niet werkt.'

'Je vindt het niet de moeite waard om een mailtje naar Tokio te sturen?'

'Jason,' zei hij geduldig. Hij trommelde met zijn vingers op het businessplan. 'Ik ben iemand die veranderingen teweegbrengt. Ik ben een echte Six Sigma-man. Ik ben geschoold in geaccelereerde veranderingsprocessen, weet je wel? Maar ik weet wanneer ik een gevecht moet opgeven, en dat moet jij nog leren.'

Ik aarzelde. Ik was terneergeslagen. 'Goed,' zei ik, en ik wilde mijn businessplan oppakken. Gordy was me voor. Hij verfrommelde het en liet de prop in zijn prullenbak vallen.

'Nou, ik wil dat je je nu op de TechComm concentreert. Zodra we met zijn allen in Miami aankomen, over een paar dagen, wil ik dat je met onze wederverkopers en leveranciers gaat praten. En vergeet niet: op de eerste avond van de TechComm hebben we het grote Entronics-diner voor alle verkopers en onze grootste klanten, en ik ben de ceremoniemeester. Dan moet je volkomen klaar zijn voor de strijd. Ja? Hou je bij je leest. We moeten ons verkoopteam redden.'

31

KURTS ZWARTE MUSTANG stond op mijn pad.

Ik ging stilletjes naar binnen. Ik was achterdochtig en voelde me ook schuldig omdat ik dat was. Kate en Kurt zaten in de huiskamer te praten. Ze hoorden me niet binnenkomen.

'Het is te veel,' hoorde ik haar zeggen. 'Het vreet hem op. Hij wil over niets anders meer praten, Gordy en de Band of Brothers.'

Kurt mompelde iets en Kate zei: 'Maar Gordy staat hem gewoon in de weg, hè? Als hij hoger wil opklimmen in dat bedrijf, zal Gordy hem daar nooit bij helpen.'

'Mijn oren tuiten,' zei ik.

Ze schrokken er alle twee van. 'Jason!' zei Kate.

'Sorry dat ik jullie gesprek onderbreek.'

Kurt draaide zich om op zijn stoel. Oma Spencers sitsen fauteuil. Veel comfortabeler dan haar victoriaanse bank.

'Valt je iets op?' zei Kate.

'Afgezien van het feit dat mijn vrouw en mijn vriend blijkbaar een verhouding hebben?'

'De muren, suffie.'

Ik keek naar de muren van de huiskamer en zag alleen de ingelijste schilderijen die Kate in de loop van de jaren had verzameld, werk van de kunstenaars die door de Meyer Foundation werden gesubsidieerd.

'Heb je een nieuw schilderij?' Ze leken me allemaal min of meer hetzelfde.

'Valt het je niet op dat ze eindelijk allemaal recht hangen?'

'O, ja. Ja, heel recht.'

'Kurt,' vertelde ze.

Kurt schudde bescheiden met zijn hoofd. 'Ik gebruik altijd twee hangertjes voor elke lijst – die koperen dingen met drie koploze spijkertjes.'

'Ik ook,' zei ik.

'En ik gebruik een waterpas. Het is moeilijk om ze recht te krijgen zonder waterpas.'

'Dat heb ik ook altijd gedacht,' zei ik.

'En Kurt heeft die druppende kraan in de badkamer gerepareerd waar we altijd gek van werden,' zei Kate.

'Ik heb er nooit mee gezeten,' zei ik. Kurt had dit gedaan en dat gedaan. Ik moest bijna overgeven.

'Alleen een kwestie van een nieuw leertje en een O-ring,' zei Kurt. 'Een beetje loodgietersvet en een bahco.'

'Erg aardig van je, Kurt,' zei ik. 'Heb je toevallig altijd loodgietersvet, bahco's en O-ringen in je aktetas?'

'Jason,' zei Kate.

'Ik heb wat gereedschap liggen in een opslagbox achter het schadebedrijf van mijn vriend,' zei Kurt. 'Op weg hierheen ben ik daar even naartoe geweest. Niks bijzonders.'

'Moest je weer naar een leverancier in Cambridge?'

Hij knikte. 'Ik dacht, ik ga even gedag zeggen, en Kate zette me aan het werk.'

Ik wierp Kate een vuile blik toe. 'Gaan we vanavond nog naar de film, Kate?' zei ik.

Kurt begreep de hint en nam afscheid. Toen begon Kate aan het ongelooflijk lange, ingewikkelde proces van voorbereidingen om uit te gaan – altijd 'nog even douchen' en ongeveer drie kwartier haar haar drogen, en dan de make-up, die ze aanbrengt alsof ze over de rode loper naar het Kodak Theatre moet lopen om een Oscar in ontvangst te nemen. En dan de onvermijdelijke, koortsachtige race om op tijd in de bioscoop te zijn. Natuurlijk had het geen zin om haar op te jagen, want daar werd ze alleen maar langzamer van.

En dus zat ik in de slaapkamer ongeduldig toe te kijken terwijl ze zich opmaakte. 'Hé, Kate,' zei ik.

'Mm?' Ze bewerkte haar lippen met dat ding dat op een potlood lijkt.

'Ik wil niet dat je nog langer misbruik van Kurt maakt.'

'Mísbruik? Waar heb je het over?' Ze hield op met het potlood en draaide zich om.

'Je behandelt hem als je knechtje. Elke keer dat hij hier komt, laat je hem iets repareren.'

'O, kom nou, Jason, hij biedt het zelf aan. Trouwens, heb je de indruk dat hij er een hekel aan heeft? Het geeft hem het gevoel dat hij nuttig is, denk ik. Dat iemand hem nodig heeft.'

'Ja. Nou, ik vind het een beetje... ik weet het niet. Aanmatigend.'

'Aanmatigend?'

'Alsof jij de barones bent en hij een boer.'

'Of misschien ben ik lady Chatterley en is hij de jachtopziener. Is dat het?' zei ze sarcastisch.

Ik haalde mijn schouders op. Ik wist niet waar ze naar verwees.

'Bespeur ik enige jaloezie?'

'Kom nou,' zei ik. 'Doe niet zo belachelijk.'

'Je bent jaloers, hè?'

'Jezus, Kate. Waarom dan?'

'Ik weet het niet. Misschien ben je jaloers op het feit dat hij zo handig is, zo'n echte vént.'

'Een echte vent,' zei ik haar na. 'En ik ben... wat? Thurston Howell de derde? Allemachtig, mijn vader werkte in een metaalfabriek.'

Ze schudde haar hoofd en snoof zachtjes. 'Toen je me vertelde dat hij bij de Special Forces had gezeten, verwachtte ik iets... nou, iets ánders. Een grove man, misschien. Een ruwe bolster. Maar hij is heel attent.' Ze liet een diep giechellachje horen. 'En hij is niet onaantrekkelijk.'

'"Niet onaantrekkelijk"? Wat bedoel je daar nou weer mee?'

'O, je weet wat ik bedoel. Niet... niet wat ik verwachtte. Wees nou niet jaloers, liefste. Jíj bent mijn man.'

'Ja, en wat is hij? Hij is nu net je... je Yohimbe-krijger met de blaaspijp en de machete?'

'Yanomami.'

'Wat dan ook.'

'Nou, soms is een machete het gereedschap dat je nodig hebt,' zei ze.

In de auto zat ik een tijdje te mokken, maar toen we op onze bestemming aankwamen, was ik afgekoeld.

Mijn vrouw houdt van films met ondertiteling. Ik hou van films met auto's die door grote ruiten crashen. Haar favoriete film aller tijden is *Closely Watched Trains*. Ze heeft ze graag langzaam en contemplatief, bij voorkeur Tsjechisch of Pools, met ondertiteling in het Servo-Kroatisch.

Terwijl mijn favoriete film aller tijden *Terminator 2* is.

Wat films betreft, zijn mijn criteria eenvoudig: grote explosies, autoachtervolgingen, zinloos geweld en niet-functioneel vrouwelijk naakt.

Natuurlijk gingen we die avond naar een filmhuis in Kendall Square in Cambridge en keken naar een film die zich in Argentinië afspeelde. Het ging over een jonge priester die in coma lag en verliefd was op een danseres die verlamd was aan alle vier de ledematen. Of misschien moet ik zeggen: zij keek ernaar, terwijl ik steeds stiekem naar mijn BlackBerry keek, die ik achter de popcornemmer voor haar verborgen hield. Bij het Chicago Presbyterian-ziekenhuis had ik te maken met het hoofd Communicatie, en hij had weer eens verandering gebracht in de vereisten voor de plasmaschermen die hij in hun honderd operatiekamers wilde installeren. Hij wilde dat ik de prijzen van de hele offerte veranderde. De *facilities manager* van het Hartsfield-Jackson-vliegveld bij Atlanta zei dat hij net van Pioneer te horen had gekregen dat hún plasmaschermen een hogere resolutie en betere grijswaarden hadden dan Entronics. Hij wilde weten of dat waar was. Ik verdomde het om deze order aan Pioneer te verliezen.

En er was een mailtje van Freddy Naseem. Hij wilde dat ik hem belde.

Wat kon dat nou zijn?

'Vond je het een mooie film?' vroeg ze toen we naar de auto liepen. Je moest ergens je parkeerkaartje laten afstempelen en dan ergens anders betalen. Het systeem was blijkbaar ontworpen in de Sovjet-Unie.

'Ja,' zei ik. 'Hij was ontroerend.'

Ik dacht dat ze daar tevreden mee zou zijn, maar ze zei: 'Welk deel?'

'Het grootste deel,' zei ik.
'Waar ging het over?'
'Waar ging wat over?'
'De film. Wat was de plot?'
'Is dit een quiz?'
'Ja,' zei ze. 'Wat was het verhaal?'
'Kom nou, Katie.' Ik drukte op mijn sleutel om de Mercedes open te maken en ging naar de passagierskant om de deur voor haar te openen.
'Nee, ik meen het,' zei ze. 'Volgens mij heb jij er niets van gezien. Je was de hele tijd met je BlackBerry bezig. Daar ergerden andere bezoekers zich trouwens ook aan.'
'Ik heb er maar een paar keer op gekeken, Kate.' Ze stond daar en weigerde in te stappen. 'Er zijn een paar dingen die ik echt moet nagaan.'
'Dit is een vrije avond,' zei ze. 'Je moet ermee ophouden.'
'Het hoort nu eenmaal bij mijn werk. Je zei toch dat je dat begreep? We hebben hier toch over gepraat? Kom nou, stap in.'
Ze stond daar met haar armen over elkaar. Zo langzamerhand was het al te zien. Je zag haar buik opbollen onder haar zomerjurk. 'Jij hebt hulp nodig of zoiets. Je hebt jezelf niet onder controle.'
'Je zult nooit zo kunnen leven als toen je nog jong was, weet je. Niet zolang je met mij getrouwd bent.'
'Jason, nu is het genoeg.' Ze keek om zich heen om te zien of er iemand luisterde. 'Allemachtig, ik voel me alsof ik een monster heb voortgebracht.'

32

DE VOLGENDE MORGEN belde ik Freddy Naseem om precies halfnegen. Ik wist dat hij altijd op die tijd aankwam.
'Jason,' zei hij, dolblij iets van me te horen. 'Heb je nog ontdekt hoe snel jullie ons aan die plasmamonitors kunnen helpen?'
'Maar ik dacht dat jullie het al rond hadden met Panasonic? Je zei dat jullie de schermen binnen een week konden krijgen. Is er iets veranderd?'

Hij zweeg even. 'Ze hebben ons gisteren alle monitors gestuurd. Maar er was een probleempje. Ze werkten geen van alle.'

'Géén van alle?'

'Stuk voor stuk zo dood als een pier. Panasonic zegt dat er iets mis is gegaan in hun pakhuis in Westwood. Ze zeggen dat er een gaslek was of zoiets, chloorgas, geloof ik. Het schijnt dat chloorgas de microchips vernietigt of zoiets. En er zijn honderden flatscreen-tv's en monitors in dat pakhuis verwoest. Het probleem is dat ze de schermen pas over minstens een paar maanden kunnen vervangen, en Harry Belkins wil ze echt zo gauw mogelijk hebben.'

Ik antwoordde langzaam. Mijn hoofd duizelde. 'Nou,' zei ik, 'dan ben je aan het juiste adres.'

Ik vond Kurt in het commandocentrum van de onderneming op de begane grond, naast de hoofdingang. Ik had hem moeten oppiepen, en toen ik zei dat ik hem meteen wilde spreken, stelde hij voor daarheen te gaan.

Het commandocentrum had rijen tv-monitors van Entronics en een groot gebogen instrumentenpaneel. Mannen in micro-fleece truien – vanwege al die computers was het hier koud – zaten op toetsenborden te typen of met elkaar te kletsen. Op de monitors zag je alle ingangen van het gebouw, alle computerkamers en gemeenschappelijke ruimten; je zag mensen binnenkomen en weggaan en rondlopen. Het was verbazingwekkend, en ook een beetje griezelig, hoeveel van het bedrijf je hier kon zien.

Kurt stond met zijn armen over elkaar tegen een van de mannen in fleecetruien te praten. Hij droeg een blauw overhemd en een das en zag eruit alsof hij de leiding had. De mannen in fleecetruien waren, wist ik, in tijdelijke dienst en Kurt was inderdaad hun baas.

'Hé,' zei hij, toen hij me zag. Hij keek zorgelijk. 'Wat is er?'

'We moeten praten.' Ik pakte hem bij zijn schouder vast.

Er kwam een harde blik in zijn ogen. 'Praat maar.'

'Onder vier ogen,' zei ik. Ik liep voor hem uit naar de hal en vond een lege pauzekamer. Daar lagen oude nummers van de *Herald*, een Dunkin' Donuts-doos en lege kartonnen koffiebekertjes. Het rook er alsof iemand stiekem een sigaret had gerookt.

'Ik ben net gebeld door Freddy Naseem.'

'Die vent van Harry Belkin.'

'Ja. Hij zei dat alle Panasonic-monitors bij aankomst defect bleken en dat hij dus zaken met ons wil doen.'

'Hé, dat is geweldig nieuws. Grote vangst voor jou.'

Ik keek hem aan. 'Er was een chloorgaslek in het pakhuis van Panasonic in Westwood. De printplaten van de monitors waren doorgebrand.'

'Wil je dat ik iets voor je doe?'

'Ik denk dat je al iets hebt gedaan,' zei ik kalm.

Hij knipperde met zijn ogen. Zijn gezicht was ondoorgrondelijk. Hij wendde zich af en keek naar de lege Dunkin' Donuts-doos. Toen zei hij: 'Je hebt de order toch terug?'

Ik voelde me misselijk. Hij had het gedaan.

Als hij dat had gedaan, leed het dan nog twijfel dat hij de dingen had gedaan waarvan Trevor me had beschuldigd? Trevors autopech. Het plasmascherm dat het liet afweten toen Trevor zijn presentatie wilde geven bij Fidelity. Gleasons Blauwe Scherm des Doods.

De baan die Doug Forsythe opeens niet meer kon krijgen.

Wat had hij nog meer gedaan?

'Zo wilde ik het niet, Kurt.'

'Panasonic was gluiperig bezig. Dat moet je niet pikken.'

'Besef je wel in wat voor moeilijkheden we allebei komen als iemand ons in verband brengt met de dingen die gebeurd zijn?'

Hij keek nu geërgerd. 'Ik kan mijn sporen uitwissen, jongen.'

'Dit kun je niet maken,' zei ik. 'Misschien is sabotage aanvaardbaar bij de Special Forces, maar niet in het bedrijfsleven.'

Hij keek me strak aan. 'En ik verwachtte een beetje dankbaarheid.'

'Nee, Kurt. Doe dit nooit meer. Is dat duidelijk? Ik wil geen hulp meer van jou.'

Hij haalde zijn schouders op, maar zijn ogen waren koud. 'Je begrijpt het niet, hè? Ik zorg voor mijn vrienden. Dat doe ik. Zo ben ik. Zoals ze bij de mariniers zeggen: geen betere vriend, geen ergere vijand.'

'Ja, nou,' zei ik. 'Ik ben blij dat ik je vijand niet ben.'

33

OMDAT IK HALVERWEGE de ochtend een vlucht naar Miami had, vanaf vliegveld Logan, ging ik niet naar kantoor. Ik wilde slapen. Nou ja, tot op zekere hoogte. Kate kroop in bed tegen me aan, en dat was prettig, maar toen zag ik plotseling hoe laat het was. Het was bijna acht uur. Ik sprong uit bed om de rest van mijn bagage in te pakken; ik was daar de vorige avond mee begonnen.

'Hé, Kate,' zei ik, 'ga je niet naar je werk?'

Ze mompelde iets in het kussen.

'Wat?'

'Ik zei: ik voel me niet goed.'

'Wat is er?'

'Krampen.'

Geschrokken ging ik naar haar kant van het bed. 'Daar... beneden?'

'Ja.'

'Is dat normaal?'

'Dat weet ik niet. Ik ben nooit eerder zwanger geweest.'

'Bel dokter DiMarco.'

'Het stelt niets voor.'

'Bel hem evengoed.'

Ze belde hem terwijl ik nerveus verderging met pakken, mijn tanden poetste, een douche nam, me schoor. Toen ik uit de badkamer kwam, sliep ze.

'Heb je hem gesproken?'

Ze draaide zich om. 'Hij zei: maak je geen zorgen. Ik moet hem bellen als ik lek of ga bloeden.'

'Bel je me op mijn mobieltje?'

'Maak je er maar geen zorgen over, liefste. Ik bel je als er iets is. Hoe lang blijf je weg?'

'De TechComm duurt drie dagen. Denk eens aan alle buitenlandse films die je op Bravo kunt zien als ik weg ben.'

Zo ongeveer de hele Band of Brothers zat in het Delta-toestel dat naar Miami vloog. Iedereen, behalve Gordy, zat in de economyclass. Gordy zat in de businessclass. Hij bespaarde geld door niet first class te vliegen.

Ik had een stoel aan het gangpad, een paar rijen van de andere mannen vandaan, en ik genoot van het feit dat de stoelen aan weerskanten van mij vrij waren. Totdat een vrouw met een krijsende baby langs me schuifelde. Ze praatte in het Spaans tegen de baby, die niet wilde ophouden met huilen. Toen porde ze met haar vinger in de luier van de baby, maakte hem los en verschoonde de wriemelende baby ter plekke op haar schoot. De stank van de babypoep was bijna bedwelmend.

Ik dacht: godallemachtig, staat dat mij ook te wachten? Luiers verschonen in een vliegtuig?

Toen de moeder klaar was met verschonen, propte ze de oude luier samen, maakte het klittenband dicht om het poeppakket strak te maken en propte de vuile luier in het vak op de rugleuning voor haar.

Achter me werden sommige Entronics-mannen een beetje luidruchtig, als een stel studenten. Ik draaide me even naar hen om. Ze lachten hard om iemand wiens gezicht ik niet zag en die hun iets uit een tijdschrift liet zien. Trevor liet de man bij zich komen, zei iets, en ze barstten beiden in lachen uit. De man stompte Trevor zacht tegen zijn schouder en draaide zich om, en toen zag ik dat het Kurt was.

Op dat moment zag hij mij en liep door het gangpad. 'Is deze plaats bezet?' vroeg hij.

'Hé, Kurt,' zei ik, op mijn hoede. 'Wat doe jij hier?'

'Mijn werk. Beveiliging van onze stand op de beurs. Mag ik gaan zitten?'

'Van mij wel, maar misschien is het iemands plaats.'

'Dat is het. Van mij,' zei hij, en hij perste zich langs me. Hij keek de Spaanse vrouw met de baby aan. '*Buenos días, señora,*' zei hij in wat volgens mij vreselijk goed Spaans was. Ze zei iets terug. Toen keek hij mij weer aan. 'Cubaans,' fluisterde hij. Hij snoof en ving het luieraroma op. 'Doe jij dat?' Hij probeerde de spanning weg te nemen door een grapje te maken.

Ik glimlachte om te laten weten dat ik het begreep maar niet grappig vond.

'Nou, wil je nog steeds geen hulp van mij?'

Ik knikte.

'Ook niet iets wat ik toevallig te weten ben gekomen, iets wat voor jou van belang is?'

Ik aarzelde. Ademde langzaam in, liet mijn adem nog langzamer ontsnappen. Ik kon niet blijven toestaan dat hij dit deed. Het was verkeerd; dat wist ik.

Maar de verleiding was te groot. 'Goed,' zei ik. 'Laat maar eens horen.'

Hij maakte de rits van een nylon map los, haalde er een bruine map uit en gaf die aan mij.

'Wat is dit?' vroeg ik.

Hij sprak heel kalm. 'Weet je nog, dat grote idee dat je in het stadion kreeg?'

'Van die openluchtschermen?'

'Kijk maar eens.'

Ik aarzelde en maakte de map open. Er zaten uitdraaien in van e-mails tussen Gordy en Dick Hardy, de president-directeur van Entronics USA.

'Blijkbaar was onze president-directeur in Tokio voor de concerntop. Maar hij komt naar de TechComm.'

'Die slaat hij nooit over.' Ik las de e-mails door. Gordy was vreselijk opgewonden over een 'belangrijk idee' dat hij had gekregen, een 'vernietigende' toepassing van bestaande technologie, waardoor Entronics een totaal andere positie op de wereldmarkt kon innemen. Digitale bebording! Hij gebruikte sommige van de exacte frasen die ik had gebruikt: 'De kosten zitten al in de begroting.' En: 'Dit zal Entronics op de kaart van de digitale bebording zetten.' En: 'Vergeleken met PictureScreens zal de bestaande led-schermtechnologie zoiets zijn als de JumboTron uit 1985.'

'Dit maakt me kwaad,' zei ik.

'Dat dacht ik al. Het zal die stomme lul berouwen dat hij je nog een keer heeft belazerd.'

'Waar praat je over?'

'Ik praat niet.'

'Waar dénk je over?'

'Niets. In een gevecht heb je geen tijd om te denken. Je handelt alleen.'

'Nee,' zei ik. 'Geen diensten.'

Hij zweeg.

'Ik meen het,' zei ik.

Hij bleef zwijgen.

'Kom op, Kurt. Niet meer. Alsjeblieft.'

34

We zaten in een groot, duur Westin-hotel naast het congrescentrum. Onze kamers hadden allemaal een balkon met uitzicht op Miami en Biscayne Bay. Ik was vergeten hoe mooi ik Miami vond, hoewel het er 's zomers drukkend heet was, en ik vroeg me af waarom ik daar niet woonde.

Ik trainde in het fitnesscentrum van het hotel en liet de roomservice een late lunch brengen, terwijl ik e-mailberichten afwerkte en telefoontjes beantwoordde. Ik belde Kate thuis en vroeg hoe ze zich voelde, en ze zei dat het nu veel beter met haar ging, want de krampen waren opgehouden.

De TechComm, moet ik uitleggen, is een grote handelsbeurs voor de audiovisuele industrie. Het is ongeveer net zo oenig als het klinkt. Er komen vijfentwintigduizend mensen uit acht landen. Die zijn allemaal op de een of andere manier verbonden met een multimiljardenindustrie die bevolkt wordt door kerels die op de middelbare school als nerds werden beschouwd. Het hoogtepunt van de hele beurs is niet het banket waarop de prijzen worden uitgereikt, maar de 'projectiewedstrijd', een grote demonstratie van lcd-projectors.

Om vijf uur trok ik informele Miami-kleding aan, een mooi golfshirt en een gestreken katoenen broek, en ging ik naar de grote openingsreceptie in de balzalen B en C. Daar ging de beurs van start. Toen ik daar aankwam, zag ik dat de hele Band of Brothers, plus Gordy, ongeveer net zo gekleed was als ik. Er was slechte muziek en er waren redelijke hapjes en drankjes. Mensen kregen hun badge en programmagids en keken naar welke seminars en paneldiscussies ze wilden gaan als ze geen dienst in hun stand hadden. 'Beginselen van audiovisuele design'? 'Grondbeginselen van videoconferencing'? Het populairst was blijkbaar 'De toekomst van digitale bioscopen'.

Flarden van gesprekken die ik opving: '... natuurlijke resolutie van 1920 bij 1080... door die vier miljoen pixels lijkt hd-video zácht... instabiele signaalomgevingen... volkomen naadloze playback...' Festino vertelde me dat NEC een Corvette weggaf en vroeg zich af of we aan de loterij mochten deelnemen. Toen zei hij: 'Hé, kijk. Daar heb je de grote man.'

Dick Hardy kwam als Jay Gatsby op het feest aan. Hij was een grote, slanke man met een groot hoofd, een rood gezicht en een sterke kaakpartij. Hij leek op een president-directeur die door een castingbureau was gestuurd, en dat was waarschijnlijk ook de reden waarom onze Japanse opperbazen hem hadden benoemd. Hij droeg een blauwe blazer over een wittig linnen T-shirt.

Gordy zag hem en ging meteen naar hem toe om zijn armen om hem heen te slaan. Omdat Hardy veel groter was dan Gordy, was het een komisch gezicht: Gordy's armen die Hardy om zijn buik vastgrepen.

Nerds of niet, de TechComm is best wel cool. De volgende morgen zag je overal gigantische schermen en displays, multimediashows van licht en geluid. Videomuren van vier meter hoog die filmtrailers en commercials lieten zien. Een van de stands was een virtual-reality-simulatie van een renaissancepaleis waar je in kon lopen; dat deden ze met hologrammen. Het leek wel tovenarij. Je keek in de toekomst. Mensen uit de verhuur- en amusementssector bekeken de nieuwste audiomixpanelen. Een bedrijf demonstreerde zijn draadloze digitale videosysteem voor thuis. Een ander nodigde mensen uit om zijn draadloze videoconferencingsysteem uit te proberen. Weer een ander bedrijf had digitale touchscreens voor buiten.

Wij lieten het PictureScreen zien, dat we op een groot raam hadden geïnstalleerd. Verder toonden we onze grootste en beste plasma- en lcd-schermen en onze zes nieuwste, lichtste en helderste lcd-projectors voor scholen en bedrijven. Ik stond nu en dan in de stands en begroette dan voorbijgangers, maar het grootste deel van de tijd voerde ik besprekingen met grote klanten. Ik deed twee lunches. Kurt en een paar kerels van onze facilities-afdeling hadden in alle vroegte de stand opgebouwd en aangesloten. Ze hadden alles op hun plaats gezet, en Kurt bleef daarna het grootste deel van de dag in de buurt staan om een oogje op de apparatuur en vooral op de onbewaakte ruimte achter de stand te houden. Ik merkte dat hij erg populair was geworden bij de Band of Brothers.

Ik zag Gordy niet veel. Dick Hardy en hij hadden een lange bespreking met mensen van de Bank of America. Ik deed natuurlijk heel beleefd tegen hem. Hij was een schobbejak, maar dat wist ik toch al? In een pauze tussen besprekingen kwam hij naar onze stand. Hij schudde links en rechts handen en nam toen mij apart.

'Booya, die order van Belkin,' zei hij met zijn arm om mijn schouder. 'Heb je het persbericht gezien dat Dick Hardy heeft uitgestuurd?'

'Nu al?'

'Hardy laat er geen gras over groeien. De aandelen Entronics staan al hoger op de beurs van New York.'

'Door die ene order? Het is niet meer dan een puistje op de reet van Entronics.'

'Het laat zien dat de vaart erin zit. Dat we er helemaal bovenop zitten. En het was ook goede timing, want nu kon Entronics de order op de TechComm bekendmaken. Prachtig. Práchtig!'

'Goede timing,' beaamde ik.

'Weet je wat, Steadman? Ik begin te denken dat ik je misschien toch heb onderschat. Als we terugkomen, moeten we het er eens een avondje van nemen, jij en ik en de dames, hè?'

'Dat lijkt me geweldig,' zei ik met een uitgestreken gezicht.

Later ging ik de andere stands langs om bij de concurrenten te kijken. Mensen verzamelden overal gratis dingen als koerierstassen en badhanddoeken en frisbees. Ik keek bij de stand van een bedrijf dat roterende videodisplays en waterdichte, driehonderdzestig graden draaiende led-displays voor buiten maakte. Ik had mijn badge afgedaan om hen te laten denken dat ik gewoon een eindgebruiker was. In de stand van een bedrijf dat kolossale led-videoschermen voor binnen en buiten verkocht, samengesteld uit kleinere schermen, stelde ik een heleboel diepgaande vragen over pixel pitch en kleurcorrectie. Vragen waardoor ik waarschijnlijk heel slim overkwam, bijvoorbeeld over het aantal nits, dat is een eenheid van luminantie, en de technologie van pixeluniformiteit. Ik deed dat niet om indruk te maken. Ik wilde echt weten wat de concurrenten in hun schild voerden. Ze vertelden me dat hun videoschermen voor concerten van Sting, Metallica en de Red Hot Chili Peppers waren gebruikt.

Ik keek bij de stand van een bedrijf dat AirView Systems heette en dat displaysystemen voor vluchtinformatie aan luchthavens verkocht. Omdat ze een van onze grootste concurrenten voor de order uit Atlanta waren, wilde ik zien wat ze deden. AirView was geen groot bedrijf en alle topmensen stonden daar in de stand. Ik praatte met de financieel directeur, Steve Bingham, een knappe man van in de vijftig met zilvergrijs haar zoals tv-presentatoren hebben, een smal gezicht en ogen diep in hun kassen.

Toen ging ik naar de stand van Royal Meister. Die was groter dan de onze en er stonden nog meer plasma- en lcd-schermen en projectors. De jongeman die de stand bemande praatte honderduit tegen me, want hij zag in mij een potentiële klant. Hij gaf me zijn kaartje en wilde me het nieuwste en beste laten zien. Zoals hij nu was, was ik vijf jaar geleden. Hij vroeg om mijn kaartje en ik klopte op mijn zakken en zei dat ik ze blijkbaar op mijn hotelkamer had laten liggen. Ik draaide me om, want ik wilde daar weg. Nu maar hopen dat hij me niet in de Entronics-stand zou zien als híj de stands langsging.

'Laat me u voorstellen aan onze nieuwe directeur Verkoop,' zei hij.

'Dank u, maar ik moet naar een seminar.'

'Weet je dat zeker?' zei een vrouw. 'Ik wil altijd graag kennismaken met potentiële klanten.'

Ik herkende haar eerst niet. Haar vale bruine haar was nu honingblond. Ze had ook highlights in haar haar gedaan en ik zag haar voor het eerst met make-up.

'Joan,' zei ik geschrokken. 'Dat ik jou hier tegenkom!'

'Jason,' zei Joan Tureck, en ze stak me haar hand toe. 'Ik zie geen badge – ben je niet meer bij Entronics?'

'Nee, ik... ik denk dat ik de badge ben kwijtgeraakt,' zei ik.

'Tegelijk met zijn kaartje,' zei de jonge verkoper, die nu zichtbaar kwaad was.

'Maar ik dacht dat je bij FoodMark werkte.'

'Deze positie kwam plotseling vrij, en ik kon het niet laten. Meister wilde iemand die vertrouwd was met visuele systemen, en ik was toevallig beschikbaar. Ik hoefde geen vleeseter te zijn.'

Het was volkomen begrijpelijk dat Royal Meister voor Joan Tureck had gekozen. In de grote strijd tussen divisies, een strijd waarin twee grote ondernemingen moesten uitmaken welk verkoopteam in leven bleef en welk team verdween, was ze een geweldige aanwinst. Ze wist waar alle lijken begraven lagen bij Entronics. Ze wist waar onze breuklijnen zaten. Ze kende onze zwakheden en kwetsbaarheden.

'Je... je ziet er geweldig uit,' zei ik.

'Dat komt door Dallas.' Ze haalde haar schouders op.

'Dus jij hebt nu het equivalent van Gordy's baan,' zei ik.

'Was dat maar alles. Ik ben tegenwoordig vooral bezig met integratieplanning.'

'Je bedoelt, wat er met je verkoopteam gaat gebeuren?'

Ze glimlachte weer. 'Eerder wat er met júllie verkoopteam gaat gebeuren.'

'Je ziet eruit als een kat met een potje room, Joan.' Een oude tekst van Cal Taylor.

'Niet meer dan twee procent vet. Je kent me.'

'Ik dacht dat je de pest had aan Dallas.'

'Sheila komt uit Austin, weet je. Dus het valt wel mee. Ze hebben iets uitgevonden wat airconditioning heet.'

'Ze hebben goeie steakrestaurants in Dallas.'

'Ik ben nog steeds vegetariër.' Haar glimlach verflauwde. 'Ik heb over Phil Rifkin gehoord. Dat was een schok.'

Ik knikte.

'Hij was zo'n aardige jongen. Briljant. Zeker, een beetje vreemd, maar ik zou nooit hebben gedacht dat hij zelfmoord zou plegen.'

'Ik ook niet.'

'Heel vreemd. En heel droevig.'

Ik knikte.

'Ik zag het persbericht van Dick Hardy. Blijkbaar heeft Gordy een grote order van Harry Belkins autobedrijf binnengehaald.'

Ik knikte weer. 'Dat was ook nieuws voor mij,' zei ik. 'Ik dacht dat ík het had gedaan, maar ja, wat weet ik ervan?'

Ze kwam dichter naar me toe en liep met me de stand uit. 'Jason, mag ik je wat ongevraagd advies geven?'

'Natuurlijk.'

'Ik heb je altijd graag gemogen. Dat weet je.'

Ik knikte.

'Stap eruit, nu het nog kan. Voordat jij en alle anderen op straat staan. Het is veel gemakkelijker om naar een baan te zoeken als je er al een hebt.'

'Het staat niet vast, Joan,' zei ik zwakjes.

'Ik vertel je dit uit vriendschap, Jason. Je mag me een rat noemen, maar ik weet wanneer het schip zinkt.'

Ik gaf geen antwoord, keek haar alleen even aan.

'We houden contact,' zei ze.

35

Aan het eind van de eerste beursdag bleef ik nog even achter om met mijn verkopers te praten en te vragen met wie ze contact hadden gelegd. Festino had zijn handreiniger tevoorschijn gehaald en deed verwoede pogingen om de microben te doden die hij had opgepikt van de verziekte handen van honderden klanten. Kurt was bezig de apparatuur in veiligheid te brengen voor de komende nacht.

'Kom je naar het grote diner?' vroeg ik Kurt.

'O, dat zou ik niet willen missen,' zei hij.

Toen ik naar mijn kamer terugliep om te douchen en een pak aan te trekken, zag ik Trevor Allard bij de liften staan. 'Hoe gaat het, Trevor?' vroeg ik.

Hij keek me aan. 'Interessant,' zei hij. 'Het is altijd leuk om oude vrienden tegen te komen.'

'Wie kwam je dan tegen?'

De lift gaf een pingtoon en we stapten als enigen in.

'Een vriend van me bij Panasonic,' zei hij.

'O ja?'

'Mm-hmm.' De liftdeuren gingen dicht.

'Hij zei dat jij de Harry Belkin-order hebt binnengehaald omdat een hele zending Panasonic-plasma's bij aankomst defect bleek te zijn.'

Ik knikte. Zoals altijd zat het me niet lekker om in zo'n stalen doodkist te staan, maar nu kwam er ook nog een andere angst bij me op. 'Het is vreemd,' zei ik.

'Heel vreemd. Slecht voor Panasonic. Maar goed voor jou.'

'En voor Entronics.'

'Zeker. Het is natuurlijk jouw order. Een grote overwinning voor jou. Geluk gehad, hè?'

Ik haalde mijn schouders op. 'Hé,' zei ik. 'Je maakt je eigen geluk.' *Of iemand maakt het voor je.*

'Het zette me wel aan het denken,' zei Trevor voorzichtig. We keken allebei naar de liftknoppen. Er was jammer genoeg geen tv in de lift. Wat zou het woord van de dag zijn? *Insinuatie? Intimidatie?* 'Ik herinnerde me dingen. Het deed me denken aan Fidelity. Ik had toen ook een monitor die het niet deed, weet je nog wel?'

'We hebben dit al besproken, Trevor.'

'Ja. Daardoor raakte ik Fidelity kwijt. En dan was er die autopech die ik een paar maanden geleden had. Toen raakte ik Pavilion kwijt, weet je nog wel? En dan was er het Blauwe Scherm des Doods van Brett Gleason.'

'Maak je je daar nog steeds druk om?'

'Jouw tegenstanders hebben vaak pech, hè? Het lijkt wel of er een patroon in zit.'

De lift gaf weer een pingtoon. We waren op onze verdieping aangekomen.

'Ja,' zei ik. 'En zelfs paranoialijders hebben vijanden.'

'Ik laat het er niet bij zitten, Jason,' zei hij, toen hij rechts afsloeg en ik naar links ging. 'Brett en ik gaan dit uitzoeken. Ik weet dat jij achter al die dingen zit en ik kom achter de waarheid. Dat verzeker ik je.'

36

Ik belde Kate, nam een douche en trok een pak aan voor het diner. Entronics had een van de balzalen van het Westin gereserveerd. Zoals gewoonlijk had Gordy het thema van het diner geheimgehouden.

Zijn TechComm-diners waren altijd buitensporige aangelegenheden. Het jaar daarvoor was het thema *The Apprentice* geweest, en toen had hij natuurlijk voor Donald Trump gespeeld. Twee jaar geleden was het *Survivor* geweest. Iedereen kreeg een halsdoek en moest een kom met 'zand' eten, samengesteld uit verkruimelde Oreo-koekjes en gomwormen. Hij hield altijd een overdreven, nagenoeg absurd betoog, een kruising van die zelfhulpgoeroe Tony Robbins en Mr. Pink uit *Reservoir Dogs*.

We vroegen ons allemaal af wat het dit jaar zou zijn.

Toen ik binnenkwam, zag ik dat de hele zaal als boksarena was ingericht. Dat moest enorm veel gekost hebben. Op de muren waren – ongetwijfeld met Entronics-projectors – allerlei oude boksposters geprojecteerd, van die posters die meestal mosterdgeel waren met grote rode en witte letters en monochroomfoto's van de boksers. Er waren posters van JERSEY JOE WALCOTT TEGEN ROCKY MARCIANO, CASSIUS CLAY TEGEN DONNIE FLEEMAN en SUGAR RAY FORSYTHE TEGEN HENRY ARMSTRONG.

Midden in de zaal bevond zich een boksring. Ik meen het. Gordy had een echte boksring laten overbrengen – die moest hij ergens in Miami hebben gehuurd – compleet met stalen frame en hoekpalen, touwen, canvasvloer, houten ladder om erin te klimmen, zelfs de krukken in de tegenoverliggende hoeken. Er was een zwarte stalen gong op een vrijstaande houten paal. Dat alles stond daar midden in de banketzaal, omringd door eettafels.

Het zag er ongelooflijk stom uit.

Kurt zag me binnenkomen en kwam naar me toe. 'Dit moet een paar dollar gekost hebben, hè?'

'Wat is er aan de hand?'

'Zul je wel zien. Gordy heeft me om advies gevraagd. Ik zou me gevleid moeten voelen.'

'Advies waarover?'

'Wacht maar af.'

'Waar is Gordy?'

'Die neemt vast nog een borrel achter de coulissen om moed te vatten. Hij vroeg me zijn whiskyfles te halen.'

Ik vond de plaats die me was toegewezen aan een tafel dicht bij de boksring. Alle leden van de Band of Brothers zaten bij belangrijke klanten, een of twee aan een tafel.

Ik had nog net tijd om me voor te stellen aan iemand van SignNetwork toen de lichten uitgingen en een paar spotlights hun lichtbundels door de zaal lieten gaan om ze uiteindelijk te laten rusten op de toneelgordijnen van blauw fluweel aan de voorkant van de zaal. Uit luidsprekers schalde een luid trompetgeschal: het thema van de film *Rocky*.

De gordijnen kwamen van elkaar los en twee potige kerels stormden door de opening. Ze droegen een troon, en daar zat Gordy op, gehuld in een glanzend rood boksgewaad met goudkleurige randen en kap. Hij droeg glimmende rode bokshandschoenen en hoge zwarte Converse-schoenen. Op de troon prijkte het woord 'KAMPIOEN' . Voor hem uit draafde een jonge vrouw die rozenblaadjes strooide uit een mand. Gordy straalde en stompte in de lucht.

De potige kerels droegen Gordy over een pad dat tussen de eettafels was vrijgehouden, terwijl de vrouw rozenblaadjes voor hen uit strooide en er ‘Gonna Fly Now’ uit de luidsprekers schalde.

Aan de tafels werd gegrinnikt, en hier en daar hard gelachen. De aanwezigen wisten niet wat ze van dit alles moesten denken.

De mannen zetten de troon naast de boksring neer en Gordy kwam overeind. De handschoenen gingen hoog de lucht in en de muziek hield op.

‘Yo, Adrian!’ schreeuwde hij. De rozenblaadjesvrouw maakte een draadloze microfoon aan zijn gewaad vast.

Er werd gelachen. Mensen gierden het uit. Ik kon nog steeds niet geloven dat Gordy dit deed, maar hij stond bekend om zijn rare streken op ons jaarlijkse diner.

Hij draaide zich om, zodat we de achterkant van zijn gewaad konden zien. Daarop stond ITALIAN STALLION in gouden blokletters. Er was zelfs een wit lapje met SHAMROCKS MEATS INC. op genaaid, net als in de eerste *Rocky*-film.

Hij draaide zich weer om en trok zijn gewaad koket omhoog om ons een blik te gunnen op zijn boksbroek, die in het dessin van de Amerikaanse vlag was uitgevoerd.

‘Verkeerde film,’ schreeuwde Trevor vanaf zijn tafel. ‘Dat is *Rocky II*!’

‘Ja, ja,’ zei Gordy stralend.

‘Ik dacht dat je Iers was!’ riep Forsythe, die in de stemming kwam.

‘Honorair Italiaan,’ zei hij. ‘Mijn vrouw is Italiaans. Waar is mijn glas?’ Hij vond zijn fles Talisker 18 op een tafeltje naast de ring, goot wat in een glas en nam een slok voordat hij in de ring stapte. Hij maakte een handgebaar, en de rozenblaadjesvrouw sloeg met een hamer op de gong. Hij boog, en er kwam applaus.

‘Booya! riep hij.

‘Booya,’ antwoordden een paar mannen.

‘Booya!’ riep hij, harder.

‘Booya!’ schreeuwde iedereen terug.

Hij trok de kap af maar hield het gewaad aan – waarschijnlijk een verstandig besluit, gezien zijn fysiek. ‘Wij van Entronics gaan voor u tot het uiterste,’ schreeuwde hij. Er werd met schelle kreten op gereageerd.

‘Ja!’ schreeuwde Trevor terug, en een stel andere kerels vielen hem nu bij. Ik klapte in mijn handen en deed mijn best om niet met mijn ogen te rollen.

'We doen alle vijftien ronden!' schreeuwde Gordy.

De rozenblaadjesvrouw stond aan een lange tafel naast de ring. Ze sloeg eieren kapot in glazen. Er stond een stapel eierdozen op de tafel. Ik wist wat er ging komen. Waarschijnlijk stonden er achtentwintig glazen op een rij en ze liet drie eieren in elk glas vallen.

Gordy nam weer een slok van zijn whisky. 'Als je met je rug tegen de muur staat, en het is erop of eronder, dan zoek je in jezelf naar de geest van een held,' zei hij. 'Net als Rocky Balboa zien we onszelf als de underdog. Rocky had Apollo Creed. Nou, wij hebben NEC en Mitsubishi. Rocky had Mr. T – wij hebben Hitachi. Rocky had Tommy Gunn – wij hebben Panasonic. Rocky had Ivan Drago – wij hebben Sony!'

Een rauw gejuich van de Band of Brothers, en nu ook van sommige leveranciers en distributeurs.

'Wij zeggen: "Wees linker dan een stinker!"' zei Gordy. 'Wij zijn hier om jullie dromen tot werkelijkheid te maken! Ik kom nu niet naar beneden om push-ups met één arm voor jullie te doen.'

'O, kom nou!' riep Taminek. 'Doe het!'

'Toe dan, Gordy!' schreeuwde Trevor.

'Ik zal jullie dat besparen,' zei hij. 'Want dit gaat niet om Gordy. Dit gaat om het téám.' Zijn woorden klonken een beetje lallend. 'Het G-team! Wij zijn allemaal teamspelers. En we gaan jullie nu laten zien wat we daarmee bedoelen. Jason, waar ben je?'

'Hier,' zei ik. Ik vreesde het ergste.

'Kom hier, sparringpartner!'

Ik stond op. Ging hij me vragen in de ring tegen hem te boksen? Grote goden. Ik moest hier weg. 'Hé, Gordy,' zei ik.

'Kom op,' zei hij. Hij wenkte me met zijn linkerhandschoen naar zich toe.

Ik ging naar de ring en het rozenblaadjesmeisje kwam me met een glas rauwe eieren tegemoet.

'Drink op, Jason,' zei Gordy.

Ik hoorde gejuich en gelach.

Ik pakte het glas eieren aan, keek ernaar en glimlachte sportief. Ik hield het voor iedereen omhoog en schudde mijn hoofd. 'Mijn cholesterol is te hoog,' zei ik.

'Kom op,' zei Trevor, en hij kreeg gezelschap van Forsythe en Taminek en toen ook van de anderen.

'Vooruit, Teigetje,' zei Festino.

'Jullie zijn allemaal ontslagen,' zei ik.

'Drink op,' beval Gordy.

Ik bracht het glas naar mijn mond, goot de inhoud door mijn keel en begon te slikken. De eieren gleden als een taaie, kleverige sliert naar beneden. Ik voelde me beroerd, maar zette door. Toen ik het lege glas aan het rozenblaadjesmeisje gaf, ging er een gejuich op.

'Góéd!' zei Gordy. Hij tikte met een handschoen tegen mijn hoofd. 'Wie is de volgende? Waar is Forsythe? Waar is Festino?'

'Ik wil geen salmonella krijgen,' zei Festino.

Ik ging naar mijn tafel terug en keek waar de dichtstbijzijnde toiletten waren, voor het geval ik moest overgeven.

'Mietje,' zei Gordy met lallende stem. 'Trevor, laat ze zien wat een echte man is.'

'Ik wil Jason nog een glas zien drinken.' Trevor lachte.

Gordy begon door de ring te tollen als een bokser die versuft is, en ik kon zien dat hij het niet simuleerde. Hij was dronken. 'Weet je wat het is? Willen jullie weten waarom ik jullie heb uitgenodigd?' zei hij. 'Jullie, onze klanten? Denk je dat we jullie hebben uitgenodigd omdat we graag bij jullie zijn? Welnee.'

Er werd gelachen. Trevor ging zitten, blij dat het moment voorbij was.

'We willen verdomme dat jullie allemaal Entronics tot standaard verheffen,' zei Gordy. 'Weten jullie waarom?' Hij hield zijn handschoenen omhoog en stompte in de lucht. 'Omdat ik wil dat het hele G-team zo rijk wordt als ik.'

Sommige leden van de Band of Brothers bulderden van het lachen. Een paar klanten lachten ook, maar niet zo hard. Sommigen daarentegen glimlachten niet eens.

'Weten jullie in wat voor auto Gordy rijdt?' zei Gordy. 'Een Hummer. Geen Geo Metro. Geen klote-Toyota. Geen japmobiel. Een Hummer. Weten jullie wat voor horloge Gordy om heeft? Een Rolex? Geen stinkende Seiko. Hij komt niet uit Japan. Waar is Yoshi Tanaka?'

'Niet hier,' zei iemand.

'Yoshi-sán,' zei Gordy sarcastisch. 'Niet hier. Goed. Ik gloof dat niet één van onze Japanse medewerkers hier is. Wschijnlijk te druk met het indienen van hun geheime rapporten over ons. Met het vsturen van *microdots* naar Tokio. Verrekte spionnen.'

Er werd gelachen, maar nu nogal nerveus.

'De Japanners vtrouwen ons niet,' ging Gordy verder. 'Maar we zullen ze eens wat laten zien, hè? Niewaar, jongens?'

Er was geritsel te horen, vorken die tegen borden tikten. De gasten aten in stilte hun salade.

'Het zijn lastpakken, die jappen,' zei hij. 'Ze sporen niet. Ze vertellen je nooit wat ze denken, die jappen. Ondoorgrondelijke klootzakken.'

'Gordy,' riep Trevor. 'Ga zitten.'

Gordy leunde nu op de touwen. 'Denk je dat het makkelijk is om te werken voor een stel spleetogen die willen dat je in de fout gaat, alleen omdat je een blanke bent?' zei hij. De klanken waren steeds moeilijker van elkaar te onderscheiden. 'Het G-team,' zei hij.

Trevor stond op, en ik deed dat ook. 'Kom, Gordy,' riep hij. 'Jezus,' mompelde Trevor. 'Hij is ladderzat.' We liepen naar de ring, net als Kurt en Forsythe. Gordy leunde tegen de touwen en helde helemaal over. Hij keek op en zag ons aankomen. Zijn ogen waren wazig en bloeddoorlopen. 'Sodemieter op,' zei hij.

We pakten hem vast en hij verzette zich even, maar niet lang. Hij mompelde nog 'Wa'in Miami gebeurt, blijft in… Miami…' en toen verloor hij het bewustzijn.

Toen we Gordy de banketzaal uit droegen, zag ik Dick Hardy met zijn armen over elkaar tegen een muur staan. Zijn gezicht was een duister masker van woede.

DEEL DRIE

37

HET EERSTE WAT ik deed, was dat Caribische strand laten verdwijnen. Ik liet alle PictureScreens uit mijn nieuwe kamer verwijderen. Ik wilde uit de ramen kunnen kijken, al zag ik alleen maar het parkeerterrein.

Ik wilde het tegenovergestelde doen van alles wat Gordy deed. Per slot van rekening was ik de anti-Gordy. Daarom had Dick Hardy me tot nieuwe verkoopdirecteur benoemd.

En ook omdat Entronics de vacature snel wilde vervullen. Ze wilden het Gordy-debacle zo gauw mogelijk achter de rug hebben.

Gordy's dronken geraaskal verspreidde zich de volgende dag over het hele internet. De *message boards* op Yahoo! zaten vol met verhalen over de *Rocky*-show, de glazen met rauwe eieren, de Rolex en de Hummer, en vooral de aantijgingen tegen de Japanners. Gordy, die redelijk bekend was geweest in het wereldje van de hightechverkopers, was nu een beroemdheid.

En in Tokio waren de topmanagers van Entronics meer dan beschaamd. Ze waren razend. Ze zouden bereid zijn geweest Gordy's racisme in besloten kring te accepteren, maar nu hij er in het openbaar mee te koop had gelopen, moest hij eruit.

De pr-manager van Entronics in Santa Clara bracht een persbericht uit waarin werd bekendgemaakt dat 'Kent Gordon de firma Entronics om persoonlijke reden en vanwege familieomstandigheden heeft verlaten'.

Ik kreeg een massa telefoontjes en mailtjes van gelukwensers – vrienden van wie ik in geen jaren iets had gehoord, mensen die waarschijnlijk op een baan bij Entronics aasden zonder te weten dat daar binnenkort misschien helemaal geen banen meer waren. Joan Tureck stuurde me een erg sympathiek mailtje waarin ze me feliciteerde en er onheilspellend aan toevoegde: 'Ik wens je veel geluk. Dat vooral. Je zult het nodig hebben.'

Het tweede wat ik deed, was Yoshi Tanaka bij me laten komen en hem laten weten dat het voortaan anders zou gaan. In tegenstelling tot mijn voorganger wilde ik met hem samenwerken. Ik wilde zijn input. Ik wilde weten wat hij dacht. Ik wilde weten wat hij dacht dat de jongens in Tokio dachten. Ik sprak langzaam en gebruikte eenvoudige woorden.

Ik zal niet zeggen dat Yoshi naar me glimlachte – zijn gezichtsspieren waren daar blijkbaar niet toe in staat – maar hij knikte ernstig en bedankte me. Ik denk dat hij begreep wat ik zei, al was ik daar niet zeker van.

Het derde wat ik deed, was Dick Hardy vragen om op weg van New York naar Santa Clara naar Boston te komen. Ik riep al mijn troepen in onze grootste vergaderkamer bij elkaar om de grote baas te ontvangen en hield een opwekkende, inspirerende toespraak voor hen. Ik zei tegen hen dat mijn deur altijd openstond. Ik zei dat ze gerust met eventuele klachten naar me toe konden komen, dat ik weliswaar van hen verwachtte dat ze hun best deden, maar dat ik hen niet de grond in zou boren als ze me vertelden dat iets niet goed ging, en dat ik er was om hen te helpen. Ik maakte een kleine verhoging van het prestatieloon en de premies bekend. Dat bleek bij de Band of Brothers een beetje populairder te zijn dan de Queeg-memo.

Dick Hardy stond naast me in die vergaderkamer. Hij droeg een marineblauw pak, een kraakhelder wit overhemd en een blauw-met-zilver gestreepte das en zag er op en top uit als de president-directeur, met zijn grote vierkante kaak, zijn zilvergrijze haar dat recht naar achteren was gekamd en de donkere wallen onder zijn intense, ijzig blauwe ogen. Hij gaf alle verkopers een hand toen ze een voor een binnenkwamen en zei tegen elk van hen 'Leuk je te ontmoeten', alsof hij het echt meende. Hij zei tegen hen dat ze het 'levensbloed' van Entronics Visuele Systemen waren en dat hij een 'volledig vertrouwen' in mij had.

Toen we na die bijeenkomst even met zijn tweeën waren, sloeg

Hardy me op beide schouders. 'Het was een zware overtocht,' zei hij gevoelvol. 'Maar als iemand het roer recht kan houden, ben jij het.' Hij sprak graag in zeiltermen. Hij keek me recht in de ogen en zei: 'Vergeet niet: je kunt de wind niet beheersen. Je kunt alleen het zeil beheersen.'

'Ja.'

'Maar ik put moed uit je serie successen.'

'Ik heb veel geluk gehad,' zei ik.

Hij schudde ernstig met zijn hoofd. 'Als een van mijn directeuren zul je me dit steeds weer horen zeggen, maar ik ben er heilig van overtuigd dat je je eigen geluk maakt.'

En het vierde wat ik deed, was Trevor Allard naar mijn oude baan promoveren. Waarom? Dat is ingewikkeld. Voor een deel, denk ik, om iets goed te maken. Ik mocht hem niet, maar als Kurt er niet was geweest, had Trevor waarschijnlijk in Gordy's kamer gezeten, niet ik. Ik deed het ook omdat ik wist dat hij goed was in zijn werk, of ik dat nu prettig vond of niet. En voor een deel, geef ik toe, liet ik me leiden door dat oude gezegde: 'Hou je vrienden dichtbij en je vijanden nog dichterbij.'

En dus moest ik nu met hem samenwerken. Ik weet niet wie daar de meeste moeite mee had, hij of ik. Ik zette Gordy's oude secretaresse, Melanie, bij Trevor. Dat was misschien niet erg aardig voor haar – ze ging er in prestige flink op achteruit – maar ik wist dat ze hem in het oog zou houden, want ze mocht me graag. Bovendien was ze het gewend om voor klootzakken te werken. Zelf hield ik Franny, die al een eeuwigheid voor het bedrijf werkte en beter dan ieder ander wist hoe alles werkte.

Ten slotte zei ik tegen Kurt dat ik zijn hulp nu echt niet meer nodig had. Ik wilde zijn illegaal verworven kennis niet; ik wilde niet dat hij op die manier misbruik maakte van Bedrijfsbeveiliging.

Kurt reageerde met weinig woorden. Het was duidelijk dat hij zich gekwetst voelde, al was hij niet iemand die dat ooit zou zeggen.

Ik vertelde het hem op een vroege ochtend in de sportschool in Somerville, waar ik aan het gewichtheffen was en hij me daarbij hielp. 'Ik kan het niet riskeren,' zei ik. In de derde serie moest ik ophouden bij de zesde herhaling. Mijn armen trilden, mijn spieren weigerden dienst, en voor het eerst hielp hij me niet de serie af te maken. Hij hielp me ook niet met het gewicht. Hij keek gewoon toe terwijl ik verwoede pogingen deed het gewicht omhoog te duwen en terug te leggen.

Ik redde het niet en het gewicht viel op mijn borst. Ik kreunde. Toen pakte hij het op. 'Ben je bang dat je betrapt wordt?' zei hij. 'Is dat het?'

'Nee,' zei ik. 'Het is verkeerd. Het zit me helemaal niet lekker.'

'Moet je horen wie er opeens godsdienstig wordt.'

'Kom op,' zei ik. Ik ging rechtop zitten en voelde een stekende pijn in mijn ribbenkast wanneer ik inademde. 'Ik heb me er nooit goed bij gevoeld.'

'Maar je hebt me niet tegengehouden.'

'Alsof ik dat kon.'

'Niet toen je echt mijn hulp nodig had. Je hebt niet geweigerd Gordy's mailtjes aan Hardy te lezen, hè? En geloof me, er komen tijden dat je me opnieuw nodig hebt.'

'Misschien,' zei ik, 'maar dan zal ik het gewoon zonder jouw hulp moeten doen.'

'Je hebt me nu meer dan ooit nodig. Je bent verkoopdirecteur van een grote divisie van Entronics. Je kunt je geen verkeerde manoeuvres veroorloven. Je moet alles weten wat er gebeurt. VVO, noemen we dat.'

'VVO?'

'Vriend van Vijand Onderscheiden. Elementaire procedure. Want je wilt op je vijanden schieten en niet op je vrienden. Een van de dingen die je in het veld leert. Als je buiten de officiële frontlinies bent, is het soms moeilijk om je eigen mensen van de vijand te onderscheiden. Veel bedrijven werken met detectivebureaus die inlichtingen voor ze verzamelen, weet je.'

'Dat is niet hetzelfde.'

'Nee,' gaf hij toe. 'Ze zijn niet zo goed. Niet zo grondig. Je moet bijvoorbeeld weten wat Yoshi Tanaka werkelijk in zijn schild voert. Hij is hier de hoofdrolspeler. Hij is ongelooflijk machtig. Je moet weten waar hij staat.'

'Ik neem aan dat hij voor de top werkt, niet voor mij. Zijn loyaliteit gaat uit naar Tokio. Zolang ik dat in gedachten hou, kan me niets gebeuren.'

'En meer hoef je niet over Yoshi te weten, denk je? Als ik je nu eens vertelde dat ik een paar mailtjes heb onderschept die hij de laatste twee dagen naar Tokio heeft gestuurd? Versleuteld, natuurlijk – 512-bit *public-key*-encryptie – maar Bedrijfsbeveiliging moet een van de sleutels hebben. In het Japans geschreven, maar ik ken een Japans meisje. Vertel me dan nu dat je niet wilt weten wat hij over je schrijft.' Hij glimlachte.

Ik aarzelde, maar dat duurde niet lang. 'Nee,' zei ik. 'Dat wil ik niet weten.'

'En je vriendje Trevor?'

Ik schudde mijn hoofd. Ik kwam in de verleiding hem over Trevors verdenkingen te vertellen, maar besloot dat niet te doen. 'Nee,' zei ik. 'Niet meer.'

Zijn glimlach was nu een beetje cynisch. 'Zelf weten, baas.'

Dick Hardy nam vrij vaak contact met me op door me te bellen of te mailen. Ik voelde me een beetje als een tiener die een proefrijbewijs en de sleutels van pa's auto heeft gekregen, en pa kijkt elke avond of er een deuk in zit. Hij nam projecties voor het derde kwartaal door, wilde er zeker van zijn dat ze aan de targets voldeden, vroeg of ik ze een beetje kon opkrikken, wilde van elk groot project weten hoe het ermee gesteld was. Hij wilde er ook zeker van zijn dat ik mijn mannen genoeg op de huid zat.

'Je mag niet verslappen, nog geen seconde,' zei hij een paar keer door de telefoon. 'Het komt er nu op aan. Alles hangt hiervan af. Alles.'

Ik zei dat ik het begreep. Ik zei dat ik zijn vertrouwen in mij op prijs stelde en dat hij niet teleurgesteld zou zijn.

Ik wist niet of ik dat zelf geloofde.

Ik stond in de wc te pissen toen Trevor Allard binnenkwam. Hij knikte me toe en ging naar het urinoir helemaal aan het eind van de rij.

Hij wachtte tot ik als eerste iets zei, en ik wachtte op hem. Ik was nu zijn directe baas.

Ik wilde best beleefd tegen hem zijn, maar ik zou niet de eerste stap zetten. Dat was zijn taak. Hij moest zich maar een beetje uitsloven.

We keken allebei strak naar de muur, zoals mannen doen wanneer ze urineren. Wat dat betreft, zijn we net dieren.

Toen ik klaar was, ging ik mijn handen wassen, en toen ik ze had afgedroogd en een prop van de papieren handdoek had gemaakt, sprak Trevor me aan.

'Hoe gaat het, Jason?' Zijn stem galmde.

'Goed, Trevor,' zei ik. 'En met jou?'

'Prima.'

Ik was nu Jason, niet Steadman. Dat was een begin.

Hij maakte zijn rits dicht, waste zijn handen, droogde ze af. Toen keek hij me aan. Hij sprak zacht en snel: 'Brett Gleason is naar Bedrijfsbeveiliging gegaan. Hij vroeg daar om kopieën van de bewakingsbanden – de AVI-bestanden, om precies te zijn – van de avond en de dag voordat zijn computer crashte. En wat denk je dat ermee gebeurd is?'

'Waarom praten we hier nog over?' zei ik.

'Ze zijn weg, Jason. Gewist.'

Ik haalde mijn schouders op. 'Daar weet ik niets van.'

'Wil je raden wie de laatste was die toegang tot die bestanden had? Een paar weken geleden? Wiens naam denk je dat er in het register stond?'

Ik zei niets.

'Iemand van Bedrijfsbeveiliging, een zekere Kurt Semko. Onze pitcher. Jouw billenmaatje.'

Ik haalde mijn schouders op en schudde mijn hoofd.

'Weet je waar dit volgens mij op lijkt? Het lijkt erop dat je Bedrijfsbeveiliging misbruikt om wraak te nemen op mensen die je niet mag. Je gebruikt die kerel om het vuile werk voor je op te knappen, Jason.'

'Onzin. Volgens mij werkte Kurt hier nog niet eens toen Bretts computer crashte. En ik zou echt niet weten hoe ik een computer moet laten crashen. Je lult uit je nek.'

'Ja, het was vast wel heel moeilijk om Kurt hier binnen te krijgen voordat hij zijn personeelsbadge had. Als jij denkt dat je Bedrijfsbeveiliging als je persoonlijke gangsterbende kunt gebruiken, zit je er finaal naast.'

'Dat is belachelijk.'

'Veel van de jongens zien wel wat in jou. In je ongedwongen houding. Maar ik kijk dwars door je heen. Zoals toen ik twee dagen achterelkaar autopech had en daardoor de Pavilion-order misliep. Denk je dat ik dat er zomaar bij liet zitten? Denk je dat ik niet heb gebeld, me niet heb verontschuldigd, niet tegen ze heb gezegd wat er gebeurd was? En weet je wat ze tegen me zeiden?'

Ik zei niets.

'Ze zeiden dat ik ze vanaf een golfclub had gebeld. Dat ik ze in de maling nam en aan het golfen was. Nou, ik ken een lid van Myopia, en ik heb daar met wat mensen gepraat. En de vrouw die daar het winkeltje beheert, zei dat er die ochtend een kerel in een leren Harley-jasje was binnengekomen. Hij had gevraagd of hij de telefoon mocht gebruiken. Ongeveer op het moment dat Pavilion dat telefoontje kreeg. Ze herinnert zich dat omdat hij er niet uitzag als een lid.'

'Trevor, ik weet niet waar je het over hebt.'

'Natuurlijk niet. Hoe noemen ze dat – geloofwaardige ontkenning? Nou, let maar eens op, Jason. Er komt nog meer aan. Nog veel meer.'

38

Kate wilde mijn nieuwste promotie vieren. Deze keer wilde ze een etentje geven. Ze had een cateraar in de arm genomen die ook diners voor vrienden van haar had verzorgd.

Ik wilde deze promotie niet vieren. Daar waren de omstandigheden te onaangenaam voor. Maar blijkbaar was het belangrijk voor Kate. Ik denk dat ze haar vrienden wilde laten zien dat ik eindelijk succes had. En dus ging ik akkoord.

Als er een cateraar naar onze vorige keuken was gekomen om een diner klaar te maken, zou ze gillend zijn weggelopen zodra ze die keuken zag. Maar de keuken in ons huis in Hilliard Street was ruim en pas vernieuwd: de werkbladen waren niet van beton, maar van Franse tegels en de apparaten waren tamelijk modern. De cateraar en haar personeel, dat alleen uit vrouwen bestond, gingen aan het werk. Ze bereidden de gegrilde ossenhaas in gekruid bladerdeeg met cantharellen-maderasaus en de met moscovade geglaceerde wortelen.

Of misschien was het gegrilde ossenhaas in moscovadesaus en waren de wortelen met madera geglaceerd. Dat kan ook.

Intussen waren Kate en ik ons boven aan het verkleden. Ik had een half glas koude witte wijn voor haar meegebracht. Ze mocht graag een beetje wijn drinken voordat de mensen kwamen, en haar verloskundige had gezegd dat een beetje wijn geen kwaad kon. Kijk maar eens naar al die Franse en Italiaanse vrouwen die hun hele zwangerschap wijn blijven drinken, had hij gezegd. Met die Franse en Italiaanse kinderen is niets aan de hand. Als je buiten beschouwing laat dat ze geen Engels kunnen spreken.

Ze zat op oma Spencers chaise longue en keek naar me terwijl ik me uitkleedde. 'Weet je, je hebt een geweldig lichaam.'

'Probeer je me te versieren, vrouw?'

'Echt waar. Kijk eens hoe je bent afgeslankt. Je hebt borstspieren en deltaspieren en noem maar op. Je bent erg sexy.'

'Nou, dank je.'

'En zeg niet dat ik er ook geweldig uitzie. Ik ben dik. Ik heb dikke enkels.'

'De zwangerschap staat je goed. Je bent mooi.' En ja, je hebt nu dikke enkels, maar dat geeft niet. Ik kickte toch al nooit op enkels.

'Verheug je je op de baby?' Ze vroeg dat elke achtenveertig uur.

'Natuurlijk verheug ik me.' Ik was doodsbang. Ik zag ertegen op. Toen de baby alleen nog maar hypothetisch was, was niemand enthousiaster dan ik. Maar ik was verkoopdirecteur bij Entronics, en over vijf maanden zou ik een baby hebben en geen slaap meer krijgen, en ik wist niet hoe ik daardoorheen moest komen. Of misschien zat ik dan zonder werk, en wat dan?

'Ik ben bang,' zei ze. 'Ik ben heel bang.'

Ik ging naar haar toe en kuste haar. 'Natuurlijk. Ik ook. Er groeit iets in je wat ons leven overneemt zodra het eruit komt. Als een buitenaards wezentje.'

'Ik wou dat je dat niet had gezegd.'

'Sorry. Misschien is het zoiets als... zoiets als wanneer je boven Irak uit een C-141 Starlifter springt. Je weet niet of je parachute het doet en of je op weg naar beneden wordt doodgeschoten.'

'Ja, dat klinkt als Kurt,' zei ze.

Ik haalde beschaamd mijn schouders op. 'Hij heeft geweldige verhalen. Hij heeft heel bijzondere dingen gedaan.'

'Dingen die jij nooit zou willen doen.'

'Dat ook. En... dingen die hij niet zou moeten doen.'

'Hmm?'

'Hij leest bijvoorbeeld andermans e-mail door.'

'Van wie? Van jou?'

'Van Gordy.'

'Goed. Trouwens, ze zeggen dat je nooit iets in een e-mail moet zetten wat je niet op een ansichtkaart zou schrijven. Is het niet de bedoeling dat Bedrijfsbeveiliging het e-mailverkeer volgt?'

Ik knikte. 'Ja.'

'Hij is je erg trouw, Jason. Hij is een heel goede vriend voor je.'

'Misschien een té goede vriend.'

'Wat bedoel je daar nou weer mee? Hij zou alles voor je doen.'

Ik zweeg enkele ogenblikken. *Ja, 'alles', zeg dat wel.* De informatie die hij me over Brian Borque van Lockwood Hotels en over Jim Letasky had gegeven, lag op de grens van het aanvaardbare, vond ik. Ik had er geen goed gevoel bij. Maar wat hij met al die Panasonic-monitors had gedaan, was waanzin. Waarschijnlijk was het nog een vrij ernstig misdrijf ook, gezien de waarde van de apparatuur die hij had vernietigd. Erger nog, het gaf blijk van een vreemde, gewelddadige neiging, van doldriestheid. Hij was gevaarlijk.

En hoe zat het met Gordy's dronken tirade? Gordy had Kurt gevraagd hem de Talisker-fles te brengen. Had Kurt daar iets in gedaan?

Het zal die stomme lul berouwen dat hij je nog een keer heeft belazerd.

Nou, Kurt had gelijk. Gordy was van het toneel verdwenen.

Kurt had me hoger op de ladder gekregen, iets wat ik Kate nooit had willen vertellen. Maar nu had ik hem niet in de hand. Ik moest hem tegenhouden.

Trevor was aan het spitten, en na verloop van tijd zou hij kunnen bewijzen dat Kurt sommige van die dingen had gedaan. En dan zou ik er ook bij betrokken raken. Het zou mijn ondergang worden. Het einde van mijn carrière.

En dat kon ik me niet veroorloven. Niet met het huis, de hypotheek, de autobetalingen, een baby op komst.

Het was een verschrikkelijke fout van me geweest dat ik hem aan een baan had geholpen. Nu zou ik dat recht moeten zetten. Ik zou met Dennis Scanlon, Kurts baas, moeten praten. Ik zou Scanlon alles moeten vertellen.

Kurt moest worden ontslagen. Er was eigenlijk geen keus.

Ik haalde diep adem, vroeg me af hoeveel ik Kate kon vertellen.

Toen hield ze haar hoofd schuin. 'Ik geloof dat ik de bel hoor. Wil je naar beneden gaan om ze binnen te laten?'

39

De volgende morgen vloog ik met een van onze jongere verkopers, Wayne Fallon, naar Chicago voor een snelle ochtendbespreking over die grote ziekenhuisorder. In een vergaderkamer van het Chicago Presbyterian ontmoette ik de directeur Communicatie, een zekere Barry Ulasewicz. Hij ging over de mediadiensten van het ziekenhuis – alles van fotografie tot satellietverbindingen en hun eigen tv-studio. We hadden al maanden onderhandeld over prijzen en leveringsdata. Hij wilde 50-inch plasma's voor hun honderd operatiekamers, plasma's en projectors voor meer dan honderd vergaderkamers en nog een stel voor wachtkamers en hallen. Wayne was vooral meegekomen om te kijken hoe zoiets ging, en hij keek gefascineerd naar het steekspel tussen Ulasewicz en mij.

Ik mocht de man niet, maar dat deed er niet toe. Zolang hij mij maar mocht. En blijkbaar was dat het geval. We begonnen om tien uur in de morgen en praatten met een stoet van managers en techneuten. Zelfs de president-directeur van het ziekenhuis kwam me even de hand schudden.

Om een uur of één 's middags, toen ik me een uitgeknepen citroen voelde en dringend behoefte had aan lunch en cafeïne, haalde Ulasewicz plotseling een offerte tevoorschijn die hij van Royal Meister had gekregen. Die offerte was in alle opzichten hetzelfde, behalve de prijzen, die ongeveer tien procent lager lagen. Ik had hem de laagste prijzen gegeven die ik kon verantwoorden – de absolute bodem – en dit maakte me kwaad. Hij presenteerde de offerte met een theatraal gebaar, als een slechte auteur in een derderangs theatertje die Hercule Poirot of zoiets speelde.

En hij verwachtte dat ik zou bezwijken. Want ik was er maanden en maanden mee bezig geweest, en ik was naar Chicago gevlogen, en ik dacht dat het gesmeerd liep. Ik had gedacht dat de buit al bijna binnen was. Ulasewicz dacht dat ik op dit moment alles zou doen om de order te redden.

Maar hij besefte niet dat ik 'flow' had. Ik had eens op internet een artikel gelezen van iemand met een onuitsprekelijke naam. Het ging over iets wat hij 'flow' noemde. Dat is de manier waarop een schilder zozeer in zijn doek opgaat dat hij het besef van de tijd kwijtraakt. Zoals een musicus opgaat in het stuk dat hij speelt. Het overkomt ook sportlieden en chirurgen en schakers. Je verkeert in een staat van extase waarin alles samenkomt, je hebt het helemaal in je, je laat je meeslepen. Je synapsen worden overspoeld door de goede neurotransmitters.

Dat overkwam mij. Ik had het in me. Ik had 'flow'.

En ik deed dat in mijn eentje, zonder Kurts illegale trucjes.

Ik keek rustig naar de offerte van Royal Meister. Het zat vol met ingewikkelde, verborgen clausules en rookgordijnen. De leveringsdata waren schattingen. De prijzen konden veranderen door schommelingen in de euro. Ik wist niet wie dat contract had opgesteld, maar het was briljant.

Ik wees Ulasewicz daarop, en hij begon me tegen te spreken.

En toen stond ik op, schudde zijn hand en pakte mijn leren map op.

'Barry,' zei ik, 'we zullen niet meer van je tijd verspillen. Ik zie al waar dit heen gaat. Blijkbaar geef je de voorkeur aan de onzekere condities van Meister en vind je het niet erg dat ze een hoger uitvalpercentage hebben. Je vindt het niet erg dat je uiteindelijk waarschijnlijk meer gaat betalen voor een inferieur product dat je niet krijgt wanneer je het wilt hebben en dat niet wordt vervangen als er iets misgaat. En dat moet je zelf weten. Ik bedank je voor de aandacht die je Entronics hebt geschonken en wens je veel succes.'

En ik pakte onze contracten op en verliet de kamer. Ik ving nog een glimp op van Barry Ulasewicz' verbijsterde gezicht, dat bijna alles de moeite waard maakte. In de lift pakte Wayne me in paniek vast en zei: 'We zijn de order misgelopen. Het gaat niet door, Jason. Had je niet moeten onderhandelen? Dat wilde hij, denk ik.'

Ik schudde mijn hoofd. 'Wacht nou maar af,' zei ik.

Toen we in de parkeergarage waren, ging mijn mobieltje. Ik keek Wayne aan en glimlachte. Zijn paniek was overgegaan in grote bewondering.

Ik vloog met ondertekende exemplaren van het contract naar huis terug.

40

Ik ging regelrecht van het vliegveld naar kantoor.

Er zat een Hardygram in mijn e-mail – 'Geweldig werk in Chicago!' schreef Dick Hardy. Joan Tureck feliciteerde me ook, en dat was sportief van haar, gezien het feit dat ik haar te slim af was geweest.

Een beetje té sportief, vond ik. Misschien was het de sportiviteit van een overwinnaar.

Ik dacht erover om Dennis Scanlon een mailtje te sturen, maar deed het niet. Ik wist dat Kurt mijn e-mail en die van ieder ander kon lezen. Dat risico wilde ik niet nemen. In plaats daarvan belde ik Scanlon. Hij nam bijna meteen op en ik vroeg hem naar mijn kamer te komen.

Dennis Scanlon deed me altijd aan Pad uit *De wind in de wilgen* denken. Zijn overhemd en das zaten zo strak om zijn hals dat ik bang was dat zijn bloedsomloop werd afgeknepen en hij ter plekke van zijn stokje ging. Hij was zweterig, wilde het je altijd erg graag naar de zin maken en had een grappig spraakgebrek.

Ik zei dat ik hem in absoluut vertrouwen wilde spreken, en toen vertelde ik hem dat ik me zorgen maakte over een van zijn ondergeschikten, Kurt Semko.

'Maar... was jij niet degene die hem aanbeval?' zei hij.

'Eerlijk gezegd denk ik dat ik een fout heb gemaakt,' zei ik. 'Ik kende hem niet goed genoeg.'

Hij streek met zijn hand over zijn vochtige gezicht. 'Kun je me wat bijzonderheden geven? Over je twijfels, bedoel ik. Heeft hij je moeilijkheden bezorgd?'

Ik vouwde mijn handen en boog me naar voren. 'Ik heb klachten over Kurt gehoord van sommigen van mijn mensen. Kleine grappen die hij heeft uitgehaald. Pesterijen.'

'Grappen? Geen leuke grappen, neem ik dan aan.'

'Lelijke dingen. Destructieve dingen.'

'Kun je me bijzonderheden geven?'

Ik zou hem allerlei bijzonderheden kunnen geven. In veel gevallen waren het niet meer dan beschuldigingen. Maar wilde ik echt dat Scanlon onderzocht of Kurt met Brett Gleasons computer had geknoeid? Hoe ver wilde ik hiermee gaan? Moest ik Scanlon vertellen over alle mailtjes die Kurt had bekeken?

Nee. Dat zou een boemerangeffect op mijzelf hebben. Kurt zou zich verzetten. Misschien zou hij zelfs zeggen dat ik hem had gevraagd me aan informatie te helpen. Per slot van rekening had ik er voordeel van gehad, niet hij. Dat risico kon ik niet nemen.

'Ik weet niet alle bijzonderheden,' zei ik. 'Maar ik heb sterk het gevoel – en nogmaals, het is van het grootste belang dat dit gesprek strikt vertrouwelijk blijft – dat Kurt moet vertrekken.'

Scanlon knikte een hele tijd. 'Ben je bereid een klachtenrapport in te dienen?'

Ik aarzelde, eventjes maar. 'Niet met mijn naam erop, nee. Ik denk dat het dan te gecompliceerd zou worden. Vooral omdat ik hem in eerste instantie bij vergissing heb aanbevolen.'

Hij knikte nog een tijdje. 'Ik kan hem niet zonder reden ontslaan. Dat weet je. Je moet een officiële klacht indienen. Zouden medewerkers van jou dan bereid zijn een klacht in te dienen?'

'Ik vraag het hun liever niet. Bovendien denk ik niet dat iemand zijn nek zou willen uitsteken. Daar heb je vast wel begrip voor.'

'Je klinkt alsof je iets weet.'

'Ik heb dingen gehoord, ja.'

'Hij zegt dat jij en hij goede vrienden zijn.'

'Het is gecompliceerd.'

'Luister eens, Jason. Kurt is een van de beste mensen die ik ooit in dienst heb gehad. De man kan alles.'

'Ik begrijp het.'

'Ik wil hem niet kwijt, maar ik wil ook niet dat medewerkers van mij moeilijkheden veroorzaken. Daarom zal ik me hierin verdiepen.'

'Meer vraag ik niet,' zei ik.

Ik belde Kate op haar werk en kreeg te horen dat ze die dag vrij had genomen. Ik belde haar thuis, en ze werd wakker van de telefoon.

'Heb je nog krampen?' zei ik.

'Ja. Het leek me beter om thuis te blijven.'

'Wat zei DiMarco?'

'Dat ik moet gaan liggen tot ze voorbij zijn.'

'Is het... iets? Iets ernstigs?'

'Nee,' zei ze. 'Hij zegt dat het normaal is. Ik moet kalm aan doen.'

'Goed idee. Ik wilde je eraan herinneren dat ik vanavond een zakendiner heb.'

'O ja. Die ziekenhuismensen?'

'Van het vliegveld. Atlanta. Maar dat maakt niet uit.'

'Een vliegveld Atlanta in Boston? Dat begrijp ik niet.'

'Het is saai,' zei ik. 'Een beurs.'

Het was de grote Informatieschermenbeurs in het Bayside Expo Center. Gelukkig hoefde ik niet op die beurs te werken – het was vast een regelrechte giller – maar sommigen van mijn verkopers waren er wel. Toen ik hoorde dat de mensen uit Atlanta voor de beurs naar de stad waren gekomen, nodigde ik ze uit voor een diner. Ik zei tegen hen dat het een geweldige gelegenheid zou zijn om onze overeenkomst te 'vieren'. Vertaling: ik wilde proberen de kolossale Atlanta-order binnen te halen.

Je kunt altijd hopen.

'Waar ga je met ze heen?'

'Ik weet de naam niet. Een gerenommeerd restaurant in het South End waar Franny van houdt. Maar ik heb mijn mobieltje bij me, voor het geval je me moet bereiken.'

'Ik zal je niet lastigvallen.'

'Als er een probleem is, moet je niet aarzelen, schat.'

Ik hing op en zag toen dat Kurt in de deuropening van mijn kamer stond.

'Je was vanmorgen niet in de sportschool,' zei Kurt.

'Ik had al heel vroeg een vlucht naar Chicago.'

'Je hebt met Scanlon gepraat.'

Ik knikte. 'Een onderzoek dat Personeelszaken niet kon instellen.'

'Je kunt het altijd aan mij vragen, weet je.'

'Het leek me beter om zakelijke dingen van persoonlijke dingen gescheiden te houden.'

'Dat vind ik een goed idee.' Hij sloot de deur. 'Als je problemen hebt met mijn werk, kun je dat beter met mij opnemen. Niet met mijn baas.'

Ik slikte. 'Ik heb geen problemen met je werk.'

'O nee? Waarom probeer je me dan ontslagen te krijgen?'

Ik keek hem enkele seconden aan. 'Waarom zeg je dat?'

Hij kwam verder mijn kamer in. Stond nu recht voor mijn bureau. 'Ik stel voor dat je – *en ik heb sterk het gevoel...*' Zijn wenkbrauwen gingen omhoog, en hij begon overdreven te praten. '*En nogmaals, het is van het gróótste belang dat dit gesprek strikt vertrouwelijk blijft...*' Hij glimlachte. 'Ik stel dus voor dat als je problemen met mij hebt je met mijzelf gaat praten. *Mano a mano*. Doe het niet achter mijn rug om. Want ik kom erachter. En dan krijg je er spijt van.' Hij keek me met een ijzige blik aan. 'Is dat duidelijk?'

Ik was diep geschokt. Hij wist woord voor woord wat ik tegen Scanlon had gezegd.

Ik wist niet hoe, maar blijkbaar had hij afluisterapparatuur in mijn kamer aangebracht. Hij bezat daar de technologie voor.

Nu vroeg ik me af wat hij me nog meer in mijn kamer had horen zeggen. Ik had eerst gedacht dat Scanlon indiscreet was geweest en iets tegen Kurt had gezegd, maar nu besefte ik dat Kurt het niet uit de tweede hand hoefde te horen.

En nu hij wist dat ik hem ontslagen wilde krijgen, zou het niet goed meer tussen ons komen. Het zou nooit meer worden zoals het geweest was.

Toen ik naar South End reed, ging mijn telefoon. Ik was in mijn slechte gewoonte vervallen om de mobiele telefoon in de auto te gebruiken, maar ik had geen keus. Ik moest te allen tijde bereikbaar zijn.

Het was Dick Hardy. 'Wat is je inschatting van de Atlanta-order?' zei hij.

'Ik heb er een goed gevoel bij.'

'Dan heb ik er ook een goed gevoel bij. Als het doorgaat, betekent het iets. Het zou de divisie kunnen redden.'

'Ik kan alleen maar mijn best doen.'

'Ik reken erop, Jason. Alles hangt hiervan af. Alles.'

Ik gaf mijn sleutels aan de parkeerbediende en ging met een nonchalante grijns het restaurant in. Jammer genoeg was het een van die restaurants met een open keuken. Daar voelde ik me nooit op mijn gemak, misschien omdat ik onbewust bang was dat ik na het eten de afwas zou moeten doen.

Jim Letasky zat al aan de tafel. Hij bestudeerde een dossier. We waren een kwartier te vroeg. Ik had Jim Letasky uitgenodigd mee te eten, want ik wilde hem bij mijn grootste project betrekken. Ik had een topverkoper als hij nodig. Hij had een tafel geregeld die ver van andere mensen vandaan stond, en hij had de ober al met een fooi verteld dat we zoveel mogelijk met rust gelaten wilden worden, omdat het een zakelijk diner was.

Ik had nog een ander motief, maar hij was slim en was daar zelf al achter gekomen.

'Ik weet waarom je me hier wilde hebben,' zei hij.

'Afgezien van het feit dat je geweldig goed in je werk bent.'

'Je bent bang dat NEC onze grote concurrent is.'

'Wie, ik?'

'Ik heb negen jaar aan de wereld verkondigd dat de producten van NEC veel beter zijn dan die van alle anderen, en nu...'

'Nu heb je het licht gezien.'

'Het zit me dwars, weet je.'

'Niet te dwars, hoop ik.'

'Niet té dwars. Per slot van rekening is het oorlog.'

'Dat is de juiste houding.' Ik keek lusteloos in de wijnlijst en vroeg me af welke wijnen ik moest bestellen. Met mijn Queeg-memo had ik alle Entronics-verkopers opgedragen om op een diner met een klant altijd zelf de wijn te bestellen en dat niet aan de klant over te laten.

'Maar hoor eens, Jason. Volgens mij is NEC in dit geval niet de concurrentie.'

'Je gaat me toch niet vertellen dat we het weer tegen Royal Meister moeten opnemen?'

Hij schudde zijn hoofd en perste wat citroensap in zijn Pellegrinowater. 'Ik heb me in de website van het internationale vliegveld Hartsfield-Jackson Atlanta verdiept. Er is daar in Atlanta een bedrijf dat AirView Systems heet.'

Ik knikte. 'Ik heb de financieel directeur op de TechComm ontmoet. Een zekere Steve Bingham.' Ik herinnerde me het zilvergrijze haar en de ogen diep in hun kassen.

'De grootste leverancier van displaysystemen voor vluchtinformatie. De vorige keer hebben zij het systeem voor de luchthaven geïnstalleerd. Mijn grote vraag is: waarom gaat de luchthaven niet opnieuw met ze in zee? Waarom willen ze opeens van paard wisselen?'

'Misschien was dat paard te duur.'

'AirView heeft ze net een stel draagbare led-borden verkocht.'

'Dat is nieuw voor mij. Ik weet alleen dat ze keihard onderhandelen.'

'Je hebt rechtstreeks met Duffy onderhandeld, nietwaar?'

'Jij doet je huiswerk,' zei ik. Tom Duffy was de general manager van de luchthaven. De grote baas. Lorna Evers, onze andere dinergast, was waarnemend hoofd inkoop van de gemeente Atlanta. Ze ging over de luchthaven.

'De werkdag begint op de avond ervoor.'

Ik glimlachte. 'Duffy neemt de beslissingen. Ik heb Lorna nooit ontmoet, maar ze voert alleen maar beslissingen van anderen uit.'

'Ze komen toch niet alleen voor een gratis diner, hè?'

'Ik denk dat ze tot overeenstemming willen komen.'

'Dat weet ik nog zo net niet.'

'Niet zo negatief denken,' zei ik, en toen zag ik onze twee dinergasten het restaurant binnenkomen. 'Laten we gehakt van ze maken, Letasky.'

Lorna Evers was een blonde vrouw met een grote boezem. Ze kon begin vijftig zijn, maar ook in de veertig, als ze zwaar geleefd had. Blijkbaar had ze aan haar gezicht laten sleutelen: haar ogen vertoonden een lichtelijk scheve Aziatische stand. Ze had cosmetisch vergrote lippen, alsof ze door bijen was gestoken – een vissenbek, noemen ze dat, geloof ik. Haar gezicht was een diep gebruind masker. Als ze glimlachte, bewogen alleen haar bolle lippen. Iemand had overdreven met botox en collageeninjecties.

'Dus jij bent de nieuwe Gordy,' zei ze, en ze trok de doek van goudkleurige zijde om haar hals recht.

'Dat zou je kunnen zeggen.'

'Geef deze man geen whisky,' zei ze, en ze legde haar hoofd in haar nek en lachte hard en rauw met open mond. Haar ogen bewogen niet.

Tom Duffy was een vriendelijke, zwaargebouwde man met een rond gezicht, een dubbele kin en gemillimeterd grijs haar. Hij droeg een vlinderstrikje en een wijde marineblauwe blazer. Hij lachte zachtjes.

'Leuk je te ontmoeten,' zei Lorna, en ze stak haar hand uit. Haar nagels waren roze en gevaarlijk lang. 'Er is de laatste tijd nogal veel verloop bij Entronics, hoor ik.'

'Ik ben net van NEC naar Entronics overgegaan,' zei Letasky. 'Het leek me tijd worden om voor het kampioensteam te kiezen.'

Punt gescoord door Letasky. Geef die man opslag.

'Ik heb het over ontslagen,' zei ze, terwijl ze ging zitten. Ik schoof haar stoel voor haar aan. Niet dat ik zo'n heer ben, maar ik wilde dat ze vanaf haar plaats geen oogcontact met Duffy kon leggen zonder dat wij het zagen. Een elementaire verkooptruc. Duffy zat ook op de plaats waar we hem wilden hebben. 'Zijn jullie er volgend jaar nog?'

'Entronics is opgericht in 1902,' zei ik. 'Toen heette het nog Osaka Telephone and Telegraph. Ik denk dat het bedrijf nog bestaat als wij er allang niet meer zijn.'

'Is het waar dat nog niet zo lang geleden iemand zelfmoord heeft gepleegd bij jullie?'

'Een tragedie,' zei ik. 'Phil Rifkin was een van onze beste medewerkers.'

'Entronics moet wel een werkplek met veel stress zijn,' zei ze.

'Helemaal niet,' loog ik. 'Je weet gewoon nooit wat er in iemands privéleven gebeurt.'

'Nou, ik zal je vertellen wat er in míjn privéleven gebeurt,' zei Lorna. 'Dorst. Ik heb een glas wijn nodig.'

'Laten we bestellen,' zei ik, en ik stak mijn hand uit naar de lange, in leer gebonden wijnkaart.

Maar Lorna was sneller. Ze pakte het menu – er was er jammer genoeg maar één – en klapte het open.

'Op zo'n warme avond heb ik graag een lekker frisse wijn,' zei Duffy.

Lorna tuurde door haar zwarte leesbril naar de lijst. 'En ik dacht aan een Pauillac. Wat zeggen jullie van de Lafite Rothschild?'

Mijn mond viel bijna open van schrik. Dat was vierhonderd dollar per fles, en deze vrouw zag eruit alsof ze heel wat kon verstouwen.

'Goed idee,' zei Letasky. Met een snelle blik liet hij me weten dat we niet op de wijnrekening moesten kijken, want we gingen miljoenen aan deze order verdienen.

Lorna liet de ober komen en bestelde de Pauillac, een dure Montrachet voor Duffy en twee flessen Pellegrino voor de tafel.

'Dus het vliegveld van Atlanta is een van de drukste in het land,' zei Letasky.

'Zelfs het drukste vliegveld ter wereld,' zei Duffy.

'Niet O'Hare?'

'Nee. En dat kunnen we bewijzen met vluchtgegevens. We hebben dit jaar van januari tot juni dertienduizend vluchten meer gehad dan O'Hare. We verwerken drie miljoen meer passagiers.'

Lorna's mobieltje ging. Ze nam op en begon luid te praten. Een ober kwam naar haar toe en fluisterde in haar oor, en ze keek hem kwaad aan en klapte het apparaatje toen met zichtbare ergernis dicht.

'Ze staan erop dat alle gasten hun mobieltje uitzetten,' zei ze. 'Alsof iemand hier een mobiele telefoon kan horen afgaan. Ik word dóóf.'

Ik deed mijn best om mijn mobieltje op een subtiele manier uit te zetten.

Na het diner – Lorna bestelde kreeft met truffels, het duurste gerecht van het menu natuurlijk, en Duffy een kipgerecht – excuseerde ik me om naar de wc te gaan.

Een minuut of zo later kwam Letasky daar bij me.

'Op het gevaar af een open deur in te trappen,' zei hij, staande voor het andere urinoir, 'ik denk dat Tom Duffy zijn ballen kwijt is.'

'Weet je wat een "tell" is bij pokeren?'

'Ja. Hoezo?'

'Mensen volgen lessen om de gezichten van anderen te kunnen lezen,' zei ik. 'En weet je wat?'

'Nou?'

'Die lessen heb je niet nodig om te zien dat Duffy alles nadoet wat zij doet. Zij neemt de beslissingen. Niet Duffy.'

'Denk je dat ze met elkaar naar bed gaan of zoiets?'

'Welnee. Dat kan ik zien.'

'Ik heb vreemdere stellen gezien. Dit gaat niet goed, dit diner.'

'We worden aan het lijntje gehouden,' zei ik. 'Door die vrouw ligt het opeens allemaal anders. Ik had Duffy aan de haak, totdat zij kwam opdagen.'

'Denk je dat ze een andere kandidaat heeft?'

'Ik zal je dit vertellen: ze luisterde naar geen woord dat ik zei.'

'Ze knikte veel toen je praatte.'

'Dat doen vrouwen. Ze knikken om te laten zien dat ze luisteren. Het zegt niets.'

'Je hebt gelijk. Denk je dat het tijd wordt voor een beetje crisisdiplomatie?' Ik had hem over Chicago verteld.

'Nee,' zei ik. 'Ze voelt niets voor ons. Als we van tafel opstaan, gaat de order naar Hitachi of weet ik veel.'

'AirView Systems.'

De deur van de toiletten ging open en Duffy kwam binnen.
'Ga je gang,' zei ik, en ik liep naar de wasbak.

Toen het diner voorbij was, waren alle mogelijke gespreksonderwerpen aan de orde gekomen, behalve borden voor vluchtinformatie. We hadden drie flessen Pauillac soldaat gemaakt en Lorna had zich geweldig geamuseerd. In stilte vervloekte ik haar onbewogen gezicht.

We namen afscheid, en ik kreeg mijn auto van de parkeerbediende, drukte mijn telefoon in de handsfreehouder en zette hem aan.

Er waren zes voicemailberichten.

Kates stem was zwak. 'Jason, ik... ik bloed.'

Ik werd helemaal koud.

De volgende vier berichten waren ook van Kate. Ze klonk steeds zwakker en wanhopiger. Er was veel bloed, zei ze. Ze had hulp nodig.

'Waar ben je?' zei ze. 'Wil je me terugbellen? Alsjeblieft.'

Het zesde bericht was een mannenstem. Kurt.

'Jason,' zei hij, 'ik ben met Kate op de spoedgevallenafdeling van het Children's Hospital. Ik ben daar net met haar heen gereden. Bel me op mijn mobieltje. Of kom hierheen. Onmiddellijk.'

41

Ik stormde de spoedgevallenafdeling in en zag Kurt met een ijzig gezicht in de wachtkamer zitten.

'Waar is ze?' zei ik.

'Traumakamer.' Hij wees ergens heen. 'Het gaat goed met haar. Ze heeft veel bloed verloren.'

Het grote diner lag zwaar in mijn maag. De wazigheid van al die wijn was weg, had plaatsgemaakt voor angst en adrenaline.

'Zijn we de baby kwijt?' Ik kon niet geloven dat ik die woorden uitsprak.

Hij schudde zijn hoofd. 'Praat maar met de zuster. Ik denk dat het goed komt.'

'Goddank.'

Hij keek me fel aan. 'Waarom zei je niet tegen haar waar je was?'

'Ik...' begon ik. Wat, ik wist de naam van het restaurant niet? 'Ze heeft het nummer van mijn mobieltje.'

'Ja, en je had het aan moeten laten. Je hebt een zwangere vrouw, jezus nog aan toe. Je gaat dineren en zet je telefoon uit omdat je een órder niet wilt mislopen? Dat is niet goed, man.' Hij schudde zijn hoofd.

Er kwamen allerlei tegenstrijdige emoties in me op. Dankbaarheid omdat hij haar hierheen had gebracht. Woede omdat hij me de les las – waar haalde hij het recht vandaan om zich zo rechtschapen op te stellen? Een enorm schuldgevoel. Opluchting omdat het goed met Kate ging. Opluchting omdat we de baby niet hadden verloren. 'Ik moest het uitzetten.'

'Je mag blij zijn dat ik er was.'

'Ze belde jou?'

'Ik belde naar jullie huis. Maar goed ook.'

'Meneer Steadman?' Een zuster van de spoedgevallenafdeling kwam naar Kurt toe. Ze droeg een blauw ok-pak en had zilvergrijs haar en heldere blauwe ogen. Ze leek achter in de vijftig en straalde een geruststellend gezag uit. 'Het gaat goed met uw vrouw. Ze kwam met bloedarmoede binnen, maar we vervangen het bloed dat ze heeft verloren.'

'Ik ben haar man,' zei ik.

'O.' De zuster keek me aan. 'Sorry. Ze is... zestien weken zwanger?'

'Ja.' Ik merkte dat ze niet in de verleden tijd had gesproken. Ze ís zwanger. Niet wás.

'Wilt u liever onder vier ogen met me spreken, meneer Steadman?'

'Nee, dat hoeft niet.' Ik keek even naar Kurt. 'Hij is een vriend.'

'Goed. Ze heeft iets wat placenta previa heet. De placenta bedekt de baarmoederhals. Moet ik het uitleggen?' Ze sprak met een kalme, bijna hypnotische stem. Ze had een Bostons arbeidersaccent, klonk als mijn moeder.

'Ik denk dat ik het begrijp,' zei ik.

'Haar zwangerschap wordt als zeer riskant beschouwd. Ze zal een paar dagen in het ziekenhuis moeten blijven, op de kraamafdeling voor zeer riskante gevallen, en daarna moet ze de rest van de zwangerschap het bed houden. Ze zal zoveel mogelijk op haar zij moeten liggen en ondersteken moeten gebruiken. Na een tijdje kan ze rechtop zitten en nu en dan in de auto zitten. Maar ze mag zich niet inspannen. Er is het risico van een voortijdige bevalling. In dit stadium van de zwangerschap zou de foetus het niet halen.'

'Wat is het risico voor mijn vrouw?'

'Niet meer dan tien procent van de vrouwen bij wie placenta previa is vastgesteld heeft het nog als ze bevallen. Er is een vrij grote kans dat de placenta uit zichzelf van de baarmoederhals vandaan gaat. Waarschijnlijk komt het goed met haar.' De zuster kruiste haar vingers.

De foetus. Het was een baby, verdomme. 'Hoe gaat het met de baby?'

'De foetale hartslag is normaal. Dat betekent dat de foetus niet te lijden heeft gehad van al het bloedverlies.'

Ik knikte.

'Had ze al eerder krampen? Bloedingen?'

'Ik geloof niet dat er bloedingen waren. Maar ze had wel krampen.'

'Is ze naar haar gynaecoloog geweest?'

'Die zei dat ze kalm aan moet doen.'

'O. Wanneer hebt u voor het laatst geslachtsgemeenschap gehad?'

Het is dom, maar ik was me ervan bewust dat Kurt naar me keek. Belachelijk dat ik me op een moment als dit nog druk om zoiets maakte. 'Een tijdje geleden,' zei ik. 'Een maand of zo. Mag ik naar haar toe?'

Kurt bleef in de wachtkamer toen ik naar Kate ging.

Ze was bleek, met wallen onder haar ogen, en keek verdrietig. Ze lag aan twee infusen, een met bloed en een met een heldere vloeistof, en ook aan een hartmonitor en een foetusmonitor.

'Schat,' zei ik. Ik legde mijn hand op haar voorhoofd, streelde haar gezicht, haar haar. 'Hoe voel je je?'

'Moe. Ik was bijna bewusteloos. Er was overal bloed.'

Ik knikte. 'Ze zeiden dat het goed met je komt. Het komt goed met de baby.'

'Er was hier een arts die zei dat ik hier een tijdje moet blijven.'

'Een paar dagen maar.'

'Ik moet in bed blijven tot aan de bevalling.'

'Dat weet ik. Maar het gaat goed met je, en het gaat goed met de baby.'

'Dat betekent dat ik vervroegd aan mijn zwangerschapsverlof begin.'

'De stichting zal zich zonder jou moeten redden.'

'Ik vrees van wel.' Ze glimlachte een beetje, een poging tot een grapje.

'Het spijt me dat ik mijn mobieltje uit had. Dat moest van het restaurant, maar ik had het toch aan moeten laten of zoiets. Of ik had je moeten bellen om het nummer van het restaurant door te geven.'

'Het geeft niet. Ik belde Claudia, maar die is in New York, en ik belde Sally en Amy, en ik kon geen van hen bereiken, en toen ik op het punt stond een ambulance te laten komen, belde Kurt, goddank.'

'Goddank.'

'Wat een goede vriend is die man, hè?'

Geen betere vriend, had hij gezegd. *Geen ergere vijand.*

Ik knikte, maar zei niets.

42

IK LAG DIE nacht op een bank in Kates ziekenhuiskamer. De volgende morgen was ik moe en had ik overal pijn. Ik reed naar huis om wat spullen op te halen die ze wilde hebben en bracht ze naar het ziekenhuis. Pas om twaalf uur kwam ik op kantoor.

Jim Letasky had een bericht op mijn mobiele nummer ingesproken, maar toen ik hem op kantoor en op zijn mobiele nummer terugbelde, nam hij niet op. Ik belde Festino en vroeg hem Letasky voor me te zoeken. Festino zei dat Letasky ergens heen was voor een presentatie maar dat hij me over iets belangrijks wilde spreken.

Toen ik op kantoor kwam, keek ik naar mijn e-mail terwijl ik naar mijn voicemail luisterde, en het verbaasde me een bericht van Kurt te horen.

'Hé,' zei hij. 'Wil je me het laatste nieuws over Kate laten weten?'

Zo langzamerhand wist ik absoluut niet meer wat ik van Kurt moest denken. Ik was hem enorm veel dank verschuldigd omdat hij Kate naar het ziekenhuis had gebracht, maar dat veranderde niets aan mijn gevoelens voor hem of aan mijn plannen met hem. Hij moest weg bij de firma. Toch begon ik het gevoel te krijgen dat hij iets beters verdiende dan dat ik weer achter zijn rug om probeerde hem ontslagen te krijgen. Op zijn allerminst verdiende hij het om het persoonlijk te horen te krijgen. Scanlon had niet teruggebeld en ik geloofde niet dat hij serieus had onderzocht of hij Kurt moest ontslaan.

Daarom besloot ik Kurt van man tot man te vertellen dat hij weg moest bij Entronics. Ik zou hem helpen ergens anders een goede baan te vinden. Zijn carrière bij Entronics was voorbij.

Net toen ik Kurt wilde bellen, ging de telefoon.

'Hoe gaat het met haar?' zei Kurt.

'Beter. Ze ligt nog aan de infusen.'

'Ik had je niet moeten verwijten dat je je mobieltje niet opnam,' zei hij.

'Nee, je had gelijk. Ik had het niet moeten uitzetten. Of dat nu verplicht was of niet. En Kurt... ik heb je nooit bedankt.'

'Dat hoeft niet.'

'Nou, bedankt, man. Ik sta bij je in het krijt.'

'Hou je de score bij?'

Telkens wanneer ik de kans kreeg, zocht ik op internet naar 'placenta previa'. Op sommige websites kreeg je de indruk dat het niet veel voorstelde. Andere beschreven het als iets afschuwelijks. Ik wist niet wat ik moest geloven.

Letasky verscheen in mijn deuropening, gekleed in pak met das.

'Je hebt je browser openstaan?'

'Ja?'

'Ga naar de website van de gemeente Atlanta.'

Ik typte het webadres in.

'Ga nu naar Afdelingen, en dan naar Inkoop. Heb je dat?'

'Wat is er, Jim? Ga je me kwellen?'

'Nee, ik wil dat je het ziet. Zie je "luchtvaart rfp's/offertes"?'

Het verscheen op het scherm. De order waarvan ik dacht dat hij voor ons was. Met rode letters stond daar: AIRVIEW SYSTEMS BLIJKBAAR LAAGSTE BIEDER, en ORDER BINNENKORT TOEGEKEND. De naam van de contactpersoon was Lorna Evers.

Ik voelde me beroerd. 'Shit. Je bedoelt dat die schoften zich door ons uit eten laten nemen en dat dit al die tijd op hun website stond?'

'Het kwam er vanmorgen op.'

Ik liet me in mijn stoel wegzakken. 'Verdomme. We hadden die order nodig. Ik dacht dat we hem hadden.'

'Je maakt geen kans,' zei Letasky. 'Wij maakten geen kans. Het was doorgestoken kaart.'

Het was doorgestoken kaart. De favoriete klacht van elke verkoper. Samen met *Ze belden me niet terug.* 'Je hebt geen idee hoe dringend we die order nodig hadden. Dus nu is het uit? Het gaat niet door?'

'Officieel en formeel is het nog niet rond. Het is "in overweging". Dat betekent dat er alleen nog handtekeningen gezet moeten worden op de hoogste niveaus. Maar ja, blijkbaar is de zaak beklonken.'

'We hebben het geprobeerd,' zei ik. 'We hebben ons best gedaan.'

'Dat is niet altijd goed genoeg,' zei Letasky.

Er verscheen een e-mail van Dick Hardy op mijn scherm. Het onderwerp was: ATLANTA. Het bericht bestond maar uit één woord: 'Nou?'

Ik mailde terug: 'Werk er nog aan. Niet optimistisch.'

Op weg naar de deur bleef Letasky even staan en draaide zich om. 'O ja. Trevor heeft me uitgenodigd om op donderdagavonden met hem te basketballen, en als Gail het goedvindt, ga ik dat waarschijnlijk doen.'

'Oké,' zei ik. Ik wist niet waar hij op doelde.

'Ik wilde het je even laten weten. Het is niet zo dat ik partij kies of zoiets.'

'Partij? Trevor is mijn plaatsvervanger. We staan niet tegenover elkaar.'

'Goed.' Letasky knikte toegeeflijk. 'Alleen... Nou, weet je, misschien gaat het me niet aan, en misschien moet ik mijn mond houden, omdat ik hier nieuw ben en zo. Maar, nou, heeft iemand je ooit verteld dat Trevor soms... dingen over jou zegt?'

'Ik vind het jammer dat te horen.'

'Niet altijd zulke leuke dingen. Het is soms kwaadsprekerij. Hij zegt dat je meedogenloos kunt zijn – dat je je rivalen dingen aandoet.'

Ik schudde mijn hoofd en glimlachte triest.

'Ik vond dat je het moest weten,' zei hij.

'Nou, dat is dan jammer. Maar ik stel het op prijs dat je het me vertelt.'

Toen Letasky weg was, staarde ik een hele tijd naar de website van de gemeente Atlanta. Toen pakte ik de telefoon en belde Kurt.

'Ik heb je hulp nodig,' zei ik. *Lieve help*, dacht ik, *nu ga je het pas écht goed verknoeien*. 'Nog één keer.'

43

In het ziekenhuis hoorden we die avond dat Kate de volgende morgen naar huis mocht. Dat vond ik prima, want na die nachten op de zachte bank in haar kamer had ik dringende behoefte aan fysiotherapeutische behandeling. Ik zei tegen Kate dat ik een particuliere verpleegster in dienst wilde nemen om haar thuis te helpen, omdat ze zo weinig mogelijk uit bed mocht, maar ze zei dat ik niet zo belachelijk moest doen, ze had geen verpleegster nodig.

Ze keek me vanuit haar ooghoek aan. 'Susie wil op bezoek komen. Je weet wel, om er zeker van te zijn dat het goed met me gaat.'

Ik knikte. 'Goed. Ik wil niet dat je alleen thuis bent.'

'Ze komt overvliegen van Nantucket.' Zoals gewoonlijk hadden Craig en Susie voor de maanden augustus en september een huis op Nantucket gehuurd.

'Het zal leuk zijn Susie en Ethan weer te zien,' zei ik. Vooral Ethan. 'Dat geldt niet voor Craig.' Jezus, dacht ik, bestond er geen wettelijk maximum voor het aantal keren dat ik Craig moest ontmoeten?

'Craig komt niet. Hij is weer in Los Angeles. Ze neemt Ethan mee. Het zou goed voor Ethan zijn als hij meer tijd met jou doorbracht.'

'Het zou goed voor Ethan zijn als hij bij die mensen werd weggehaald en in een pleeggezin kwam.'

'Jason.'

'Ik heb trouwens niet veel tijd om bij hem te zijn. Dat weet je.'

'Ik weet het.'

'Nou, ik ben blij dat ze komt.' Zonder Craig.

Toen ik bijna sliep, belde Kurt me op mijn mobieltje.

'Hoe lang duurt die beurs nog?' vroeg hij.

'Die in het Bayside?

'Ja. Die waar je vrienden uit Atlanta heen gaan.'

'Nog twee dagen. Hoezo?'

'Ik heb iets interessants ontdekt. Een ex-Special Forces-man in

Marietta, Georgia, die bij me in het krijt staat, kent mensen in Atlanta.'

'In welk opzicht interessant?'

'Daar praten we morgenvroeg over, als ik concrete informatie heb.'

De volgende morgen deden ze een punctie bij Kate om er zeker van te zijn dat alles goed ging. De zuster vroeg ons of we het geslacht van de baby wilden weten en Kate zei vlug nee. De zuster zei dat ze ons de resultaten zouden sturen zonder het geslacht te vermelden.

Toen regelde ik Kates ontslag uit het ziekenhuis. Een van de zusters reed haar in een rolstoel naar de hoofdingang en ik bracht haar met de auto naar huis. Ik sloeg mijn ochtendtraining over en was in plaats daarvan een paar uur lang een goede echtgenoot. Ik installeerde haar in bed met een ondersteek, zodat ze niet hoefde op te staan om naar de wc te gaan. Ik zorgde ervoor dat ze de telefoon en de afstandsbediening van de tv binnen handbereik op het nachtkastje had liggen. Ik installeerde ook een draadloze internetverbinding, wat niet zo moeilijk was als ik had gedacht, zodat ze haar laptop in bed kon gebruiken, liggend op haar zij. Verder legde ik een stapel boeken op het nachtkastje. Het jaar daarvoor had ik haar een gebonden serie Russische romans in een 'geweldige nieuwe vertaling', zoals Kate het noemde, als kerstcadeau gegeven. *Anna Karenina, De gebroeders Karamazov, Schuld en boete, De dubbelganger* en *De speler*, en nog wat meer. Een van die boeken was een Oprah Book Club-selectie geweest. Het was natuurlijk haar eigen idee geweest; voor mij zou het nog erger zijn dan sokken voor Kerstmis krijgen. Ze had het er vaak over dat ze graag de tijd zou willen hebben om alles van Dostojevski te lezen. Nu had ze de kans. Ze had zich gretig op *De gebroeders Karamazov* gestort.

Ik kwam laat op kantoor en tussen mijn vele voicemailberichten zat er een van Kurt, die me voor de lunch uitnodigde. Ik belde hem terug en zei: 'Dank je, man, maar ik neem alleen een broodje aan mijn bureau. Je kent dat wel, kruimels in het toetsenbord...'

'Ik heb in een heel goed Japans restaurant in Boston gereserveerd,' onderbrak Kurt me. 'Om één uur.'

Ik wist niet eens dat Kurt van Japans eten hield, en ik begreep ook niet goed waarom hij zo aandrong. 'Een andere keer.'

'Dit is geen keuze,' zei Kurt. 'We hebben een grote meevaller. We zien elkaar om één uur bij Kansai.'

'Ik geef je een lift.'

'Dat hoeft niet. Ik ben al in de stad. Ik heb vanmorgen vrij genomen.'

Ik had jarenlang voor een Japans bedrijf gewerkt, maar ik was nooit echt een liefhebber van de Japanse keuken geworden. Misschien was die te gezond voor mij. Te minimalistisch.

'Nou, wat is er aan de hand?' zei ik.

'Dat zul je wel zien. Heb je honger?'

'Niet zo erg.'

'Ik ook niet. Geen probleem.'

We werden naar een lage, zwartgelakte tafel gebracht waar we onze schoenen moesten uittrekken en op tatamimatten op de vloer moesten zitten. Op de tafel stond een kookplaat waarop een grote schaal stond te borrelen. In wat troebel water dreef een groot stuk kelp.

'Moet je naar het toilet?' zei hij.

'Nee, dank je, pa.'

'Waarom ga je evengoed niet?'

'Wordt dit een lange lunch?'

'De herentoiletten zijn links in de gang. Maar misschien kun je dan nog even doorlopen tot aan het laatste kamertje rechts.'

'En?'

'Doe het nou maar.'

Ik haalde mijn schouders op en liep door naar het laatste kamertje rechts. Een scherm van rijstpapier bood enige privacy, maar ik kon er nog net langsgluren.

Wat ik zag, was genoeg om mijn mond te laten openvallen.

Lorna Evers, het waarnemend hoofd inkoop van de gemeente Atlanta, zat romantisch te lunchen met een man die zilvergrijs haar en diep in hun kassen liggende ogen had. Steve Bingham, de financieel directeur van AirView Systems.

Het bedrijf dat zojuist de luchthavenorder in de wacht had gesleept die wij hadden moeten krijgen.

Ze zaten naast elkaar aan een kant van de tafel te zoenen, en Lorna's hand was behendig in het kruis van de man aan het kneden. Op de tafel voor hen stond, onaangeroerd, een schaal met flinterdunne, bloedrode plakjes rauw rundvlees.

Het kostte me veel wilskracht dat *shoji*-scherm niet om te gooien en tegen Lorna Evers te zeggen wat ik van haar inkoopprocedures vond. Ik ging naar onze tafel terug.

Kurt keek me met opgetrokken wenkbrauwen aan.

'Hoe wist je dat?' vroeg ik op ijzige toon.

'Ik heb je gezegd dat ik iemand in Marietta ken. En die kent een privédetective in Atlanta. En die heeft veel met de gemeente Atlanta te maken. En dus heb ik wat voorbereidend werk gedaan in Lorna's hotelkamer.'

'Verdómme. Ze is het waarnemend hoofd inkoop. De stad moet allerlei wetten tegen zoiets hebben.'

'Ethische voorschriften, secties 2-812 en 2-813,' zei Kurt. 'Ik dacht wel dat je de bijzonderheden wilde weten. Lorna kan niet alleen haar baan verliezen, maar ook zes maanden achter de tralies gaan. Verder denk ik niet dat haar man er blij mee is.'

'Ze is getrouwd?'

'Ja, en Steve Bingham ook. Steve heeft vijf kinderen.'

Ik stond op. 'Excuseer me even. Ik wil Lorna hallo zeggen.'

Ik ging naar haar kamertje terug en viel binnen door de opening tussen de schermen van rijstpapier. Ze waren lekker aan de gang en keken geschrokken op.

'O, hallo, Lorna,' zei ik. 'Geweldig restaurant, hè?'

'J-Jason?'

'Ik heb gehoord dat het vlees hier uitstekend is.'

'Je... Wat doe je...?'

'Ga je me niet voorstellen aan je vriend?' zei ik. 'Steve, hè? Steve Bingham van AirView? Ik geloof dat we elkaar op de TechComm hebben ontmoet.'

Steve Binghams dieprode blos stond in interessant contrast met zijn zilvergrijze haar. Hij sloeg zijn benen over elkaar om de bult in zijn broek te verbergen. 'Hebben we elkaar ontmoet?' zei hij, en hij schraapte zijn keel.

'Het is zo'n gekkenhuis op de TechComm,' zei ik. 'Je ontmoet zoveel mensen. Blijkbaar kennen jullie twee elkaar heel goed.'

'Jason...' zei Lorna smekend.

'Het spijt me vreselijk dat ik jullie heb gestoord,' zei ik. 'Ik bel je later op je mobieltje.' En ik knipoogde naar haar.

Ik hoefde Lorna niet te bellen. Een uur of zo later belde ze me zelf.

Ze had enige 'discrepanties' in de offerte van AirView gevonden, zei ze, en ze had besloten mij de order te gunnen.

Ik had opgetogen moeten zijn, maar in plaats daarvan voelde ik me smoezelig. Dit was niet de manier waarop ik de grootste order uit mijn carrière had willen binnenhalen.

Het Hardygram kwam een paar minuten later, toen ik hem het goede nieuws had gemaild. Hij verstuurde het vanuit zijn BlackBerry. Met hoofdletters schreef hij:

JE HEBT HET VOOR ELKAAR!

Kort daarna belde hij, bijna buiten zichzelf van opwinding. Hij zei dat ik bijna zeker onze divisie voor het hakblok had behoed.

'Geweldig,' zei ik. 'Daar ben ik blij om.'

'Goh, wat ben je er koel onder,' zei Hardy met bulderende stem. 'Jij bent bescheiden, hè?'

'Soms,' zei ik.

'Nou, het persbericht kan nu elk moment het internet op. Beleggingsfondsmanagers zullen nu heel anders tegen Entronics aankijken. Ze weten hoe belangrijk dit is. Zelfs als jij dat niet weet.'

Ik ging even naar huis om me te verkleden en te kijken hoe het met Kate ging. Ze lag op haar zij in bed en tikte op haar laptop. Ze deed onderzoek naar placenta previa, maar blijkbaar had ze alleen de angstaanjagende websites gevonden. Ik vertelde haar over de minder angstaanjagende en herinnerde haar eraan dat de zuster had gezegd dat het wel goed zou komen als ze kalm aan deed.

Ze knikte peinzend. 'Ik maak me geen zorgen,' zei ze. 'Je hebt gelijk. De kans is groot dat het goed komt.' Ze legde haar hand op haar buik. 'En het komt ook goed met de baby.'

'Ja,' zei ik. Ik probeerde optimistisch en deskundig te klinken.

'Dus ik ga me er geen zorgen over maken.'

'Precies.'

'Met piekeren schiet ik niets op.'

'Precies.'

'Ja.' Ze haalde diep adem. 'Vanmorgen heb ik wat JPEG's van Marie Bastiens werk naar de directeur van de Franz Koerner Gallery in New York gemaild.'

Ik deed er lang over om me te herinneren wie Marie Bastien was. 'De quilts,' zei ik.

'De directeur is een vriend van Claudia.'

'Dat komt goed uit.'

'Ja, nou, als je de connecties hebt, moet je ze gebruiken.' Ze vertelde me over de galerieën in New York die het avontuurlijkst waren. 'Ik zeg natuurlijk geen woord tegen Marie. Maar als ze geïnteresseerd zijn, kan dit de doorbraak worden die ze nodig heeft. Je kijkt verveeld.'

'Ik verveel me niet.'

'Ik heb je niet naar je dag gevraagd. Sorry. Hoe was je dag?'

Ik vertelde haar dat ik zojuist waarschijnlijk de divisie had gered door de order van de luchthaven van Atlanta binnen te halen, maar ik vertelde haar niet hoe ik dat had gedaan. Ze reageerde met een vrij goede imitatie van enthousiasme. Toen zei ze: 'De kabel werkt niet.'

'Dat is lastig. Heb je het kabelbedrijf gebeld?'

'Natuurlijk,' zei ze knorrig. 'Ze zeiden dat we een signaal hebben. En dat is niet waar. Ze zeiden dat als we een andere box willen ze over een paar dagen iemand kunnen sturen. Eigenlijk wil ik niet wachten. Ik heb hier huisarrest.'

'Nou, je hebt tenminste internet.' We hadden snelle DSL via de telefoon.

'Weet ik. Maar ik wil tv-kijken. Is dat zo veel gevraagd? Kun je alsjeblíéft naar de kabel kijken?'

'Kate, ik heb geen idee hoe ik een kabelbox moet repareren.'

'Misschien is het alleen de bedrading.'

'Ik ben geen kabelman. Voor mij is het net een bord spaghetti.' Ik dacht even na en kon het niet laten om te zeggen: 'Waarom bel je Kurt niet? Die kan alles repareren.'

'Goed idee,' zei ze. Mijn steek onder water was haar ontgaan. Of misschien niet en vond ze mijn suggestie geen antwoord 'waardig', zoals ze vaak zei. Niet dat mijn steken onder water ooit iets waardigs hadden. Ze keek weer naar haar laptop. 'Weet je nog, die actrice in die film van gisteravond?' Ze had nu twee accounts bij een filmverhuurbedrijf op internet, zodat ze twaalf dvd's tegelijk kon huren. Ze had veel artistieke films gehuurd. Allemaal met Parker Posey, geloof ik. 'Wist je dat ze in *Fast Times at Ridgemont High* meespeelt?'

'Dat is nieuw voor mij.'

'En wist je dat de regisseur uit Malden komt? Hij schreef vroeger voor *Major Dad*. Je weet wel, die tv-serie.'

'Ik denk dat je misschien te veel op internet zit,' zei ik. Ik zag dat haar boekenlegger in *De gebroeders Karamazov* nog maar een millimeter in het boek gevorderd was. 'Hoe gaat het met de gebroeders K? Je leest het in één adem uit, zie ik. Je kunt het niet wegleggen.'

'Dat heb je als je in bed moet blijven,' zei ze. 'Je hebt alle tijd van de wereld, maar je kunt je niet meer concentreren. Daarom ga ik internetten en zoek ik iets op, en dat leidt naar iets anders en weer iets anders, en ik klik en klik en klik maar, en algauw ben ik verdwaald in de cyberspace. Ik dacht dat je vanavond een wedstrijd had.'

'Heb ik ook, maar ik blijf hier bij jou.'

'Waarvoor? Doe niet zo mal. Als ik je moet bereiken, weet ik hoe. Als je je mobieltje deze keer maar aan laat.'

Kurt wierp die avond het licht uit, zoals de radiopresentatoren zeggen. Maar ik stond vooral versteld van de lange ballen die Trevor sloeg. Hij was goed, en meestal sloeg hij in elke wedstrijd wel een homerun, maar vanavond explodeerden de ballen tegen zijn knuppel en vlogen ze met gemak honderd meter over het veld. Trevor zelf stond er versteld van hoe goed hij speelde. Ik denk dat hij meer zelfvertrouwen had omdat hij dacht dat hij mij weg kon krijgen. Hij speelde beter dan Kurt.

De jongens van Metadyne waren niet geweldig goed en ook niet verschrikkelijk slecht. Het was een bedrijf dat testapparatuur voor halfgeleiderchips maakte, en dat is precies zo opwindend als het klinkt. De softbalwedstrijd was dan ook het hoogtepunt van hun week, maar ze genoten niet van deze wedstrijd.

In de vierde inning sloeg Trevor weer een bal het veld in. Zijn knuppel vloog uit zijn handen en viel met een hard metaalachtig geluid op de grond. Toen gebeurde er iets bizars.

Het eind van zijn knuppel was losgekomen. Het eindkapje had zich losgemaakt van de schacht en rolde een eind het veld in. Een stel spelers lachte, zelfs Trevor. De bal was weg. Een paar outfielders renden erachteraan. Terwijl Trevor langs de honken rende, pakte een andere speler van Metadyne het kapje op.

Hij keek er onderzoekend naar en woog het in zijn hand. 'Man,' zei hij. 'Wat zwaar. Moet je kijken!'

Hij ging ermee naar een andere Metadyne-speler, van wie ik me herinnerde dat hij elektrotechnisch ingenieur was. De ingenieur woog het kapje in zijn hand, zoals de ander had gedaan. 'O, man, iemand heeft visloodjes of zoiets onder dit kapje gedaan. Ongelooflijk.' Toen liep hij naar de onthoofde metalen knuppel en pakte hem op. Hij keek erin en liet toen een paar van zijn teamgenoten bij zich komen.

'Hé,' riep een van hen. 'Er is iets met die knuppel gedaan!'

Trevor, die triomfantelijk naar het thuishonk rende, helemaal niet buiten adem, keek wat er aan de hand was.

'Je hebt aan de knuppel geknoeid,' riep een andere Metadyne-speler.

'Wat?' zei Trevor. Hij liep naar de plaats waar ze allemaal zijn knuppel stonden te bekijken.

Ons eigen team was van de banken gekomen om te zien wat dat voor drukte was.

'De binnenkant van deze knuppel is op een draaibank bewerkt, of zoiets,' zei de ingenieur. 'Misschien met dat Dremel-gereedschap. Je kunt zelfs de spaanders zien; grafiet of hars, denk ik. En kijk eens naar die loodband aan het eind.'

'Hé, dat heb ik niet gedaan!' protesteerde Trevor. 'Ik zou niet eens weten hoe.'

'Nee,' zei een andere Metadyne-man met een nasale stem als een cirkelzaag. 'Hij heeft hem naar zo'n knuppeldokter gestuurd.'

'Absoluut niet!' riep Trevor.

'Wij hebben reglementair gewonnen,' zei de ingenieur. 'De wedstrijd is voor ons. Dat zijn de regels.'

'Geen wonder dat die jongens van Entronics plotseling de ene na de andere wedstrijd winnen,' zei de man met de cirkelzaagstem. 'Ze spelen vals.'

Het Metadyne-team stond erop de rest van onze knuppels te onderzoeken, en ze vonden alleen de gebruikelijke krassen en deukjes. Er was alleen met Trevors knuppel geknoeid. Blijkbaar werd een knuppel veerkrachtiger als de wanden dunner werden gemaakt, en als je het uiteinde verzwaarde, vergrootte je het trampoline-effect, zoals de Metadyne-ingenieur het noemde, en kon je nog veel harder slaan.

Toch gaf Trevor zich niet zomaar gewonnen. Hij stond daar in zijn wijde korte broek en zijn HET LEVEN IS GOED-T-shirt, met zijn schelpenketting, zijn gloednieuwe witte Adidas-schoenen en zijn verbleekte Red Sox-pet omgekeerd op zijn hoofd, en hij protesteerde dat hij in zijn hele leven nog nooit vals had gespeeld met sport, dat hij nooit zoiets zou doen, dat hij niet eens wist hoe hij dat moest aanpakken.

Het was moeilijk na te gaan hoeveel van de jongens hem geloofden. Ik hoorde Festino tegen Letasky zeggen: 'Voor een softbalwedstrijdje in een bedrijfscompetitie? Dát is nog eens fanatiek.' Letasky, altijd de diplomaat, deed alsof hij het niet had gehoord. Hij basketbalde elke donderdag met Trevor en Gleason, had hij me verteld. Hij paste er wel voor op om partij te kiezen, zoals hij het had gesteld.

'Het ding was altijd al zo,' zei Trevor, 'of...'

Hij keek Kurt aan. 'Die schoft heeft het gedaan.' Hij verhief zijn stem. 'Hij heeft me er weer in geluisd.' Nu wees hij naar mij, en toen naar Kurt. 'Die twee. Het is hier net een schrikbewind. Is dat jullie niet opgevallen?'

Kurt keek hem verbaasd aan, haalde zijn schouders op en liep naar het parkeerterrein. Ik volgde hem.

'Hoe komt dat?' zei ik toen we buiten gehoorsafstand van onze teamgenoten waren.

'Jij denkt toch niet dat ik dat heb gedaan?'

'Ja. Dat denk ik wel.'

Inmiddels was Trevor achter ons aan gekomen. Hij liep naast ons en sprak snel en afgemeten. 'Jij bent een interessante kerel,' zei hij tegen Kurt. 'Een man met veel geheimen.'

'O ja?' zei Kurt neutraal, zonder zijn pas in te houden. De schemering was gevallen en de natriumlampen op het parkeerterrein waren ziekelijk geel. De auto's hadden lange schaduwen.

'Ik heb wat onderzoek naar jou gedaan,' zei Trevor. 'Ik vond een Special Forces-website, en daar heb ik een bericht op gezet. Ik vroeg of iemand een Kurt Semko kende.'

Kurt wierp Trevor een zijdelingse blik toe. 'Je ontdekte dat ik niet besta, hè? Ik ben een hersenschim. Ik zit in een programma dat getuigen beschermt.'

Ik keek heen en weer tussen hen tweeën, verbaasd over deze verbale tenniswedstrijd.

'En de volgende dag kreeg ik antwoord van iemand. Ik wist niet dat je oneervol uit het leger was ontslagen, Kurt. Wist jij dat, Jason? Jij stond voor hem in. Jij beval hem aan.'

'Trevor, zo is het genoeg,' zei ik.

'Maar wist jij waaróm, Jason?'

Ik gaf geen antwoord.

'Hoeveel weet jij van de – wat is de term die ze gebruikten? – "zieke shit" waar Kurt in Irak mee bezig was, Jason?'

Ik schudde mijn hoofd.

'Nu begrijp ik waarom je vriend zo graag het vuile werk voor je opknapt,' zei Trevor. 'Waarom hij je zo graag helpt bij je schrikbewind. Hij doet dat omdat je hem aan een baan hebt geholpen die hij nooit zou hebben gekregen als iemand zich een beetje in hem had verdiept.' Hij keek Kurt aan. 'Je kunt me bedreigen zoveel als je wilt. Je kunt me saboteren. Maar op het eind ga jij net zo goed voor de bijl als ik.'

Kurt bleef staan en liep toen naar Trevor toe. Hij pakte Trevor bij zijn T-shirt en trok hem dicht naar zich toe.

Trevor haalde diep adem. 'Toe dan, sla me maar. Dan zorg ik dat je morgenvroeg geen baan meer hebt.'

'Kurt,' zei ik.

Kurt liet zijn hoofd zakken, en hun gezichten raakten elkaar nu bijna aan. Hij was ongeveer even lang, maar veel breder en zag er veel krachtiger uit. 'Ik heb nog een geheim dat ik je wil vertellen,' zei hij met een diepe keelstem.

Trevor keek huiverend naar hem, in afwachting van de klap. 'Zeg het maar.'

'Ik heb Kennedy vermoord,' zei Kurt, en toen liet hij Trevors T-shirt plotseling los. Trevors schouders zakten omlaag. De stof van zijn HET LEVEN IS GOED-T-shirt bleef verkreukeld.

'Trevor,' zei Kurt, 'weet je het zeker?'

'Weet ik wat zeker?'

'Je shirt, bedoel ik.' Hij wees naar Trevors T-shirt. Zijn wijsvinger bewoog zich in een kring rond HET LEVEN IS GOED. 'Weet je zeker dat het leven goed is, Trevor? Want als ik jou was, zou ik daar maar niet zo zeker van zijn.'

44

TOEN IK THUISKWAM, was Kate nog wakker. Ze lag te klikken op haar laptop, surfte op een tsunami van triviale internetgegevens, spitte diep in verfilmingen van Jane Austen-romans.

'Was jij niet degene die zei dat als je naar verfilmingen van Jane Austens romans keek het net zoiets was als wanneer je Beethoven op een mondharmonica hoorde spelen?' zei ik.

'Hebben wij ooit *Clueless* gehuurd? Dat zou misschien iets voor jou zijn. Het is *Emma* van Jane Austen, maar dan op een high school in Beverly Hills. Alicia Silverstone heeft de hoofdrol.'

'Weet je dat ze *Pride and Prejudice* nog eens willen verfilmen met Vin Diesel als die kerel?'

'Mr. Dárcy? Nee!' Ze was geschokt.

'Helemaal te gek. In de eerste scène rijdt Vin met zijn Hummer door de grote ruit van een Engels landhuis.'

Ze keek me kwaad aan. 'Ik heb Kurt gevraagd naar de kabel te kijken,' zei ze. 'Zoals jij voorstelde.'

'Dat is mooi.'

'Hij komt morgen na zijn werk. Ik heb hem ook uitgenodigd te blijven eten.'

'Eten?'

'Ja, is dat een probleem? Je zegt altijd dat ik misbruik van hem maak. Het leek me alleen maar normaal om hem uit te nodigen het brood met ons te breken. Of op zijn minst papadums. Misschien kun je wat Indisch of Thais eten halen als je naar huis rijdt.'

'Ik dacht dat je zus morgen kwam.'

'Ik dacht dat zij en Kurt het misschien wel leuk zouden vinden elkaar te ontmoeten. Ethan zal Kurt geweldig vinden. Is het goed?'

'Ja,' zei ik. 'Waarom zou het niet goed zijn?' Ik kon wel een paar redenen bedenken, bijvoorbeeld dat ze te veel met Kurt omging. Of dat ik me niet kon voorstellen dat Kurt en die chique Susie veel interesses met elkaar gemeen hadden.

Of dat ik bang voor hem was.

'Eh, Kate, ik vind dat we moeten praten.'

'Is dat niet mijn tekst?'

'Het gaat over Kurt.'

Ik vertelde haar wat ik haar al eerder had moeten vertellen.

'Waarom heb je me dat nooit verteld?' zei ze.

'Ik weet het niet,' zei ik na een lange stilte. 'Misschien omdat ik me schaamde.'

'Je schááḿde je? Waarvoor?'

'Omdat ik hier zonder hem niet zou zijn geweest.'

'Dat geloof ik niet. Misschien heeft hij je een zetje gegeven, maar jij bent zelf degene die het werk zo ongelooflijk goed doet.'

'Misschien was ik bang dat als ik het jou vertelde je zou willen dat ik gewoon... mijn mond hield en verderging. Dat ik me erbij neerlegde.'

'Waarom zou ik dat willen?'

'Vanwege dít.' Ik maakte een gebaar om me heen, zoals zij eens had gedaan. Ik bedoelde het hele huis. 'Zolang Kurt me de ladder op hielp, wist ik dat we dit zouden krijgen. En ik weet hoeveel dit huis voor jou betekent.'

Ze knipperde met haar ogen en haalde haar schouders op. Toen zag ik de tranen in haar ooghoeken.

Wat zachter zei ik: 'En ik wist dat ik dit alles op het spel zou zetten zodra ik tegen hem in het geweer kwam.'

Ze boog haar hoofd en er vielen een paar tranen op het laken. 'En dus?' zei ze met gesmoorde stem.

'En dus? Nou, ik wist hoe belangrijk dit huis voor je was.'

Ze schudde haar hoofd. Haar tranen maakten grote vochtvlekken. 'Denk je dat ik me daar druk om maak?'

Ik zweeg.

Ze keek op. Haar ogen waren rood. 'Ik ben opgegroeid in een kolossaal huis met huispersoneel, een zwembad, een tennisbaan, paardrijlessen, balletlessen, winters op Bermuda, voorjaarsvakanties in Europa en zomers aan het strand. En dat alles was opeens weg. We raakten het huis kwijt, en toen het huis op Cape Cod, ik moest van school af... Het viel me zwaar om dat alles te verliezen. En ja, ik mis het, dat wil ik je best toegeven. Toch is dat voor mij niet het belangrijkste.'

'Hé, als ik me vergis moet je het zeggen, maar was jij niet degene die naar huizen keek op Realtor.com?'

'Ik beken schuld. Oké? Wilde ik dat onze kinderen opgroeiden in een huis waar ruimte was om rond te rennen, en met een tuin en al dat soort dingen? Ja. Moest het zo mooi zijn als dit huis? Natuurlijk niet. Ik hou van dit huis, dat zal ik niet ontkennen. Maar ik zou het zo opgeven, als het moest.'

'Alsjeblieft.'

'Ik ben niet met je getrouwd omdat ik dacht dat je me weer rijk zou maken. Ik ben met je getrouwd omdat je écht was. Al die nepfiguren met wie ik uitging, al die types die onzin uitkraamden over Derrida en Lévi-Strauss, en opeens kwam ik een man zonder pretenties tegen, een man die niet nep was, en ik vond het prachtig.'

'Lévi-Strauss,' begon ik.

'De antropoloog, niet de spijkerbroek,' zei ze hoofdschuddend. Ze wist dat ik de spot met haar wilde drijven. 'En ik hield van je energie. Je enthousiasme, je ambitie, of hoe je het ook wilt noemen. Maar toen begon je het kwijt te raken.'

Ik knikte.

'Je ziet toch wel dat je veranderd bent? Dat je meer zelfvertrouwen hebt gekregen? Je bent niet zo gezapig meer. Ik heb zoveel bewondering voor je, weet je dat?'

De tranen liepen over haar wangen. Ik knipperde met mijn ogen en sloeg ze toen neer. Ik voelde me een stommeling.

'Want weet je wat? Toen ik geboren werd, kreeg ik de sleutels. En jij moest ze verdienen.'

'Hè?'

'Ik kreeg alles, alle voorrechten, alle connecties. En wat heb ik ermee gedaan? Niets.'

'Kijk eens wat je voor die Haïtiaanse quiltmevrouw hebt gedaan,' zei ik.

'Ja,' zei ze ongelukkig. 'Nu en dan help ik een arme kunstenaar. Dat is waar. Maar jij – kijk eens waar jij vandaan komt. Wat jij op eigen kracht hebt bereikt.'

'Met hulp van...'

'Néé,' zei ze fel. 'Zónder Kurt. Dát maakt me gelukkig. Niet al het speelgoed dat we ons nu kunnen veroorloven. Zoals die belachelijke zeester.'

'Dat ding van Tiffany?'

'Ik heb er de pest aan. Sorry, maar het is zo.'

Ik kreunde. 'Geen wonder dat je hem nooit draagt. Heb je enig idee hoeveel...' Ik zweeg. 'Goed dat je het me nu vertelt. Het is een beetje te laat om hem terug te brengen.'

'Jason, hij past niet bij mij,' zei ze vriendelijk. 'Hij is opvallend en opzichtig en... lelijk. Hij past bij Susie, niet bij mij.'

'Toen zij hem droeg, vond je hem prachtig.'

'Ik wilde haar alleen maar een goed gevoel bezorgen. Denk je dat ik in alles met Susie wil concurreren? Ik wil haar man niet, ik wil haar kind niet, ik vind het verschrikkelijk zoals ze hem behandelen en ik wil haar stomme, opzichtige, ambitieuze leven niet. Denk je dat ik net zo ben als mijn zus? Is het je ooit opgevallen dat ze voor duizend dollar aan cosmetica in haar reistas heeft? Ik gebruik dingen van CVS. Er ligt een wereld van verschil tussen ons. Dat is altijd al zo geweest.'

Misschien had ik haar nog meer onderschat dan ze mij ooit onderschatte.

'O, het spijt me,' zei ze. 'Ik heb je gekwetst.'

'Die broche? Nee, dat kan ik wel aan. Eigenlijk ben ik blij dat ik niet naar dat ding hoef te kijken.'

Ze lachte opgelucht door haar tranen heen. 'Zou het echt te laat zijn om hem terug te brengen?'

'Ze zullen daar niet blij mee zijn, maar hé, ik ben verkoper. Ik kan ze vast wel overhalen hem terug te nemen.'

'Hoe moet het morgenavond nu?' zei ze. 'Ik kan de uitnodiging aan Kurt toch niet ongedaan maken?'

Ik schudde mijn hoofd. 'Beter van niet.'

'Hij kan maar beter denken dat alles normaal is.'

'Of wat normaal is voor hem.'

'Nou,' zei ze, 'totdat je iets aan hem doet – en je moet íéts doen – lijkt het me beter om hem aan je kant te hebben.'

45

OP DONDERDAGMIDDAG BELDE Kate me. Ze vroeg of ik wat Thais eten voor die avond wilde meebrengen. 'Susie is gek op Thais,' zei ze.

'Waarom vraag je Susie niet het mee te nemen?'

'Ze heeft hier geen auto. Dat weet je.'

'O ja. Is Kurt er al?'

'Hij is net weg. Hij heeft de kabelbox al gerepareerd, maar hij komt om zeven uur terug.

'Ik ben om twintig voor zeven thuis,' zei ik.

Op weg naar huis kocht ik een boek over middeleeuwse martelwerktuigen waarvan ik vrij zeker was dat Ethan het niet had. Het bezorgde me allang geen schuldgevoel meer dat ik Ethan in zijn gestoorde obsessies steunde. Ik ging ook naar een telefoonwinkel en kocht een nieuw telefoontje, waarbij ik mijn nummer kon houden. Ik had geen idee of het zelfs mogelijk was een mobieltje af te luisteren, maar als dat kon, moest ik ervan uitgaan dat Kurt dat met het mijne deed.

Ik kuste en omhelsde Susie, die in de keuken kruidenthee voor Kate aan het zetten was. Ze was zo donker gebruind dat het leek of ze zich in de beits had gezet. 'Geniet je van Nantucket?' zei ik. 'Je bent veel in de zon geweest.'

'Ik? Kom nou. Clarins-zelfbruiner. Ik heb een hekel aan de zon.'

'En waar is Ethan?'

'Die zit boven te lezen.' Ze zag het boek in geschenkverpakking. 'Is dat voor hem?'

'Het nieuwste van de Martelboek-van-de-Maand-club.'

'O. Nou, hij verdiept zich niet meer zoveel in martelen.'

'Hé, nou, dat is goed nieuws.'

'Nou, eigenlijk is het geen verbetering,' begon ze te zeggen, maar Ethan was in de deuropening van de keuken verschenen.

Ik ging naar de jongen toe en sloeg mijn armen om hem heen. 'Ik heb een boek voor je gekocht, maar ik geloof dat ik wat achterloop. Ik hoorde dat je je niet meer voor middeleeuwse martelwerktuigen interesseert.'

'Ik ben geïnteresseerd geraakt in kannibalisme,' zei hij.

'O,' zei ik. 'Nou, dat zorgt vast voor boeiende tafelgesprekken.'

'Ik heb hem gezegd dat hij zich in vampiers moet verdiepen,' zei Susie met een hysterische ondertoon. 'Er zijn veel boeken over vampiers. Veel voortreffelijke romans.'

'Vampiers zijn voor tienermeisjes,' zei Ethan. 'Wist je dat de leden van de Fore-stam in Papoea-Nieuw-Guinea de hersenen van hun overleden familie opaten, en dat ze daardoor een dodelijke ziekte kregen die kuru heet?'

'Leer daarvan de hersenen van je familie niet op te eten,' zei ik, en ik hield hem streng mijn wijsvinger voor.

'Wie is die vriend die vanavond komt eten?' vroeg Susie.

'Hij is... hij is een interessante man,' zei ik. Ik keek op mijn horloge. 'Hij is laat.'

'Is dat het eten?' vroeg Ethan. Hij wees naar de papieren zakken met vetvlekken die ik net naar binnen had gedragen.

'Ja,' zei ik. 'Thais eten.'

'Ik hou niet van Thais eten. Is er ook sushi?'

'Geen sushi,' zei ik. 'Sorry.'

'Mama, mag ik Froot Loops als avondeten?'

'Kurt is laat,' zei ik tegen Kate. 'Zullen we maar met eten beginnen?'

'Laten we nog even wachten.'

Ik had het Thaise eten als een soort van buffet op een tafel in de eetkamer gezet. Kate lag op haar rug op de bank van oma Spencer. Ze mocht nu rechtop zitten, zelfs uit bed komen, zolang ze dan maar zo veel mogelijk ging liggen.

Ze tikte op het toetsenbord van haar laptop. 'Hé, je zult dit niet geloven,' zei ze. 'Ik krijg net een mailtje van de directeur van de Koerner-galerie in New York. Ze vindt Maries werk geweldig. Ze is ervan ondersteboven! Ze vergelijkt haar met Faith Ringgold – net zoals ik zei! Ze denkt dat Marie het net zo ver zal brengen als Romare Bearden en Jacob Lawrence, en ze strooit met namen als Philomé Obin en Hector Hyppolite!'

'Dat is geweldig!' zei ik.

Om kwart voor acht probeerde ik Kurts mobieltje, maar ik kreeg geen gehoor. Ik haalde zijn kaartje uit mijn portefeuille en probeerde zijn nummer op kantoor, maar daar werd ook niet opgenomen. Ik had hem nooit thuis gebeld, alleen op zijn mobieltje, maar ik keek voor alle zekerheid in het telefoonboek. Er stond geen Kurt Semko vermeld.

Om acht uur begonnen Susie, Kate en ik aan de spiesen met kipsaté. Om halfnegen ging de bel.

Kurts haar was nat, en hij rook naar zeep en zag eruit alsof hij net onder de douche vandaan kwam. 'Sorry, man,' zei hij. 'Ik moet in slaap gevallen zijn.'

'Had je je mobieltje uitgezet? En dan neem je het mij kwalijk dat ik dat doe?'

'Ik had het niet bij me. Sorry.'

'We zijn alvast met eten begonnen. Ik hoop dat je het niet erg vindt.'

'Geen probleem. Mag ik toch mee-eten?'

'Natuurlijk.'

Ethan kwam uit zijn kamer naar beneden en zei hallo. 'Ben jij een soldaat?' zei hij.

'Dat was ik,' zei Kurt.

'Weet je dat toen Napoleons leger zich uit Rusland terugtrok de soldaten zo'n honger kregen dat ze hun eigen paarden opaten? En dat ze daarna tot kannibalisme vervielen?'

Kurt keek me even aan en zei: 'Ja. Dat gebeurde ook met Duitse soldaten in de Tweede Wereldoorlog. De slag bij Stalingrad. Ze hadden geen eten meer en begonnen toen hun medesoldaten op te eten. Dode soldaten, bedoel ik. Over militaire problemen gesproken.'

'Dat staat niet in mijn boek,' zei Ethan. 'Dat moet ik opzoeken. Soldaten en kannibalisme.'

Hij volgde me naar de huiskamer. Kurt kuste Kate op haar wang. Ik wist niet dat ze elkaar al kusten, maar ik zei niets. Hij schudde Susies hand. 'Hoe doet de kabel-tv het?' vroeg hij Kate.

'Weet je,' zei Kate, 'de ontvangst is nog beter dan vroeger. Het is digitale kabel, en het zou perfect moeten zijn, maar de analoge kanalen waren altijd een beetje wazig. En nu zijn ze net zo goed als de digitale. O, er is nog één satéspies over – sorry – maar er is nog genoeg pad thai.'

Ik meende mijn mobieltje te horen overgaan in mijn studeerkamer op de bovenverdieping, maar ik ging niet kijken.

Kurt nam een kartonnen bord en schepte er pad thai, groente in knoflooksaus, nasi en rundvleessalade op. 'Ik weet niet wie die kabel voor jullie had aangesloten, maar ik zette de RF-verbinding op S-video, en dat is veel beter. Nu maak je echt goed gebruik van het plasmascherm.'

'O,' zei Kate. 'Dank je.'

'En verder heb ik de oude vierwegsplitter door een krachtige signaalversterker/splitter vervangen. Dat maakt een groot verschil. En de hardware van de analoog/digitaalconverter in die kabelbox was slecht.

Ik ben naar het kabelbedrijf geweest om nieuw spul te halen. Ze vertellen je dat niet, maar ze hebben tegenwoordig veel beter materiaal. En ik heb er wat mooie videokabels met zilvercoating in gezet. Dat komt het beeld sterk ten goede.'

'Je praat net als Phil Rifkin, moge hij rusten in vrede,' zei ik.

'Hoe weet je al die dingen?' zei Susie verbaasd.

'Ik heb veel aan elektronica gedaan bij de Special Forces.'

'Hoe goed ben je met PowerPoint?' vroeg ik.

'Was je bij de Special Forces?' zei Susie. 'De Groene Baretten?'

'Niemand noemt ze tegenwoordig nog zo.'

'De mannen die in Afghanistan op zoek waren naar Osama bin Laden?'

'Ik niet, maar andere Special Forces wel, ja.'

'Is het waar dat jullie hem in Tora Bora omsingeld hadden, maar dat jullie geen bevel kregen hem gevangen te nemen, zodat jullie moesten toezien hoe Russische helikopters kwamen aanvliegen en hem naar Pakistan brachten?'

'Daar weet ik niets van,' zei Kurt.

Het was beslist mijn telefoon, en hij ging opnieuw, de tweede of derde poging.

'Hij heeft niets te drinken,' zei Kate. 'Jason, wil je een biertje voor hem uit de keuken halen? We hebben Sam Adams, hou je daarvan?'

'Alleen water. Uit de kraan.'

Ik liep door de gang naar de keuken, en toen ging de wandtelefoon.

'Jason? Jason... Met Jim Letasky.' Hij klonk buiten adem.

'O, hé, Jim,' zei ik, een beetje verbaasd omdat hij me thuis belde. 'Was jij dat daarnet ook op mijn mobieltje?'

'Jason... O jezus. O mijn god.'

'Wat is er?'

'Het is... mijn god. Mijn god.' Hij haalde hoorbaar adem.

'Wat ís er, Jim? Gaat het wel goed met je?'

'Ik was in die... die sporthal in Waltham, weet je? Waar Trevor en Brett basketballen? En... en...'

'En wát? Gebeurde er iets? Is er iets mis?'

'O chrístus! Jason, er is een ongeluk gebeurd.' Hij huilde. 'Een auto-ongeluk. Ze zijn... dood.'

'Dood? Wie is er dood?'

'Trevor en Brett. Hij... Trevor reed heel hard met zijn Porsche, en ik denk dat hij de macht over het stuur verloor... o man. Iemand zag het gebeuren. Ze kwamen op de middenberm, raakten een vangrail en vlogen over de kop. De politie was er en...'

Ik wankelde. Mijn knieën begaven het en ik zakte op de keukenvloer. De telefoon vloog uit mijn hand en bleef aan het snoer bungelen.

Toen ik daar een minuut of zo geschokt had gezeten, hees ik me overeind en hing de telefoon op. Ik ging op een keukenstoel zitten en staarde voor me uit, koortsachtig nadenkend. Ik moet daar vijf of tien minuten hebben gezeten.

Toen schrok ik van Kurts stem. Hij stond in de deuropening van de keuken. 'Hé, man,' zei hij, en hij keek me onderzoekend aan. 'Gaat het wel?'

Ik keek naar hem op. 'Trevor en Gleason hebben een auto-ongeluk gehad,' zei ik. 'Trevor raakte de macht over het stuur kwijt.' Ik zweeg even. 'Ze zijn allebei omgekomen.'

Kurt had een paar seconden nodig om dat te verwerken. Toen zette hij grote ogen op. 'Dat meen je niet. Is het net gebeurd?'

'Ze waren op weg om te gaan basketballen. Trevor reed in zijn Porsche. De auto raakte een vangrail en sloeg over de kop.'

'O, shit. Ongelooflijk.' Hij keek me recht in de ogen. Hij wendde zijn blik geen moment af.

Ik had een gevoel alsof er een ijspegel in mijn maag, in mijn darmen zat. Ik huiverde.

Die cd over non-verbale communicatie waarnaar ik in de auto had geluisterd. Kurt had hem me aanbevolen. Het ging over dingen die je van iemands gezicht kon aflezen, kleine veranderingen in de gezichtsspieren, kleine onbewuste gebaren die we maken.

Zelfs geoefende leugenaars.

Ik zag een vertraging in Kurts reactie, spiertjes die snel strak werden bij zijn ogen. Zoals hij zijn kin naar voren stak en bijna onwaarneembaar zijn hoofd naar achteren hield. En een paar keer snel met zijn ogen knipperde.

Hij wist het al.

'Huh,' zei ik.

Kurt sloeg zijn armen over elkaar. 'Wat?'

Ik glimlachte. Een geforceerde glimlach, maar toch een glimlach.

'Het had geen sympathiekere kerels kunnen overkomen.'

Kurt keek naar mijn gezicht, reageerde niet.

Ik ademde in, ademde uit. Hield de glimlach op mijn gezicht. 'Soms helpt het lot je een handje,' zei ik. 'Het komt in actie als je een beetje kosmische hulp nodig hebt.'

Kurt reageerde niet.

'Geen enkel auto-ongeluk had meer gelegen kunnen komen.'

Kurt bestudeerde mijn gezicht; dat kon ik zien. Hij keek aandachtig. Zijn ogen vernauwden zich een heel klein beetje.

Hij probeerde iets van mijn gezicht af te lezen. Probeerde vast te stellen of ik het meende. Of ik echt zo gevoelloos was.

Of ik hem probeerde te manipuleren.

Ik ontspande mijn gezicht. Hij moest niet denken dat ik hem ook probeerde te doorgronden. Ik sloeg mijn ogen neer, veegde met mijn hand over mijn voorhoofd, streek mijn haar weg. Alsof ik diep in gedachten verzonken was. 'Laten we het onder ogen zien,' zei ik. 'De man was een kakkerlak, nietwaar? Dat waren ze allebei.'

Kurt maakte een bromgeluid, zo'n geluid waarmee je geen instemming maar ook geen afkeuring te kennen geeft.

'Ze hadden me in grote moeilijkheden kunnen brengen,' zei ik.

Na een korte stilte zei Kurt: 'Dat had gekund.'

'Jij past op mij,' zei ik. 'Dat stel ik op prijs.'

'Ik begrijp niet wat je bedoelt,' zei Kurt. Ik kon niets van zijn gezicht aflezen.

'Weet je heel zeker,' zei ik heel kalm, 'dat niemand er ooit achter komt?'

Ik keek hem niet aan. Ik sloeg mijn ogen neer en keek naar de keukenvloer.

Wachtte.

'Waar achter komt?' zei hij.

Ik keek om me heen alsof ik er zeker van wilde zijn dat niemand binnen gehoorsafstand was.

Ik keek op, zag de stand van zijn mond, de glinstering in zijn ogen. Net geen glimlach, ook geen grijns. Maar wel iets. Een onuitgesproken voldoening. Misschien ook ironie.

'Hoe heb je het gedaan?' zei ik nog zachter. Ik keek nog even naar de vloer en keek hem toen aan.

Vijf, tien seconden.

'Je hebt toch niet iets met zijn auto gedaan,' zei ik. Er kwam iets zuurs in mijn maag.

Een bittere smaak in mijn mond. Het maagzuur kwam omhoog.

'Ik weet niet waar je het over hebt,' zei Kurt.

Ik ging vlug naar de spoelbak en gaf over.

Ik kotste en kokhalsde tot er niets meer in mijn maag zat en ging toen nog door. De smaak van zuur en koperen centen in mijn mond. Speldenprikken van licht boven mijn hoofd. Ik voelde me alsof ik van mijn stokje zou gaan.

Ik zag Kurt naast me staan. Zijn gezicht doemde grotesk voor me op. 'Gaat het?'

Er ging weer een golf van misselijkheid door me heen. Mijn hoofd ging vlug naar voren, naar de spoelbak. Er zat niets meer in mijn maag. Droge krampen.

Ik greep de rand van het aanrecht vast; de tegels voelden koud aan. Langzaam draaide ik me naar hem om, mijn gezicht verhit, alles om me heen te licht, kleine lichtjes die aan de rand van mijn gezichtsveld dansten. De stank van braaksel steeg op naar mijn neusgaten. Ik rook onverteerde pad thai.

'Je hebt ze vermoord,' zei ik. 'Je hebt ze vermóórd, verdomme.'

Er verhardde iets in Kurts gezicht.

'Je bent van streek,' zei hij. 'Je hebt blijkbaar onder grote druk gestaan. En nu dit.'

'*Je hebt ze vermoord.* Je hebt iets met Trevors Porsche gedaan. Je wist dat ze er allebei in zouden zitten om te gaan basketballen. Je wist dat hij graag hard mocht rijden. Allemachtig.'

Kurts ogen werden dof, dood. 'Nu is het genoeg,' zei hij. 'Je bent over de streep gegaan, jongen. Zulke wilde beschuldigingen gaan te ver. Mensen die zo tegen me praten...'

'Ontkén je het?' riep ik uit.

'Wil je je een beetje inhouden? Gas terugnemen? En praat niet zo hard. Je moet ophouden met die onzin. Ik houd er niet van om beschuldigd te worden van iets wat ik niet heb gedaan. Het doet er niet toe dat je van streek bent. Je moet je beheersen. Je moet kalm worden. Jezelf onder controle krijgen. Want je moet niet op die manier tegen me praten. Daar houd ik helemaal niet van.'

Ik keek hem alleen maar aan, wist niet wat ik moest zeggen.

'Vrienden praten niet zo tegen me,' zei hij met troebele ogen. 'En je moet mij niet als vijand hebben. Geloof me. Je moet mij niet als vijand hebben.'

Toen draaide hij zich langzaam om en liep zonder nog een woord te zeggen het huis uit.

46

HAD IK HET Kate meteen moeten vertellen?

Misschien. Maar ik wist hoe diep geschokt ze zou zijn als ik haar over mijn verdenking vertelde.

Geen van beiden wilden we de zwangerschap in gevaar brengen. Misschien bestond in deze fase van de zwangerschap niet meer het gevaar dat ze door stress de baby zou verliezen – ik had geen idee – maar dat risico wilde ik niet nemen.

Kurt had het natuurlijk ontkend. Maar ik wist het.

Binnenkort zou ik het haar moeten vertellen. Anders kwam ze er zelf achter. Maar ik wilde mezelf eerst onder controle krijgen en het haar op de juiste manier vertellen. Kalm en rationeel. Nadat ik over alles had nagedacht. Ik wilde beheerst overkomen, als een beschermer.

'Was jij dat die overgaf?' zei ze.

'Ja.'

'Denk je dat het eten bedorven was?' zei Susie. 'De kip of zo. Ik vond dat die een beetje raar smaakte.'

'Nee, het eten is goed. De zenuwen, denk ik.'

'Stress,' zei Susie. 'Craig moet altijd overgeven als hij een proefaflevering van een serie aan de televisiebazen moet laten zien.'

'O ja?' zei ik. Ik wou dat ze wegging.

'Waar is Kurt?' vroeg Kate.

'Die moest weg.'

'Hadden jullie ruzie of zo? Ik meende dat ik een woordenwisseling hoorde.' Ze keek me aandachtig aan.

'Het stelde niks voor. Ja, we waren het niet eens over iets op het werk. Niets belangrijks. Zal ik het eten wegbrengen?'

'Jason, je ziet er diep geschokt uit. Wat is er gebeurd? Wie was dat aan de telefoon?'

'Het is echt niets belangrijks,' zei ik.

'Nou, intussen heb ik Marie gebeld en haar over de galerie verteld. En weet je wat ze tegen me zei? Ze zei iets in het creools, ik weet niet meer precies hoe het gaat, maar het betekent zoiets als: je moet je de regen herinneren die je maïs heeft laten groeien. Op die manier zei ze dat ze het allemaal aan mij te danken had. Is dat niet lief?'

'Ik ben trots op je, schat. Je hebt iets goeds gedaan.'

'Je ziet er niet goed uit, Jason,' zei ze. 'Weet je zeker dat er niets aan de hand is?'

'Er is helemaal niets aan de hand,' zei ik.

Ik sliep nauwelijks.

Zoals altijd stond ik op vijf uur 's morgens op, belachelijk vroeg. Mijn lichaam was geconditioneerd om een kop koffie te nemen en naar Kurts sportschool te gaan, maar toen ik geruisloos uit bed kwam, herinnerde ik het me.

Ik zette koffie en keek mijn e-mail door in mijn studeerkamer. Schreef een e-mail aan alle personeelsleden op ons kantoor om hun het nieuws te vertellen. Was het 'droevig' of 'tragisch' nieuws? Ik besloot ten slotte te beginnen met 'Het is vanmorgen mijn droeve plicht jullie in te lichten over de tragische dood van Trevor Allard en Brett Gleason...'

Om een uur of zes ging ik naar beneden om de *Herald* en de *Globe* van de voorveranda te pakken. Ik keek ze vlug door, op zoek naar artikelen over het ongeluk, maar ik vond niets. De *Herald* leefde van dat soort berichten, in de trant van 'Nieuws met bloed doet het altijd goed': twee jonge mannen, topmedewerkers van een van de grootste ondernemingen ter wereld. Een Porsche die over de kop slaat, beide inzittenden dood. Maar het nieuws had de kranten nog niet gehaald.

Ik reed in stilte naar kantoor – geen ingesproken boeken, geen generaal Patton, geen muziek, geen talkradio – en dacht na.

Toen ik op kantoor kwam – als eerste – opende ik mijn internetbrowser en googelde 'politie Massachusetts' en 'moord' om te zien of daar namen opdoken die me bekend voorkwamen. Het eerste wat ik vond, was de website van de politie van de staat Massachusetts. Er verscheen een verwelkomingsbericht van een angstaanjagende kerel in volledig uniform, een hoofdcommissaris van wie ik aannam dat hij de hoogste baas van de staatspolitie was. Rechts was een kolom met 'nieuws en updates', en de eerste regel sprong me in het oog: DODELIJK ONGELUK WALTHAM. Ik klikte op de hyperlink. Er verscheen een persbericht met de kop: '*Dodelijk eenzijdig ongeluk in Waltham.*'

Trevors naam in vette letters, en dan die van Gleason. Frasen: 'Ter plaatse de dood geconstateerd,' en: 'Reed in noordelijke richting over de Interstate 95 in Waltham, ten zuiden van afslag 26.'

Ik las: 'Uit voorlopige informatie, verzameld door agent Sean McAfee, blijkt dat een 2005 Porsche 911 Carrera 4S in de middenberm terechtkwam en de vangrail en een viaductzuil raakte alvorens over de kop te vliegen. Het voertuig is weggesleept door J & A Towing.' En: 'De oorzaak van het ongeluk wordt onderzocht met behulp van de afdeling Collisie-analyse en Reconstructie en de afdeling Diensten Plaats Delict.' En: 'Hoewel het ongeluk nog wordt onderzocht, wordt aangenomen dat snelheid een rol heeft gespeeld.' En: 'Er is geen nadere informatie voor publicatie beschikbaar. Neemt u geen contact op met het bureau, a.u.b.'

Alles en iedereen heeft tegenwoordig een website. Het verbaasde me dat het nieuws al bekend was gemaakt. Toen ik agent Sean McAfee googelde, vond ik niets. Maar het zou niet moeilijk zijn aan zijn telefoonnummer te komen door de politie te bellen.

En wat dan? Wat had ik meer dan een verdenking? Ging ik agent McAfee vertellen dat ik dacht dat mijn collega en vriend Kurt Semko iets met de Porsche had uitgehaald en daardoor het ongeluk had veroorzaakt? Hij zou vragen waarom ik dat dacht, welke reden ik had om meneer Semko te verdenken.

Nee, dat was dom. Het ongeluk werd onderzocht. Misschien zouden ze in het wrak van de Porsche iets vinden waardoor ze wisten wat er in werkelijkheid was gebeurd. Zolang ik niets concreets wist, had het geen zin om de politie te bellen.

Ik wist niet wat Kurt zou doen als hij hoorde dat ik de politie over mijn verdenking had verteld, maar ik kon me voorstellen dat het niets goeds zou zijn.

Toch moest ik iets doen. Ik wist nu waar ik aan toe was. Ik had er te lang over gedaan om te beseffen dat Kurt een gevaarlijke man was, dat hij te ver ging en dat ik hem moest tegenhouden. Hij had me op allerlei grote en kleine manieren geholpen. Misschien ook op manieren waar ik niets van wist. En ik was stilzwijgend akkoord gegaan met de dingen die hij voor me deed, al wist ik dat ze verkeerd waren.

Toch waren er ook aan ambitie grenzen gesteld. Tenminste, dat was de bedoeling. Ja, ik was over een streep gegaan. Nu wilde ik doen wat goed was.

Maar wat was dat?

47

De jongens verzamelden zich om een uur of negen in mijn kantoor, eerst Letasky, toen Festino en Forsythe, tot ik een hele groep bij elkaar had. Of ze Trevor Allard en Brett Gleason nu graag hadden gemogen of niet, ze hadden met hen samengewerkt, hen elke dag gezien, met hen gepraat in de pauzekamer, met hen over sport, vrouwen, auto's en zaken gepraat, en ze waren allemaal geschokt. Ze spraken zachtjes en vroegen zich af wat er gebeurd was. Letasky vertelde hun wat hij had gehoord van een lid van het basketbalteam dat achter de Porsche had gereden. De snelweg maakt daar een bocht naar rechts, maar de Porsche was recht in de vangrail en daarna tegen een betonnen viaductzuil gereden, waarna hij over de kop was geslagen. De ambulancebroeders die arriveerden, zagen meteen dat er geen ambulance nodig was: beide mannen waren dood. De linkerrijbaan was uren afgesloten geweest.

'Was Trevor dronken of zoiets?' vroeg Forsythe. 'Ik kan me Trevor niet als grote drinker herinneren.'

Natuurlijk wist niemand het.

'De patholoog-anatoom gaat meestal na hoeveel alcohol er in het bloed zat,' zei Festino. 'Dat zie je tenminste in *CSI* en zo.'

'Ik betwijfel het,' zei Letasky. 'Ik bedoel, ik heb Trevor niet zo goed gekend als jullie, en ik kende Gleason bijna helemaal niet, maar ze waren op weg om te gaan basketballen. Ze gingen zich heus niet bezatten voor een wedstrijd. Na afloop misschien. Niet van tevoren.'

'Gleason was een zware drinker,' zei Festino. 'Een feestbeest.'

'Evengoed,' zei Letasky.

Er werd alom geknikt. Allard kon niet dronken zijn geweest; dat zou niets voor hem zijn.

'Ik weet dat hij hard reed,' zei Forsythe. 'Erg hard. Maar hij kon goed rijden. Hoe kon hij nou de macht over het stuur verliezen? Het regende gisteravond toch niet?'

Letasky schudde zijn hoofd.

'Een olieplas of zoiets?' vroeg Forsythe.

'Ik heb de 95 ook genomen,' zei Letasky, 'en ik heb geen olieplas gezien.'

'Ooit zijn vrouw ontmoet?' vroeg de jongste verkoper, Detwiler.

'Een stuk,' zei Festino. 'Blond, grote tieten. Wat je als vrouw van Trevor zou verwachten.' Hij keek om zich heen en zag de afkeurende blikken. 'Sorry.'

'Gelukkig hadden ze geen kinderen,' zei Letasky.

'Gelukkig,' zei ik. Ik had geluisterd, niet gepraat. Ik wilde niet het risico lopen dat ze iets van mijn verdenking merkten.

'Een defect aan de auto of zoiets?' zei Detwiler.

Letasky hield zijn adem even in. 'Alles is mogelijk, denk ik.'

'Reken maar dat mevrouw Allard een proces aanspant tegen Porsche,' zei Festino.

Toen de jongens een paar minuten later weggingen – iedereen had telefoontjes te plegen – bleef Festino achter.

'Hé,' zei hij aarzelend. 'Over Trevor?'

'Ja?' zei ik.

'Ik weet dat je geen kwaad mag spreken van de doden, maar ik had de pest aan die klootzak. Dat weet je. Jij ook, neem ik aan.'

Ik zei niets.

'Maar... ik weet het niet... misschien viel hij wel mee. Gleason ook. Al was het nog moeilijker om hem aardig te vinden.'

Ik knikte alleen maar.

'En nou... Ik weet dat het waarschijnlijk van slechte smaak getuigt, maar heb je al besloten wie je hun accounts gaat geven?'

In het tijdperk van de e-mail verspreidt nieuws zich snel. Kort voor lunchtijd kreeg ik een mailtje van Joan Tureck in Dallas:

> Ik vond het verschrikkelijk om dat over Trevor Allard en Brett Gleason te horen. Ik kan het bijna niet geloven. Als ik bijgelovig was, zou ik zeggen dat er een vloek op Entronics rust.

Daar zat misschien wat in.

In de lunchpauze ging ik naar een munttelefoon in de kantine. Die wordt bijna nooit gebruikt, niet in een kantoor waar iedereen een bureautelefoon en mobieltjes heeft.

Ik had besloten de politie te bellen.

Eigenlijk had ik het liefst een anonieme tiplijn voor misdrijven gebeld, maar vreemd genoeg bleek de politie van Massachusetts niet zo'n lijn te hebben. Op hun website vond ik tiplijnen die je kon bellen over terrorisme, brandstichting, voortvluchtigen, autodiefstal, oplichting met zogenaamde goede doelen. Zelfs over het geneesmiddel Oxycontin. Maar niets als het om doodgewoon moord ging.

En dus belde ik de agent wiens naam in het persbericht voorkwam. Agent Sean McAfee, die de leiding van het onderzoek naar de botsing had, werkte vanuit het bureau Concord van de staatspolitie. Hoofdbureau troep A. Al betwijfelde ik of hij meer dan een formeel plichtmatig onderzoek instelde.

Evengoed wilde ik niet dat het telefoontje tot mij kon worden herleid. De politie, nam ik aan, kan tegenwoordig zo ongeveer de herkomst van alle telefoontjes nagaan, ook als het om mobieltjes gaat. Als ze dat in dit geval konden, zouden ze niet verder komen dan een munttelefoon in de kantine van het Entronics-gebouw in Framingham.

'Met brigadier McAfee,' zei een ruwe stem met een zuidelijk accent.

Er was niemand in de buurt – ik stond in een hokje naast de eigenlijke kantine – maar ik durfde niet hard te praten. Toch wilde ik zelfverzekerd overkomen. 'Brigadier McAfee,' zei ik met mijn beste verkoopstem, 'u doet onderzoek naar een ongeval dat gisteravond op de Interstate 95 in Waltham heeft plaatsgevonden? Die Porsche?'

Argwanend: 'Ja?'

'Ik heb daar informatie over.'

'Met wie spreek ik?'

Daar was ik op voorbereid. 'Ik ben een vriend van de bestuurder.'

'Naam?'

Mijn naam? Die van de bestuurder? 'Ik kan u mijn naam niet noemen.'

'Wat is uw informatie?'

'Ik denk dat er misschien iets met de Porsche is gedaan.'

Lange stilte. 'Waarom denkt u dat?'

'Omdat de bestuurder een vijand had.'

'Een vijand. Denkt u dat iemand hem van de weg af heeft gedrukt?'

'Nee.'

'Denkt u dan dat iemand met de auto heeft geknoeid?'

'Dat denk ik.'

'Meneer, als u informatie hebt die van belang zou kunnen zijn voor dit onderzoek, moet u met me komen praten – voor uzelf en voor de overledenen.'

'Dat kan ik niet doen.'

'Ik wil best naar Framingham komen,' zei hij.

Hij wist waar het telefoontje vandaan kwam.

'Ik kan u niet ontmoeten.'

De politieman klonk nu geërgerd. Hij verhief zijn stem. 'Meneer, als u me niet meer informatie geeft, bijvoorbeeld de naam van die "vijand" over wie u het hebt, kan ik er niet veel mee doen. De technische recherche heeft in de afgelopen nacht de plaats van het ongeluk onderzocht en alle sporen verzameld, enzovoort. En er zijn geen bandensporen, geen remsporen of slipsporen gevonden, niets waaruit we iets kunnen afleiden, behalve dat de bestuurder recht in de vangrail is gereden. Wat ons betreft, is het een eenzijdig dodelijk ongeval ten gevolge van een bestuurdersfout. Als u iets hebt wat ons van gedachten kan doen veranderen, moet u ons die informatie verstrekken. Anders kunt u het vergeten.'

Ik had niet verwacht dat de politieman kwaad op me zou worden. Ik vroeg me af of hij me probeerde te intimideren of dat het hem echt geen moer kon schelen.

'Ik denk alleen,' zei ik heel kalm 'dat u uw mensen heel goed naar de auto moet laten kijken. Ik wed dat u sporen van sabotage vindt.'

'Goed naar de auto kijken?' zei de politieman. 'Meneer, de auto is total loss geraakt en heeft ook nog in brand gestaan. Er is niet veel van de auto over, ja? Ik denk niet dat iemand iets vindt.'

'Zijn naam is Kurt Semko,' zei ik vlug, en toen hing ik op.

Toen ik het kamertje verliet en naar de kantine terugging, zag ik Kurt met een paar kerels van Bedrijfsbeveiliging zitten. Ze praatten hard, en ze lachten, maar Kurt keek naar mij.

48

De intercom zoemde, en Franny zei: 'Het is meneer Hardy.'

'Jason,' zei de zware honingzoete stem, 'neem me niet kwalijk dat het zo kort dag is, maar ik wil dat je morgen naar Los Angeles vliegt. Ik heb een bespreking georganiseerd en ik wil dat je erbij bent.'

Hij zweeg even. Ik kreunde inwendig en zei: 'Begrepen.'

'Met Nakamura-san,' voegde hij eraan toe.

'Nakamura-san? Hideo Nakamura?' Begreep ik hem verkeerd? Hideo Nakamura was de voorzitter van de raad van bestuur van de Entronics Corporation. Hij was zoiets als de tovenaar van Oz. Niemand had hem ooit gezien. Alleen Gordy, één keer.

'Ja, die. De grote man zelf. Hij komt dan uit New York en is op weg naar Tokio. Ik heb hem overgehaald om Santa Clara even aan te doen voor een persoonlijke briefing door mijn beste mensen. Dan kan hij zelf zien hoe je de verkoop erbovenop hebt geholpen.'

'Alleen... ik?'

'Jij en twee andere directeuren. Ik wil grote indruk op hem maken.'

'Ja,' zei ik. 'Dat kan.'

'Ik moest er moeite voor doen om hem die stop in Santa Clara te laten maken. Hij komt hooguit één of twee keer per jaar naar de Verenigde Staten, weet je.'

'Goh.'

'Ik denk dat hij van jou onder de indruk zal zijn. Ik weet dat hij onder de indruk is van wat je hebt gedaan.'

'Moet ik een agenda opstellen?'

'Natuurlijk. Nakamura-san houdt van PowerPoint. Geef een korte PowerPoint-presentatie. Vijf of zes kernpunten, niet meer. Erg macro. Een luchtfoto. Prestaties van je verkoopafdeling, belangrijke wapenfeiten, belangrijke gevechten. Hij vindt het altijd prettig als zijn medewerkers toegeven dat ze strijd moeten leveren.'

'Begrepen.'

'Kom om halfelf naar de directiekamer hier in Santa Clara. Ik neem eerst je PowerPoint door. Nakamura-san en zijn entourage komen om precies elf uur en gaan om precies twaalf uur weg. Eén uur. Gauw gauw.'

'Begrepen.'

'Bouw genoeg speling in voor vertragingen. Je moet absoluut op tijd zijn. *Absoluut.* Nakamura-san is buitengewoon punctueel.'

'Begrepen. Het is te laat voor een avondvlucht, maar er zijn er vast wel veel in de vroege ochtend.'

'En denk eraan dat je je visitekaartje meebrengt. Je *meishi,* zoals ze het noemen. Als je je kaartje aan hem geeft, houd je het met twee handen bij de hoeken vast. Als hij jou zijn kaartje geeft, neem je het met beide handen aan en bestudeer je het zorgvuldig. En wat je ook doet, stop het niet in je zak.'

'Maak je geen zorgen,' zei ik. 'Ik ken de rituelen. Ik zal er zijn.'

'Op tijd,' zei Hardy.

'Vroeg,' zei ik.

'En als je na afloop tijd hebt, maak dan een zeiltochtje met me op de *Samurai.*'

'De *Samurai*?'

'Mijn nieuwe Lazzara van vijfentwintig meter. Het is een schoonheid. Je zult het geweldig vinden.'

Terwijl Franny aan het werk ging om een vlucht voor me te boeken, verzette ik mijn afspraken van de volgende dag en belde ik Kate om haar over de verandering in de plannen te vertellen. Ik zei tegen haar dat ik de volgende dag na de presentatie naar huis terug zou vliegen. Toen sloeg ik aan het cijferen en maakte een eerste PowerPoint-ontwerp, waarna Franny daar ook mee aan het werk kon gaan.

Een tijdje later kwam ze binnen. 'Dit valt niet mee. Het is te laat voor de vluchten van zes of zeven uur vanavond,' zei ze. 'Er gaat om twintig over acht vanavond een vlucht naar San Jose, maar die is vol. Zelfs overgeboekt. Voor San Francisco en Oakland geldt hetzelfde.'

'En het bedrijfsvliegtuig?'

'Droom maar lekker, jongen.' Het straalvliegtuig van de onderneming stond in New York of Tokio en was niet bestemd voor types als ik. Ze wist dat ik een grapje maakte.

'En als ik morgenvroeg ga vliegen?'

'Er is maar één vlucht waarmee je daar met genoeg extra tijd kunt komen. De zes uur dertig van U.S. Air naar San Francisco. Aankomst negen uur tweeënvijftig. Dat is krap. Santa Clara ligt daar vijftig kilometer vandaan; ik zal een auto voor je huren. De gebruikelijke Rolls-Royce?'

De vrouw begon gevoel voor humor te krijgen. 'Deze keer de Bentley, denk ik.'

Ze ging naar haar bureau terug om het reisbureau van onze onderneming te bellen, en ik ging mijn kamer uit, de jager/verzamelaar uit het bedrijfsleven, op zoek naar cijfers die ik kon verwerken.

Toen ik een minuut of twintig later terugkwam, zei Franny: 'Kurt was er.'

'O?'

'Hij heeft iets op je bureau gelegd. Hij komt later terug. Hij had iets belangrijks te bespreken, zei hij.'

Ik voelde me meteen gespannen. Kurt had geen zakelijke reden om bij mij te komen. Het kon niets goeds zijn.

Er lag niets op mijn bureau.

Mijn mobiele telefoon ging. Ik keek of ik hem op mijn bureau had liggen, maar zag hem niet. Hij ging opnieuw, gedempt en ver weg. Het geluid kwam uit mijn fraaie Engelse diplomatenkoffertje. Ik herinnerde me niet dat ik mijn mobiel daarin had laten zitten, maar ik was de laatste tijd een beetje verstrooid.

Ik pakte het koffertje van de vloer naast mijn bureau, maakte het open...

En er explodeerde iets.

Er was een harde knal, een bulderend geluid, en er sloeg iets tegen mijn gezicht, een regen van iets, en ik was tijdelijk blind. Ik sprong achteruit.

'Jezus!' riep ik uit.

Ik veegde kleine, harde fragmenten van mijn gezicht, uit mijn ogen. Keek naar wat ik in mijn handen kreeg: kleurrijke stukjes plastic en zilverfolie in de vorm van parasolletjes en sterretjes. Mijn bureau zat onder het spul.

Confetti.

Ik hoorde een laag, schor gelach. Kurt stond daar onbedaarlijk te lachen. Franny was naar binnen komen rennen, doodsbang, haar handen voor haar gezicht.

'Gefeliciteerd met je verjaardag,' zei Kurt. 'Neem me niet kwalijk.'

Hij duwde Franny de kamer uit en deed de deur achter haar dicht.

'Ik ben niet jarig,' zei ik.

'Als dit menens was geweest, zou je in roze nevel zijn veranderd.'

'Wat was dat?'

'Kijk zelf maar. Dingen uit hobbywinkels. Een elektromotor van een modelraket. Een microschakelaar van Radio Shack. Een wasknijper, een paar punaises, wat soldeersel met hars en een batterij van negen volt. Gelukkig voor jou zat die raketmotor in een zak confetti. Maar stel je voor dat ik in plaats van een modelraketmotor een elektrisch slaghoedje had gebruikt. En laten we zeggen dat ik in plaats van een zak confetti wat kneedbare C-4-springstof had gebruikt. Oké, dat kun je niet bij Radio Shack kopen, maar sommigen van ons weten hoe je eraan kunt komen, hè?' Hij knipoogde. 'Begrijp je wat ik bedoel? Op een dag doe je bijvoorbeeld de kofferbak van je auto open. Boem! En dan is het geen confetti.'

'Wat wil je, Kurt?'

'Ik kreeg een seintje van een vriend van me bij de politie.'

Ik haalde mijn schouders op.

'Hij zei dat er een tip van een anonieme beller was binnengekomen. Over de dood van Trevor Allard. Vanuit een munttelefoon. Die bij de kantine hier.'

Jezus. Ik knipperde met mijn ogen en haalde mijn schouders weer op.

'De beller noemde mijn naam.'

Ik hoopte dat er niets op mijn gezicht te lezen stond.

'Mijn vriend zei: "Wat is er toch aan de hand, heb je iemand kwaad gemaakt, Kurt? Wil iemand je door het slijk halen?"'

'Waarom vertel je dit aan mij?'

Kurt kwam dichtbij. 'Laat me je wat vertellen,' zei hij, bijna fluisterend. 'Ik heb veel vrienden op veel plaatsen. Als jij met iemand van de politie praat, kun je erop rekenen dat ik er binnen een paar uur over te horen krijg. Met wie denk je dat je te maken hebt?'

Ik probeerde recht in zijn ogen te kijken, maar die waren te intens, te dreigend. Ik sloeg mijn ogen neer en schudde mijn hoofd.

'Je kunt beter niet mijn vijand zijn, jongen. Ben je daar nog niet achter?'

'Omdat jij je vijanden doodt. Ja? Waarom heb je mij nog niet gedood? Dat begrijp ik niet.'

'Jij bent mijn vijand niet, Jason. Als je dat was, zou je hier niet zijn.'

'Dus dan ben ik je vriend.'

'Heeft iemand ooit meer voor jou gedaan dan ik?'

Enkele ogenblikken was ik sprakeloos. 'Jij meent dit serieus, hè?'

'Hopelijk denk je niet dat je het op eigen kracht zo ver zou hebben gebracht. Je hebt het allemaal aan mij te danken. Dat weet je net zo goed als ik.'

'Ja,' zei ik. 'Ik heb zelf helemaal geen talent of kennis. Ik ben alleen maar een marionet van jou.'

'Met talent zonder ambitie kom je nergens, vriend. Ik heb je leven veranderd.'

'Jij was alleen maar bereid vuil spel te spelen, Kurt. Ik had je al veel eerder een halt moeten toeroepen, maar ik was zwak. Nu ben ik niet zwak meer.'

'Omdat je denkt dat je mij niet nodig hebt. Dat is alles. Maar we waren een team. Ga maar na hoe goed we samenwerkten. Alles wat jou in de weg stond – elk obstakel – verdween als sneeuw voor de zon, nietwaar?'

'Je ging over de schreef,' zei ik.

'En jij weet niet dat je een pion bent. Je hebt geen idee. "De afdeling redden?" Wat een lachertje. Vraag het integratieteam van McKinsey maar of ze hier zijn om de vestiging in Framingham te redden of het gebouw te verkopen. Het is verbazingwekkend wat je kunt vinden als je maar zoekt. Ik heb baanzekerheid gevonden. Alleen door Dick Hardy's Hushmail-account te ontdekken. Daar waren interessante dingen te vinden.'

Ik schudde mijn hoofd. Waar stuurde hij op aan? Wat wist hij over Dick Hardy?

'Gordy wachtte alleen maar op de juiste gelegenheid om zich van jou te ontdoen, weet je. Je vormde een bedreiging voor hem.'

'En dus maakte je hem dronken?'

'Dronken? Het was niet alleen maar drank, vriend. Het was ook rooie knol, onder andere.'

'Rooie knol?'

'Rohypnol. De vergeetdrug. Ik wed dat Gordy zich de volgende dag niets kon herinneren. Een cocktail. Een drupje DMT – dimethyltryptamine, een psychedelisch middel. Plus een beetje pep. En toen verloor hij zijn remmingen. Hij liet zien wie hij werkelijk was. Zoals Napoleon zei: "Hou je vijand nooit tegen als hij een fout maakt."'

'Je bent krankzinnig.'

'Bedoel je dat je me niet de peetvader van je kind maakt? Ga me niet vertellen dat je niet wist wat ik deed. Jij wist het de hele tijd. Je wílde dat ik deed wat ik deed. Je wilde dat alleen niet erkennen. Wat niet weet, wat niet deert. Waar is je dankbaarheid?'

'Je hebt Trevor en Gleason niet gedood om mij te helpen. Je hebt ze gedood omdat ze jou wilden ontmaskeren. Ze hadden je in grote moeilijkheden kunnen brengen.'

'Die had ik wel aangekund,' zei Kurt. 'Alles wat ik deed, deed ik voor jou. Ben jij niet degene die het altijd over het elimineren van de concurrentie heeft?' Hij grinnikte. 'Hé, het is net zoals die boeken van jou zeggen. *De maak-geen-gevangenen-gids voor het bedrijfsleven*? Wat denk je dat "maak geen gevangenen" betekent? Je neemt geen vijanden gevangen omdat je ze doodt. Op het slagveld is geen genade, Jason. Welk deel van dit alles begrijp je niet? Dus ik raad je aan je bek te houden. Want ik zie alles wat je doet. Waar je ook heen gaat. Wie je ook belt. Het is net als dat nummer van de Police, hè? 'Every breath you take'? Ik luister mee. Ik kijk mee. Je kunt níéts...' Als een dier met rabiës ontblootte hij zijn ondertanden. '... niets doen of ik kom erachter. Je hebt veel te verliezen.'

Hij knipoogde. 'Je weet wie ik bedoel.'

Ik voelde me misselijk. Ik wist dat hij Kate bedoelde.

'En dat na alles wat ik voor je heb gedaan,' zei hij, en hij draaide zich om. 'Je stelt me teleur.'

'Enig idee wanneer ik aan de PowerPoint-*slides* kan beginnen?' vroeg Franny. 'Ik heb drie tienerzoons die het huis platbranden als ik geen eten op tafel heb.'

'Zeg maar tegen ze dat ze iets moeten halen,' zei ik. 'Het wordt een late avond.'

Ik kon me bijna niet op de PowerPoint-slides concentreren. In vergelijking met Kurts bedreiging leken ze me een zinloze bezigheid.

Ik kwam pas om negen uur het kantoor uit, maar voordat ik wegging, keek ik vlug op de Special Forces-website die Trevor had genoemd. De site waarop hij een vraag over Kurt had gesteld, waarna iemand had geantwoord.

Ik hoefde niet lang te zoeken. Ik googelde 'Kurt Semko' en 'Special Forces' en vond de site meteen. Het was een 'teamhouse' van de

Special Forces, een soort listserv voor voormalige leden van de Special Forces en hun vrienden en familie. Op de site hadden ze ook een 'gastenboek', waar Trevor zijn vraag had gesteld, en ik vond het antwoord van iemand die zich Scolaro noemde en een Hotmail-adres had.

Ik klikte op het adres en schreef Scolaro een mailtje. 'Bij wat voor "zieke shit" was hij betrokken?' schreef ik. 'Die kerel woont naast me en ik wil het weten.' Ik gaf een AOL-adres op dat ik bijna nooit gebruikte, de initialen van mijn universiteit en het jaar waarin ik was afgestudeerd. Geen naam.

Het was net of ik een briefje in een fles had gedaan en in zee had gegooid. Wie wist wat ik terug zou krijgen – als ik al iets terugkreeg.

Mijn telefoon ging, maar ik had het geluid afgezet om me te kunnen concentreren en Franny gevraagd op te nemen en het telefoontje alleen door te verbinden als het Kate of Dick Hardy was. Ze verbond niemand door.

Ik deed de deur van mijn kamer dicht en zei goedenavond tegen Franny, die een gegrilde kip met salade had laten bezorgen. Op haar grote Entronics-monitor stond een PowerPoint-slide.

'Lijkt het je wat?' zei ze. 'Ik kan een Teal Taffy doen, met dubbel uitfaden, als je dat wilt.'

'Geen ingewikkelde dingen,' zei ik. 'Hou het eenvoudig. Nakamura is waarschijnlijk iemand die het bij de feiten wil houden.'

'Flash? Swish? Wipes?'

'Nee, dank je.'

'O, en je kreeg een telefoontje, maar ik wilde je niet storen. Nu krijg je een heleboel telefoontjes, maar hier wilde ik je toch over vertellen. Het was de politie. Een rechercheur, hij heet, eens kijken, Ray Kenyon. Hij wil met je praten. Ik zei dat je al naar huis was.'

'Geweldig. Dank je.'

Een rechercheur.

'Zei hij waar het over ging?'

'Hij heeft alleen zijn naam en nummer achtergelaten.' Ze gaf me een briefje. 'Zal ik voor je bellen?'

'Nee, dank je,' zei ik. Ik stopte het briefje in mijn zak. 'Ik moet naar huis. Het is laat.'

'Ja, dat is het,' zei Franny. 'Je hebt een zwangere vrouw voor wie je augurken en ijs moet kopen. Ik mail je de presentatie als ik klaar ben. Veel succes morgen.'

'Dat zal ik nodig hebben.'

'Jij? Waarom denk je dat Hardy jou daar wil hebben? Je bent een ster.'

'Heb ik je ooit verteld dat ik je graag mag, Franny?'

'Nee, ik geloof van niet.'

'O. Franny?

'Ja?'

'Wil je iets voor me doen?'

'Misschien.'

'Wil je al die militaire posters van de muren in mijn kamer halen? Ik heb er genoeg van.'

49

Ik was om kwart voor vijf op het vliegveld, bijna twee uur voordat mijn toestel zou vertrekken. Ik zette mijn auto in de Terminal B-garage en ging naar een van de e-ticketbalies. De terminal was donker, bijna verlaten. Ik vond de enige koffiebar die open was, nam een grote kop koffie en een broodje en ging op een plastic kuipstoeltje zitten. Ik haalde mijn laptop uit mijn oude nylon diplomatenkoffertje – ik had het Engelse koffertje, waar Kurt mee had geknoeid, op kantoor achtergelaten – telde de acht dollar voor de WiFi-internettoegang neer en keek in mijn e-mail. Nam de PowerPoint-presentatie door. Oefende hem in stilte, al geloof ik dat een schoonmaakster me vreemd aankeek toen ze me in mezelf hoorde praten.

Ik probeerde alleen aan mijn presentatie en Nakamura-san te denken, en niet aan Kurts bedreigingen. Of aan de politieman die een boodschap had achtergelaten. Want als ik aan die dingen dacht, zou ik me nog veel nerveuzer voelen dan bij de gedachte aan mijn presentatie voor Nakamura-san.

Je hebt veel te verliezen.

Je weet wie ik bedoel.

Toen ik de vorige avond was thuisgekomen, had iedereen in huis geslapen.

Ze sliepen natuurlijk nog steeds toen ik om halfvijf 's morgens het huis verliet. Dat was maar goed ook; ik zou misschien in de verleiding zijn gekomen met Kate te praten en haar over Kurts bedreigingen te vertellen. En dat wilde ik echt niet.

Want ik twijfelde er niet aan dat Kurt op de een of andere manier met Trevors auto had geknoeid om hem te laten verongelukken.

En ik wist dat hij een extreem gevaarlijke man was. Die niet meer mijn vriend was.

Hij had me gewaarschuwd niemand te vertellen wat ik van Trevors ongeluk dacht. Niet met zoveel woorden, maar hij had het duidelijk gemaakt. Hij wist dat ik had geprobeerd hem ontslagen te krijgen.

Nee, ik kon niets bewijzen, maar alleen al uit zijn bedreigingen kon ik afleiden dat hij schuldig was. Wat moest ik doen als de rechercheur me vragen over het ongeluk stelde? Het veiligst was het waarschijnlijk om niets te zeggen. Ik kon tegen de rechercheur zeggen dat ik er niets van wist. Strikt genomen was dat ook zo. Ik had alleen maar verdenkingen. Ik wíst niets.

Want ik twijfelde er niet aan dat als ik met de politie praatte Kurt erachter zou komen.

Ik heb veel vrienden op veel plaatsen.

Een uur later ging ik in de rij voor de veiligheidscontrole staan. Er stonden daar al andere mensen in de rij. Die gingen waarschijnlijk allemaal naar San Francisco. Zakelijke reizigers, waarschijnlijk via San Francisco op weg naar Silicon Valley omdat ze eerder wilden aankomen dan met de vluchten die naar San Jose gingen. Of misschien hadden ze geen zin om over te stappen in Phoenix, Atlanta of Houston. Omdat ik veel reis, is het voor mij bijna een wetenschap geworden: BlackBerry en mobieltje in mijn diplomatenkoffertje, instapschoenen zonder metaal, alle metalen voorwerpen in één zak, zodat ik ze er snel uit kon halen.

De rij bewoog zich langzaam. De meeste mensen sliepen nog half. Ik voelde me net een schaap dat naar het hok werd gedreven. Sinds 11 september is reizen een nachtmerrie: schoenen uittrekken, dingen op lopende banden leggen, met metaaldetectors onderzocht worden. Vroeger mocht ik graag reizen, maar nu niet meer, en dat was geen burn-out. Het kwam door al die beveiligingsmaatregelen, waardoor we ons niet veilig meer voelden.

Ik haalde mijn laptop uit mijn koffertje en legde hem op de lopende band, legde het koffertje erachter, trok mijn schoenen uit – de veterschoenen zaten in mijn weekendtas, aangezien de instappers niet netjes genoeg waren voor Nakamura-san – en zette ze in het grijze Rubbermaid-bakje. Ik legde mijn sleutels en kleingeld in het muntenbakje en schuifelde door de metaaldetector. Ik slaagde met vlag en wimpel en glimlachte naar de norse man die daar stond. Een vrouw vroeg me mijn computer aan te zetten, en dat deed ik.

Ik liep naar het volgende poortje, een van die nieuwe explosievendetectors die kortgeleden waren geïnstalleerd. Ik stond daar en liet een luchtstoot over me heen gaan. Een elektronische stem zei tegen me dat ik kon doorlopen.

En toen, een paar seconden later, ging er een schel alarm af.

Een van de veiligheidsagenten van TSA pakte mijn weekendtas zodra die uit de explosievendetector kwam. Om de een of andere reden had mijn tas het alarm laten afgaan. Een ander pakte me bij mijn elleboog en zei: 'Komt u met ons mee, meneer.'

Ik was opeens klaarwakker. 'Wat is er?' zei ik. 'Is er een probleem?'

'Deze kant op, meneer.'

De mensen in de rij keken met grote ogen naar me. Ik werd opzij getrokken, achter een groot paneel. 'Handen voor u, meneer,' zei een van de agenten.

Ik stak mijn handen uit. 'Wat is er?' vroeg ik.

Niemand gaf antwoord. De andere agent bewoog een metaaldetector over mijn borst op en neer, langs de binnenkant van mijn benen naar mijn kruis en langs mijn andere been weer naar beneden. Toen hij klaar was, zei een derde man, een chef, denk ik, een man met een dikke nek, haar dat over zijn kalende hoofd was gekamd en overdreven grote brillenglazen: 'Volgt u mij, meneer.'

'Ik moet een vliegtuig halen,' zei ik.

Hij bracht me naar een kleine, fel verlichte kamer met glazen wanden. 'Gaat u hier zitten.'

'Waar is mijn koffertje?' vroeg ik.

Hij vroeg om mijn ticket en instapkaart. Hij wilde weten wat mijn uiteindelijke bestemming was en waarom ik in één dag heen en terug naar Californië vloog.

Aha. Misschien had die ééndaagse trip naar Californië argwaan gewekt in hun garnalenhersens. Of het feit dat ik de vlucht de vorige avond had geboekt. Zoiets.

'Sta ik op een of andere zwarte lijst?' zei ik.

De TSA-man gaf geen antwoord.

'Hebt u zelf uw bagage ingepakt?' vroeg de man. Dat was niet bepaald een antwoord op mijn vraag.

'Nee, dat heeft mijn butler gedaan. Ja, natuurlijk deed ik dat zelf.'

'Is uw tas voortdurend in uw bezit geweest?'

'Mijn weekendtas? Wat bedoelt u, in mijn bezit? Hier op het vliegveld, vanmorgen? De héle tijd?'

'De héle tijd.'

'Ik heb hem op kantoor staan. Ik reis veel. Soms verlaat ik mijn kantoor om naar huis te gaan. Wat is het probleem? Zat er iets in?'

Hij gaf geen antwoord. Ik keek op mijn horloge. 'Zo mis ik mijn vliegtuig,' zei ik. 'Waar is mijn mobiele telefoon?'

'Daar zou ik me niet druk om maken,' zei de TSA-man. 'U gaat niet met dat vliegtuig mee.'

Ik vroeg me af hoe vaak die man echt tegen passagiers schreeuwde, hen echt de stuipen op het lijf joeg. Steeds minder vaak, dacht ik, naarmate 11 september verder en verder achter ons kwam te liggen. Een jaar of wat geleden was vliegen in de Verenigde Staten zoiets als reizen door Albanië.

'Zeg, ik heb een heel belangrijke zakelijke afspraak. Met de voorzitter van de raad van bestuur van mijn onderneming. De Entronics Corporation.' Ik keek op mijn horloge en herinnerde me wat Franny had gezegd: er was maar één vliegtuig waarmee ik daar op tijd kon aankomen om naar die bespreking met Nakamura-san te gaan. 'Ik heb mijn mobieltje nodig.'

'Dat zal niet gaan, meneer. De hele inhoud van uw diplomatenkoffertje wordt onderzocht en geïnspecteerd.'

'Onderzocht?'

'Ja, meneer.'

'Onderzocht waarop?'

Hij gaf geen antwoord.

'Helpt u me dan tenminste aan een plaats in de volgende vlucht?'

'Wij hebben niets met de luchtvaartmaatschappijen te maken, meneer. Ik zou niet weten welke andere vluchten er zijn of wanneer ze vertrekken of waar nog plaatsen vrij zijn.'

'Dan kunt u me op zijn minst een telefoon laten gebruiken, dan kan ik een plaats in het volgende vliegtuig boeken.'

'Ik denk niet dat u in het volgende vliegtuig zult zitten, meneer.'

'Wat betekent dat?' zei ik met stemverheffing.

'Wij zijn nog niet klaar met u.'

'U bent niet klaar met mij? Waar zijn we hier, Oost-Berlijn?'

'Meneer, als u uw stem niet dempt, kan ik u laten arresteren.'

'Ook als je gearresteerd bent, mag je één telefoontje plegen.'

'Als u gearresteerd wilt worden, zal ik dat graag voor u regelen.'

Hij stond op en liep het hokje uit. Deed de deur achter zich dicht. Ik hoorde dat hij op slot ging. Een man van de National Guard, potig, met gemillimeterd haar en in camouflagepak, hield nu de wacht voor het hokje. Wat stelde dit voor?

Er gingen weer twintig minuten voorbij. Ik had mijn vlucht nu definitief gemist. Ik vroeg me af of een andere luchtvaartmaatschappij een vlucht had waarmee ik enigszins in de buurt van elf uur kon aankomen. Misschien kon ik het gaspedaal helemaal indrukken en kwam ik dan nog op tijd in Santa Clara aan. Of misschien een beetje te laat.

Ik keek steeds op mijn horloge, zag de minuten voorbijgaan. Nog eens twintig minuten later kwamen twee politiemensen uit Boston, een man en een vrouw, het hokje in. Ze lieten hun insignes zien en vroegen om mijn ticket en instapkaart.

'Wat is het probleem?' zei ik. Naar buiten toe was ik kalm en vriendelijk. Redelijk. Vanbinnen zou ik hun kop van hun romp willen trekken.

'Wat is uw bestemming, meneer Steadman?' vroeg de man.

'Santa Clara. Ik heb dit al met de man van TSA besproken.'

'Een ééndaagse reis naar Californië?' zei de vrouw.

'Mijn vrouw is zwanger,' zei ik. 'Ik wilde naar huis terug, dan is ze niet alleen. Ze moet het bed houden. Een zwangerschap met een hoog risico.'

Snap je? wilde ik zeggen. Manager, huisvader, getrouwd, vrouw zwanger. Niet bepaald het standaardprofiel van een al-Qaeda-terrorist.

'Meneer Steadman,' zei de vrouw, 'uw koffer is positief getest op C-4. Kneedbare springstof.'

'Wát? Dat moet een vergissing zijn. Uw apparaat werkt niet goed.'

'Nee, meneer,' zei de man. 'Er is nog een test gedaan en daar komt hetzelfde resultaat uit. Ze hebben een monster van de koffer en de map gemaakt en dat hebben ze door een ander apparaat gehaald, en die test was ook positief.'

'Nou, het is vals positief,' zei ik. 'Ik heb in mijn hele leven nog nooit C-4 aangeraakt. Het wordt tijd dat u uw apparaten laat nakijken.'

'Het zijn niet onze apparaten,' zei de vrouw.

'Oké. Nou, ik ben verkoopdirecteur van een grote onderneming. Ik vlieg naar Santa Clara voor een bespreking met de voorzitter van de raad van bestuur. Tenminste, dat was de bedoeling. U kunt dat allemaal nagaan. Eén simpel telefoontje en u kunt bevestigd krijgen wat ik zeg. Waarom doet u dat niet meteen?'

Ze keken me met ijzige gezichten aan.

'Ik denk dat we allemaal weten dat er een vergissing in het spel is. Ik heb gelezen dat die apparaten van drie miljoen dollar kunnen reageren op deeltjes in dingen als stomerijvloeistof en handcrème en kunstmest.'

'Hebt u kunstmest bij u?'

'Telt mijn PowerPoint-presentatie ook mee?'

Ze keek me nors aan.

'U weet wat ik bedoel. Machines maken fouten. Nou, zullen we ons allemaal redelijk opstellen? U hebt mijn naam, adres en telefoonnummer. Als u me wilt bereiken, weet u waar ik woon. Ik heb een huis in Cambridge. Met een zwangere vrouw en een hypotheek.'

'Dank u, meneer,' zei de man om het gesprek te beëindigen. Ze stonden allebei op en lieten me nog eens anderhalf uur wachten, tot de TSA-chef, die met het haar dat over zijn kale hoofd was gekamd, terugkwam en zei dat ik kon gaan.

Het was net acht uur 's morgens geweest. Ik rende naar de gate, vond een agente van U.S. Airways en vroeg haar wanneer de volgende vlucht naar San Francisco was. Of San Jose. Of Oakland.

Er ging een American Airlines-vlucht om 9:10 uur, zei ze. Die kwam om 12:23 uur aan. Ik kon om één uur in Santa Clara zijn. Dan zat de buitengewoon punctuele, en bijzonder geërgerde, Nakamura-san al in het vliegtuig naar Tokio.

Ik belde Dick Hardy. In Californië was het even na vijven in de ochtend en ik wist dat hij het niet prettig zou vinden om thuis wakker te worden gebeld.

'Steadman,' zei hij met gesmoorde stem.

'Ik vind het heel erg je wakker te maken,' zei ik, 'maar ik zit niet in het vliegtuig naar San Francisco. Ik ben aangehouden voor ondervraging. Een kolossaal misverstand.'

'Nou, neem dan de volgende vlucht.'

'Dan kom ik pas om 12:23 uur aan.'

'Twaalf uur drieëntwintig. Dat is te laat. Dan is Nakamura-san allang weg. Je moet een eerdere vlucht nemen. Hij komt precies om elf uur binnen.'

'Weet ik. Weet ik. Maar er is niets anders.'

Nu was hij klaarwakker. 'Je laat Hideo Nakamura zitten?'

'Ik weet niet wat ik anders kan doen. Tenzij je de afspraak kunt verzetten...'

'Een afspraak met *Nakamura-san* verzetten? Na alle moeite die ik heb gedaan om hem hier één uurtje te krijgen?'

'Het spijt me verschrikkelijk. Maar al die belachelijke maatregelen tegen terroristen...'

'Verdómme, Steadman,' zei hij, en hij hing op.

Met een verdoofd gevoel liep ik naar de parkeergarage. Zojuist had ik mijn baas en de bestuursvoorzitter tegen me in het harnas gejaagd.

Het was onrealistisch, alsof het iemand anders overkwam.

Ik dacht steeds weer aan de TSA-chef met dat stomme haar.

'Hebt u uw bagage zelf ingepakt?'

En: *'Is uw tas voortdurend in uw bezit geweest?'*

Had ik hem voortdurend bij me gehad?

Franny die zei: *'Kurt was er.'*

'O?'

'Hij heeft iets op je bureau gelegd.'

Hij wist dat ik naar Santa Clara zou vliegen, en hij was de vorige dag in mijn kantoor geweest om die confettibom in mijn diplomatenkoffertje te stoppen. Ik had mijn weekendtas in de kast staan.

Hij had me erin geluisd.

Zoals hij die andere kerels erin had geluisd. Trevor Allard en Brett Gleason waren dood.

En nu had Kurt zich tegen mij gekeerd.

50

Omdat mijn afspraken voor die dag waren verzet, reed ik direct naar huis, kokend van woede. Het verbaasde Kate me thuis te zien. Ze was somber, neerslachtig, afstandelijk. Ze zei dat haar zus met Ethan naar het Museum of Fine Arts was om de mummies te bekijken, en ik vertelde haar in het kort dat ik bijna twee uur op het vliegveld had vastgezeten omdat ze dachten dat ik een bom bij me had.

Ze luisterde nauwelijks, terwijl ze zich anders over zoiets kon opwinden. Normaal gesproken zou ze met felle ogen naar zoiets luisteren. Ze zou mijn verontwaardiging delen en dingen zeggen als: 'O, dat meen je niet', en 'De schoften'.

In plaats daarvan klakte ze een paar keer plichtmatig met haar tong. Haar gedachten waren heel ergens anders. Ze zag er afgetobd uit. Haar ogen waren bloeddoorlopen. Toen ik haar vertelde dat Dick Hardy zowat uit zijn vel was gesprongen, onderbrak ze me. 'Je zult wel heel ongelukkig zijn met mij.'

'Wat?' zei ik. 'Waarom zeg je dat nou?'

Haar wenkbrauwen kwamen naar elkaar toe. Haar gezicht verschrompelde. Haar ogen waren bijna dichtgeknepen, en er vloeiden tranen. 'Ik zit hier de hele dag als... als een invalide... en ik weet gewoon dat je... seksueel gefrustreerd moet zijn.'

'Kate,' zei ik, 'waar heb je het over? Je bent zwanger. Een zwangerschap met een hoog risico. Dat begrijpen we allebei. We doen dit samen.'

Ze huilde nog harder. Ze kon nauwelijks praten. 'Je bent nu directeur. Een hoge piet.' Haar woorden kwamen er hortend en stotend uit. 'Waarschijnlijk zijn er steeds vrouwen die je willen versieren.'

Ik boog me naar haar toe, nam haar hoofd in mijn handen, streelde haar haar. De zwangerschap, die gekke hormonen, al die tijd in bed. Ze werd er een beetje gek van. 'Zelfs niet in mijn natste dromen.' Ik probeerde een grapje te maken. 'Maak je geen zorgen.'

Maar ze stak haar hand naar haar nachtkastje uit en pakte er iets af dat ze me voorhield zonder er zelf naar te kijken.

'Waarom, Jason? Hoe kon je?'

Ik keek. Het was een condoom, nog in de verpakking. Een Durex-condoom.

'Dat is niet van mij,' zei ik.

Ze schudde langzaam haar hoofd. 'Het zat in het jasje van je pak.'

'Dat kan niet.'

'Toen je vanmorgen je bagage inpakte, liet je je pak op het bed vallen. En toen ik opstond, voelde ik iets in je zakken.' Ze haalde onregelmatig adem. 'En ik... jij... o god, ik kan je niet geloven.'

'Schat, het is niet van mij.'

Ze keek naar me op. Haar gezicht was rood en vlekkerig. 'Alsjeblieft, lieg niet tegen me. Ga me niet vertellen dat je met een condoom van iemand anders rondloopt.'

'Ik heb het niet in dat jasje gedaan, Kate. Geloof me. Het is niet van mij.'

Ze boog haar hoofd. Duwde mijn handen weg. 'Hoe kun je dit doen?' zei ze. 'Hoe kún je dit doen?'

Woedend haalde ik mijn BlackBerry uit de zak van mijn jasje en gooide hem naar haar toe. Hij kwam naast haar hoofd op het kussen terecht. 'Kijk maar,' riep ik. 'Dat is mijn planner. Neem hem maar door. Dan zie je dat ik niet eens tíjd voor een verhouding zou hebben. Huh? Huh?'

Ze keek me geschokt aan.

'Eens kijken,' zei ik. 'Ja. Misschien een vluggertje tussen mijn werkbespreking van kwart voor negen over de bevoorradingsketen en de stafbespreking van negen uur over de langetermijnstrategie? Even een horizontale mamba tussen tien uur, als de stafbespreking is afgelopen, en het verkoopgesprek van kwart over tien met Detwiler? Even rampetampen in de twee minuten tussen de bespreking met de systeemintegreerders in het Briefing Center en de prognosesessie daarna?'

'Jason.'

'Of misschien anderhalve minuut van bil tussen de interfunctionele vergadering van kwart voor twaalf en het gesprek met de orderadministratie van kwart over twaalf, en dan nog even een nummertje in de vijftien seconden die ik overheb om naar een lunch met de districtsmanagers te gaan? Kate, besef je wel hoe absurd dat is? Zelfs als ik het wilde, wat niet zo is, zou ik er geen secónde de tijd voor hebben. En het maakt me kwaad dat je me van zoiets beschuldigt. Ik kan het niet geloven.'

'Hij heeft het me verteld, weet je. Hij zei dat hij zich zorgen over ons maakte.'

'Wie?'

'Kurt. Hij zei – en hij zei dat hij het waarschijnlijk niet zou moeten zeggen – het waren zijn zaken niet, zei hij – maar hij vroeg zich af of je misschien een verhouding had.' Haar woorden waren gesmoord, en ik moest aandachtig luisteren om haar te kunnen verstaan.

'Kurt,' zei ik. 'Dat zei Kúrt. Wanneer zei hij dat tegen je?'

'Weet ik niet. Een paar weken geleden?'

'Snap je dan niet wat hij doet? Dit past precies in het patroon van al die andere dingen.'

Ze keek me hoofdschuddend aan, haar gezicht een en al walging. 'Dit gaat niet over Kurt, ondanks al zijn gebreken,' zei ze. 'Wij hebben grotere problemen dan Kurt.'

'Nee, Kate. Jij weet niets van Kurt. Jij weet niet wat hij heeft gedaan.'

'Dat heb je me verteld.'

'Nee,' zei ik. 'Er is nog meer.'

Ik vertelde haar nu alles.

Haar ongeloof verdween geleidelijk. Misschien kan ik beter zeggen dat het overging in een ander soort ongeloof.

'Laat je iets weg?'

'Nee.'

'Jason, je moet met de politie praten. Geen anonieme telefoontjes meer. Openlijk. Je hebt niets te verbergen. Vertel ze alles wat je weet. Vertel ze wat je mij hebt verteld.'

'Dan komt hij erachter.'

'Toe nou, Jason.'

'Hij kent overal mensen. Bij de politie, overal. Hij komt erachter. Hij heeft overal zijn connecties.' Ik zweeg even. 'En... hij heeft me bedreigd. Hij zei dat hij jou iets zou aandoen.'

'Dat zou hij niet doen. Hij mag me graag.'

'Wij waren ook vrienden, hij en ik, weet je nog wel? Maar hij is volkomen meedogenloos. Hij zou alles doen om zichzelf te beschermen.'

'Daarom moet je hem tegenhouden. Dat kun je. Ik weet dat je het kunt. Want je móét het.'

We zwegen allebei even. Ze keek me aan. 'Hoor jij een raar geluid?'

Ik glimlachte. 'Nee.'

'Het klinkt als een sambabal. Niet op dit moment, maar ik hoor steeds iets.'

'Ik hoor niets. De ventilator in de badkamer misschien?'

'Die staat niet aan. Misschien ben ik gek aan het worden. Maar ik wil dat je de politie belt. Hij moet worden gearresteerd.'

Ik bakte eieren, roosterde een Engelse muffin en bracht een dienblad met ontbijt naar haar toe. Toen ging ik naar mijn studeerkamer, belde Franny en stelde haar op de hoogte.

'Die rechercheur heeft weer gebeld,' zei ze. 'Brigadier Kenyon. Hij vroeg om je mobiele nummer, maar dat wilde ik hem niet geven. Misschien kun je hem terugbellen.'

'Doe ik.'

Terwijl ik dat zei, tikte ik op mijn laptop. Ik riep de Special Forces-website op die ik bij mijn favorieten had gezet en ging naar het 'gastenboek' waarin Trevor zijn vraag over Kurt had gesteld. Er waren geen andere nieuwe reacties gekomen.

'Ik kom er zo aan,' zei ik tegen Franny, en ik hing op.

Ik keek naar mijn e-mailaccount bij AOL, die ik bijna nooit gebruikte. Er zaten zes mailtjes in de inbox. Vijf daarvan waren spam.

Een kwam van een Hotmail-adres. Scolaro. De man die antwoord op Trevors vraag had gegeven, zei dat hij iets over Kurt wist.

Ik opende het.

> Ik ken die Semko niet persoonlijk. Een van mijn SF-maten wel en ik heb het hem gevraagd. Hij zei dat Semko OO kreeg omdat hij een teamlid had gedood.

Ik herinnerde me dat OO 'oneervol ontslag' betekende. Ik klikte op BEANTWOORDEN en typte:

> Bedankt.
> Waar kan ik het bewijs van zijn OO vinden?

Ik klikte op VERZENDEN en wilde het venster net sluiten toen het kleine blauwe AOL-driehoekje begon te stuiteren. Nieuwe mail.

Het was van Scolaro.

> Als hij 00 had, is hij voor de krijgsraad geweest. Krijgsraaddocumenten zijn openbaar. Ga naar de website van het Militair Strafrechtelijk Hooggerechtshof. Ze zijn online beschikbaar.

Vlug typte ik een antwoord:

> Wat is je telefoonnummer? Ik wil je graag bellen.

Ik wachtte een minuut. E-mail is vreemd: soms is een bericht binnen een paar seconden op zijn bestemming; soms raakt de grote pijplijn of wat het ook is een tijdje verstopt en duurt het een uur.

Of misschien wilde hij gewoon geen antwoord geven.

Terwijl ik wachtte, zocht ik met Google naar het Militair Strafrechtelijk Hooggerechtshof. De browser zuchtte en kreunde en ten slotte verscheen er een waarschuwend kader in het beeld.

Toegang uitsluitend voor personen in actieve militaire dienst, reservisten of veteranen. Voer geldig militair id-nummer of veteranennummer in.

Ik kon er niet in.

Ik zat even na te denken. Wie kende ik die misschien een militair nummer had?

Ik pakte de telefoon en belde Cal Taylor. 'Cal,' zei ik, 'met Jason Steadman.'

Een lange, lange stilte. Op de achtergrond schetterde een tv, een spelshow. 'Ja,' zei hij ten slotte.

'Ik heb je hulp nodig,' zei ik.

'Je meent het.'

Ik voerde Cals militaire nummer in en de website opende zich.

Ik tuurde ernaar. Ik wist niet waar die Scolaro het over had. Ik zag geen gerechtelijke documenten. Op de menubalk aan de linkerkant luidde een van de items 'Gepubliceerde krijgsraadvonnissen', en ik klikte op 'Op naam'.

Er verscheen een lijst. Elke regel begon met een achternaam, gevolgd door LANDMACHT en een getal van zeven of acht cijfers – misschien een zaaknummer? – en 'Verenigde Staten vs' en de rang en naam van een militair. Sergeant Smith of kolonel Jones en zo.

De namen stonden in alfabetische volgorde. Ik scrolde zo snel dat de lijst een waas werd en deed het toen wat langzamer.

En kwam bij SEMKO.

'Verenigde Staten vs. sergeant KURT L. SEMKO.'

Mijn hart bonkte.

De blauwe AOL-driehoek stuiterde. Weer een mailtje van Scolaro. Ik dubbelklikte erop.

> Absoluut niet. Ik praat niet over Semko. Heb al te veel gezegd. Ik heb vrouw en kinderen. Sorry. Je moet het in je eentje doen.

Ik hoorde Kates stem in de gang. 'Jason, daar is dat sambabalgeluid weer.'

'Oké,' riep ik terug. 'Ik kom zo.'

Er opende zich een PDF-document.

VERENIGDE STATEN MILITAIR STRAFRECHTELIJK HOOGGERECHTSHOF,
aanklager
vs.
Sergeant eerste klas KURT M. SEMKO
Special Forces, gedaagde

Veel namen en cijfers en juridische termen. En dan:

> *Een krijgsraad, bestaande uit officieren en gewone soldaten, heeft de gedaagde, in tegenstelling tot zijn ontkenning, schuldig bevonden aan het ondertekenen van een vals officieel document teneinde bedrog te plegen (drie punten van aanklacht), één aanklacht wegens meineed, en drie punten van aanklacht wegens belemmering van de rechtsgang. De gedaagde verklaarde zich niet schuldig aan, en werd vrijgesproken van, moord met voorbedachten rade...*

Ik keek het vlug door. Kurt was beschuldigd van de moord op een medesoldaat, een zekere sergeant eerste klas James F. Donadio. Donadio werd 'een voormalige goede vriend van de gedaagde' genoemd.

Een 'beschermeling', verklaarden teamgenoten van Kurt. Totdat Donadio aan hun kapitein rapporteerde dat Kurt oorlogstrofeeën had gestolen – 'illegale wapens die in beslag waren genomen' – hetgeen in strijd met de voorschriften was.

Toen had Kurt zich tegen zijn vroegere beschermeling gekeerd. Het stond daar allemaal te lezen onder 'achtergrond en feiten'. Donadio had ontdekt dat een patroon was klemgezet in de loop van zijn M4-geweer. Als hij het niet had gemerkt, zou het wapen zijn ontploft. Daarna was een 'flash-banggranaat', die gewoonlijk werd gebruikt om een kamer te ontruimen, aan Donadio's bed vastgemaakt, zodat hij 's nachts tot ontploffing kwam. Flash-banggranaten gaven een harde knal, maar veroorzaakten geen letsel.

Een andere keer zag een *jumpmaster* dat de treklijn van Donadio's parachute was gesaboteerd. Als hij niet had gezien dat de laatste lus met een andere lijn was verwisseld, zou Donadio ernstig gewond zijn geraakt.

Streken, zeg je nu misschien.

Kurt werd van al die dingen verdacht, maar er waren geen bewijzen. Toen maakte Donadio op een ochtend de deur open van de GMV waar hij altijd in reed en die hij onderhield, en er explodeerde een M-67 fragmentatiegranaat.

Donadio kwam om het leven. Er ontbrak geen granaat in Kurts uitrusting, maar wel in de algemene wapenkast van het team. Iedereen in het team kende de combinatie.

Op één na alle twaalf teamleden getuigden tegen Kurt. Maar ook nu was er geen bewijs. De verdediging bracht naar voren dat Kurt Semko een veelgeprezen soldaat met hoge onderscheidingen was, iemand die aantoonbaar moedig was geweest in gevechtssituaties. Hij had drie Purple Hearts gekregen.

Kurt werd niet schuldig bevonden aan moord met voorbedachten rade, maar wel aan het afleggen van valse verklaringen gedurende het onderzoek. Hij werd oneervol ontslagen, maar niet tot gevangenisstraf veroordeeld.

Dus dat verhaal dat hij me had verteld over zijn conflict met zijn superieur over een 'zelfmoordmissie' waarbij Jimmy Donadio om het leven was gekomen, had hij verzonnen. De waarheid was eenvoudiger. Hij had een beschermeling gedood die zich tegen hem had gekeerd.

De woorden op de laptop begonnen te zweven. Ik voelde me een beetje licht in mijn hoofd.

'Jason,' riep Kate.

Ik was geschokt, maar niet verrast. Het was goed te begrijpen.

Dit was precies wat ik nodig had. De politie zou inzien met wie ze te maken hadden. Het zou geen twijfel lijden dat Kurt in staat was Trevors auto te saboteren om hem en Gleason te doden. Geen enkele twijfel.

Ik drukte op AFDRUKKEN. Vijf exemplaren.

Toen liep ik door de gang naar de slaapkamer om te zien wat Kate wilde. Toen ik de slaapkamer naderde, begon Kate te gillen.

51

IK RENDE DE slaapkamer in.

Kate zat ineengedoken op het bed. Ze gilde en wapperde met haar handen, wijzend naar de badkamer.

Ik richtte mijn blik op de badkamer en zag hem.

Hij golfde en glibberde langs de plint en bewoog zich langzaam van de badkamer naar de slaapkamer. Hij moest bijna twee meter lang zijn en was zo dik als mijn arm. Zijn schubben waren groot en ruw en vertoonden toch een ingewikkeld patroon: zwart en beige en bruin en wit, met een wit ruitpatroon. Hij ratelde en siste.

Behalve in films had ik nooit een ratelslang gezien, maar ik wist meteen wat het was.

Kate gilde.

'Het is een ratelslang,' zei ik.

'O god, Jason, je moet hem doodmaken,' schreeuwde ze. 'Haal een schop of zoiets.'

'Dan bijten ze je. Als je probeert ze dood te maken.'

'Haal hem hier wég! O mijn gód!'

Ik wilde niet bij hem in de buurt komen. Ik was zo'n acht meter van hem vandaan. Aan de grond genageld. 'Als ze in de aanval gaan, halen ze een snelheid van tweehonderd, driehonderd kilometer per uur.'

'Jason, maak hem dood!'

'Kate,' zei ik. 'Rustig. Zachtjes praten.' De slang was opgehouden met glibberen en begon zich op te rollen op zichzelf, als een losse lus. 'Shit. Dat doen ze als ze gaan aanvallen.' Ik ging langzaam achteruit.

Kate trok de lakens en dekens over haar hoofd. '*Haal... hem... hier wég!*' schreeuwde ze onder het beddengoed, haar stem gesmoord.

'Kate, stil!'

De slang kwam nu omhoog. Zijn brede kop ging langzaam heen en weer, een meter of zo de lucht in, zodat ik zijn grijze buik kon zien. Hij liet zijn lange, gevorkte zwarte tong uitschieten en ratelde met zijn staart. Het klonk als een oude ventilator en het werd sneller, luider.

'Maak geen geluid,' zei ik. 'Hij is bang. Als ze bang zijn, gaan ze in de aanval.'

'Is híj bang? Is híj bang?'

'Stil. Ik wil dat je nu uit bed gaat.'

'Nee!'

'Kom op. Uit bed. Zachtjes. Ik wil je hier weg hebben, in mijn studeerkamer, en dan bel ik iemand.'

'Wie?'

'Nou,' zei ik. 'Niet Kurt.'

In mijn studeerkamer belde ik een bedrijf dat AAAA Animal Control and Removal Service heette. Een halfuur later kwam er een intellectueel uitziende man. Hij had een lange, brede tang, een paar handschoenen die tot de ellebogen reikten en een platte witte kartonnen doos, die aan beide kanten open was en waar SLANGENWACHT op stond. Toen hij onze slaapkamer binnenging, liet hij een lage fluittoon horen.

'Die zie je hier niet veel,' zei hij.

'Het is toch een ratelslang?' zei ik.

'Een diamantratelslang. En een grote jongen ook. Je komt ze tegen in Florida en North Carolina. Soms in Louisiana. Maar niet in Massachusetts.'

'Hoe is hij hier dan gekomen?' vroeg ik.

'Wie zal het zeggen? Ik ken mensen die tegenwoordig via internet exotische slangen kopen. VenomousReptiles.com, dat soort sites.'

De slang glibberde weer over de vloerbedekking van de slaapkamer. Hij ging nu op de tv af.

'Hij zoekt een schuilplaats,' zei de dierenvanger. Hij keek nog een tijdje toe, trok toen de lange rode handschoenen aan en naderde de slang tot op drie meter. Hij zette de kartonnen doos tegen de muur en schoof hem met de lange blauwe aluminium tang dichter naar de slang toe.

'Ze houden van kleine ruimten. Op zoek naar een goed heenkomen. Er zitten een paar druppels slangenlokmiddel in, maar ik denk niet dat we dat nodig hebben. We gebruiken het voor alle zekerheid. Hij komt vast te zitten aan de lijm in de doos.'

Ik zag dat de ratelslang inderdaad langzaam naar de doos toe golfde. Hij bleef er nieuwsgierig voor liggen en stak toen zijn kop aan het ene eind naar binnen.

'Goh,' zei de dierenman, 'ik heb er als kind zo eentje in Florida gezien. Maar nooit zo ver naar het noorden. Nooit. Kijk nu goed.'

De slang glibberde de doos in.

'Goed dat u niet te dichtbij bent gekomen. Als zo'n jongen je bijt, ga je dood. Het is de gevaarlijkste slang van Noord-Amerika. Het is zelfs de grootste ratelslang van de wereld.'

Toen Kates stem: 'Wat gaat u ermee doen?' Ze stond op de drempel van de slaapkamer, een deken als een cape om haar heen.

De witte doos bewoog. Ging heen en weer. Meer dan de helft van het slangenlijf zat nog buiten de val en hij schudde heen en weer in een poging zich te bevrijden. Op die manier wriemelde hij steeds verder de doos in, en nu zat het grootste deel van het ding gevangen.

'Wat wij ermee gaan doen?' zei de dierenman. 'Officieel moet ik tegen u zeggen dat we ons er op een humane manier van zullen ontdoen.'

'En in werkelijkheid?' zei Kate.

'Dat hangt ervan af wiens definitie van "humaan" we hanteren. Die van ons, of die van de slang. We hebben het beest te pakken, en dat is het voornaamste.' Hij liep recht naar de witte doos toe en pakte hem op. 'Goh, je ziet hier nooit diamantratelslangen. Ik kan me niet eens herinneren wanneer ik voor het laatst een giftige slang in deze stad heb gezien. Je vraagt je af hoe hij hier gekomen is.'

'Ja,' zei Kate met dik opgelegd sarcasme. 'Dat vraag je je af.'

Ze ging weer in bed liggen, al deed ze dat pas nadat ik de slaapkamer en de badkamer had doorzocht en zelfs het deksel van de stortbak had opgetild.

Toen las ze het vonnis van de krijgsraad dat ik had geprint.

'Is dit genoeg om Kurt gearresteerd te krijgen?'

'Dat betwijfel ik. Al helpt het wel. Het is in elk geval genoeg om hem ontslagen te krijgen, al is dat maar de eerste stap. Een halve maatregel. En wat doe ik tot dan toe? Tot ik de politie kan overhalen hem te arresteren?'

Ze knikte. 'Hij is erg charmant en innemend. Hij mag zich graag superieur voelen. Narcisten houden daarvan; ze hebben er behoefte aan om bewonderd te worden. Daar hunkeren ze naar. Het zijn net drugsverslaafden. Hij heeft je bewondering nodig.'

'Zoals hij de jouwe heeft verworven.'

'We hebben ons allebei laten beetnemen.'

'Nou, dat is voorbij, en dat weet hij. Het is nu een openlijke strijd. Hij weet hoe ik erover denk.'

'Nou, draai de kraan dan weer open. De bewondering. Daar ben je goed in. Benader hem als verkoper. Laat hem denken dat er nog meer verafgoding op komst is, dat je daar een onuitputtelijke voorraad van hebt.'

'Waarom?'

'Om hem onschadelijk te maken. Totdat je de politie hebt overgehaald hem te arresteren.'

'Dat klinkt heel gemakkelijk,' zei ik, 'maar het is helemaal niet gemakkelijk.'

'Heb je een keus?' zei ze.

Ik ging meteen naar Bedrijfsbeveiliging om Scanlon op te zoeken.

Ik was kwaad, ik had haast en ik had mijn badge niet op, en dus gebruikte ik de biometrische vingerafdruklezer om binnen te komen.

Ik herinnerde me Kurts bedreiging: '*... Ik zie alles wat je doet. Waar je ook heen gaat. Wie je ook belt. Het is net als dat nummer van de Police, hè?*'

Toen het apparaat piepte om me toe te laten, besefte ik plotseling hoe Kurt altijd wist waar ik in het gebouw heen ging. Dat lag zo voor de hand dat ik me een idioot voelde. Mijn badge, de vingerafdruklezer – telkens wanneer ik naar een ander deel van het gebouw ging, wist hij dat waarschijnlijk meteen.

Ik vond de deur met het bordje DIRECTEUR BEDRIJFSBEVEILIGING. Die was dicht. Ik liep erheen en pakte de knop vast, maar ik werd tegengehouden door Scanlons secretaresse, die aan een bureau zat dat loodrecht ten opzichte van de deur stond.

'Hij is aan het bellen,' zei de secretaresse.

'Goed,' zei ik, en ik draaide de knop om en stormde Scanlons kamer in. Tegen de achtergrond van het felle zonlicht dat door het raam naar binnen viel was de beveiligingsdirecteur niet meer dan een silhouet. Hij was aan het bellen en keek uit het raam.

'Hé,' zei ik. In mijn hand had ik een uitdraai van Kurts krijgsraadvonnis.

Hij draaide zich langzaam om. 'Je zoekt de directeur?' zei Kurt, en hij legde de telefoon neer.

Ik keek hem geschokt aan.

'Scanlon heeft voor vervroegde pensionering gekozen,' zei Kurt. 'Ik ben de nieuwe directeur Bedrijfsbeveiliging. Wat kan ik voor je doen?'

Toen ik in mijn kamer kwam, zag ik een man in de lege ruimte bij Franny's plaats zitten die ik als wachtkamer voor mijn bezoekers gebruikte. Het was een zwarte man van een jaar of vijftig, met kleine oren en een groot kogelvormig hoofd. Hij droeg een kaki broek, een blauwe blazer, een blauw overhemd en een brede marineblauwe das.

'Jason,' zei Franny. Ze draaide zich om in haar stoel.

'Meneer Steadman,' zei de man, die vlug opstond. Ik zag dat hij handboeien aan zijn riem had hangen, en hij had ook een pistool. 'Brigadier Ray Kenyon, politie Massachusetts. Wat bent u moeilijk te bereiken!'

52

HIJ WILDE IN mijn kamer praten, maar in plaats daarvan ging ik met hem naar een lege vergaderkamer.

'Ik doe onderzoek naar een verkeersongeval waarbij twee van uw medewerkers, Trevor Allard en Brett Gleason, betrokken waren.'

Ik knikte. 'Een vreselijke tragedie. Het waren twee vrienden van me. Als ik u ergens mee kan helpen...'

Hij glimlachte. Zijn huid was erg donker en zijn tanden waren ongelooflijk wit. Van dichtbij leek hij me midden veertig. Het was moeilijk te zeggen. Zijn hoofd was zo kaal als een biljartbal, zo glimmend dat het leek of hij het in de was had gezet. Hij sprak langzaam, alsof hij het buskruit niet had uitgevonden, maar ik kon zien dat niets aan zijn aandacht ontsnapte.

'Hoe goed hebt u die twee mannen, Allard en Gleason, gekend?'

'Vrij goed. Ze werkten voor me. Ik kan niet zeggen dat het heel goede vrienden waren, maar ik zag ze elke dag.'

'U kon goed met ze opschieten?'

'Ja.'

'Er was geen onderlinge vijandigheid?'

'Vijandigheid?' Ik vroeg me af met wie hij had gepraat en of hij wist dat ik in werkelijkheid een grote hekel aan die twee had gehad. Had ik Trevor of Gleason vijandige mailtjes gestuurd? Dat was anders niets voor mij – als ik een van hen de mantel wilde uitvegen, deed ik dat persoonlijk. Gelukkig wel. 'Brigadier Kenyon, ik begrijp niet waarom u al die vragen stelt. Ik dacht dat Trevor en Brett door een autoongeluk zijn omgekomen.'

'Dat is ook zo. We willen uitzoeken waarom dat is gebeurd.'

'Bedoelt u dat het niet zomaar een ongeluk was?'

Hij keek me even aan. 'Wat denkt u?'

Ik keek terug, maar kneep mijn ogen halfdicht alsof ik het niet goed begreep.

Ik wist dat wat ik nu zei alles zou veranderen.

Als ik zei dat ik geen verdenking koesterde – nou, wat gaf het als hij op de een of andere manier wist dat ik dat verrekte 'anonieme' telefoontje had gepleegd? In dat geval wist hij dat ik loog.

Maar hoe kon iemand bewijzen dat ik het was geweest die de munttelefoon naast de kantine had gebruikt, en niet iemand anders van het bedrijf?

Natuurlijk wilde ik dat de politie onderzoek deed naar het ongeluk – maar om Kurt nu openlijk te beschuldigen... Nou, die tandpasta kon niet meer in de tube terug. Kurt zou erachter komen.

'Ik vroeg het me af,' zei ik. 'Hoe het heeft kunnen gebeuren, bedoel ik. Is er iets met Trevors auto gedaan?'

'Dat is niet mijn afdeling. Dat doet de technische recherche. De eenheid CARS. Collisie-analyse en Reconstructie. Dat zijn de experts op technisch gebied. Ik doe alleen het achtergrondonderzoek. Ik help ze een handje.'

'Ze moeten iets hebben gevonden,' zei ik. 'Als u hier bent.'

'Nou,' zei hij, en ik vond dat hij zich erg ontwijkend gedroeg, 'we werken los van elkaar, weet u. Zij kijken naar de remleidingen en zo, en ik kijk naar de mensen.'

'En dus praat u met vrienden en kennissen van Trevor en Brett.'

'En collega's. En dat brengt me weer op mijn vraag. Die u niet hebt beantwoord. Waren er spanningen of vijandigheden, tussen u en hen?'

Ik schudde mijn hoofd. 'Niet dat ik me kan herinneren.'

Een vage glimlach. 'Wel of niet?'

'Niet,' zei ik.

Hij knikte misschien wel een halve minuut en ademde daarbij hoorbaar uit door zijn neusgaten. 'Meneer Steadman, ik heb geen reden om te betwisten wat u zegt. Ik probeer alleen maar de puzzelstukjes aan elkaar te leggen, weet u. Maar wat u zegt, strookt niet helemaal met dit hier.'

Hij haalde een opgevouwen wit papier uit zijn zak. Hij vouwde het open en legde het voor me op de vergadertafel. Het papier zag eruit alsof het tientallen keren was open- en dichtgevouwen. Het was een fotokopie van een e-mailbericht.

Van mij aan Trevor. Ongeveer een week geleden gedateerd.

> Ik pik het niet meer dat je onbeschoft tegen me bent & me tegenwerkt. Ook buiten Personeelszaken om zijn er manieren om je kwijt te raken.

'Dat heb ik niet geschreven,' zei ik. 'Het klinkt niet eens als iets wat ik zou zeggen.'

'Nee?'

'Ik zou iemand nooit op die manier bedreigen. Dat is belachelijk. En ik zou het ook zeker nooit in een e-mail zetten.'

'U zou geen schriftelijk spoor willen achterlaten. Is dat het?'

Ik deed geërgerd mijn ogen dicht. 'Ik heb dat niet geschreven. Zeg, ik...'

'Meneer Steadman, bent u ooit in meneer Allards auto geweest?'

Ik schudde mijn hoofd.

'Had hij hier op zijn werk een vaste parkeerplek?'

'Geen plek die hem was toegewezen.'

'U hebt zijn auto nooit aangeraakt? Ik bedoel, nooit uw hand erop gelegd?'

'Mijn hand erop gelegd? Nou, in theorie is dat mogelijk, maar ik kan me niet herinneren dat ik zijn auto ooit heb aangeraakt. Het is een Porsche en hij maakt zich er nogal druk om. Maakte, bedoel ik.'

'En zijn huis? Bent u daar geweest?'

'Nee, nooit. Hij heeft me nooit uitgenodigd. We waren geen persoonlijke vrienden.'

'Toch kende u hem "vrij goed", zei u.'

'Ja. Maar ik heb ook gezegd dat we geen heel goede vrienden waren.'

'U weet waar hij woont?'

'Ik weet dat hij in Wellesley woont – woonde. Maar ik ben nooit bij zijn huis geweest.'

'Aha. En zijn garage, die met zijn huis verbonden is. Bent u daar ooit geweest?'

'Nee. Dat zei ik net, ik ben nooit bij zijn huis geweest.'

Hij knikte en dacht blijkbaar na. 'Dan vraag ik me toch af waarom uw vingerafdrukken in zijn garage zijn aangetroffen.'

'Mijn vingerafdrukken? Dat kan niet.'

'In elk geval uw wijsvinger. Daarover schijnt geen twijfel te bestaan.'

'Kom nou,' zei ik. 'U hebt niet eens vingerafdrukken van mij als vergelijkingsmateriaal.'

Hij keek verbaasd. 'U hebt geen afdruk van uw wijsvinger gemaakt voor uw afdeling Bedrijfsbeveiliging? Voor het nieuwe biometrische afleesapparaat?'

'Ja. Oké. Dat was ik vergeten. Ja, we hebben allemaal zo'n afdruk gemaakt. Onze wijsvinger en onze duim. Maar ik ben nooit bij Trevor Allards huis of garage geweest.'

Hij keek me rustig aan. Zijn ogen waren groot en een beetje bloeddoorlopen, zag ik. 'Weet u, het probleem met vingerafdrukken is dat ze nooit liegen,' zei hij rustig.

'Vindt u het niet een beetje te toevallig?'

'Wat is te toevallig, meneer Steadman?'

'De ene vingerafdruk die u in Trevors garage vindt, is van mijn wijsvinger, nietwaar? En dat is nou precies de afdruk die ze bij Bedrijfsbeveiliging in hun afleesapparaat hebben.'

'Nou?'

'Nou, vertelt u me eens: zijn er geen manieren om een vingerafdruk te kopiëren en over te brengen? Vindt u het niet erg toevallig?'

'Toevallig?'

'Wat hebt u? Een afdruk van één vinger blijkt hetzelfde te zijn als de afdruk die ik voor Bedrijfsbeveiliging heb gemaakt. Een mailtje dat ik niet heb geschreven...'

'Er zitten allerlei headers en paden en directory's op elk e-mailbericht, meneer Steadman...'

'Die zijn te vervalsen,' zei ik.

'Niet zo gemakkelijk.'

'Wel als je voor Bedrijfsbeveiliging werkt.'

Daar had hij even niet van terug. 'Weet u,' zei ik, 'we hebben daar een werknemer die zulke dingen al eerder heeft gedaan.'

'Bij Bedrijfsbeveiliging?'

Ik slikte. Knikte. Ik boog me naar voren en keek hem recht in de ogen. 'Ik wil u een papier laten zien,' zei ik. 'Dan krijgt u een indruk van degene met wie we te maken hebben.'

Ik gaf hem de uitdraai van de krijgsraadvonnis. Hij las het door. Hij maakte veel aantekeningen in zijn boekje met spiraalband.

Toen hij klaar was, zei hij: 'Jezus christus, en uw onderneming heeft die man in dienst genomen?'

Ik knikte.

'Doet u geen achtergrondonderzoek?'

'Het is mijn schuld,' zei ik.

'U hebt die man toch niet in dienst genomen? Die gek is toch door Bedrijfsbeveiliging aangenomen?'

'Omdat ik voor hem instond. Ik kende hem toen niet zo goed.'

Hij schudde vol walging zijn hoofd, maar ik kon zien dat hij nu anders over me dacht. Er was iets in hem veranderd. Blijkbaar nam hij me nu serieus.

'Die Semko,' zei hij. 'Wat voor reden zou hij hebben om u in de val te lokken?'

'Het is een lang verhaal. Gecompliceerd. Hij en ik waren vrienden. Ik haalde hem bij het bedrijf. Hij heeft een militaire achtergrond, en hij is nogal intelligent.'

Kenyon keek me nu aandachtig en met een onbewogen gezicht aan. 'U bent vrienden,' zei hij.

'Dat waren we,' zei ik. 'Hij deed een paar dingen om me te helpen. Dingen die hij niet had moeten doen.'

'Zoals?'

'Clandestiene dingen. Maar... hoort u eens, rechercheur...'

'Brigadier Kenyon.'

'Brigadier. Hij heeft me al bedreigd. Hij zei dat als ik iets aan de politie vertelde hij mijn vrouw zou vermoorden.'

Kenyon trok zijn wenkbrauwen op. 'O ja?'

'Als hij ontdekt dat ik met u heb gepraat... Ik ken hem. Dan voert hij zijn bedreiging uit. Hij laat het op een ongeluk lijken. Hij kent veel slimme manieren om mensen te vermoorden.'

'U praat nu met me.'

'Ik moet u vertrouwen. Kan ik dat?'

'Hoe vertrouwen?'

'Dat u niemand anders van de politie vertelt dat ik met u heb gesproken.'

'Dat kan ik u niet beloven.'

'Wat?'

'Ik ben geen priester, meneer Steadman. Dit is geen biecht. Ik ben politieman. Als u een misdrijf hebt begaan...'

'Ik heb géén misdrijf begaan.'

'Dan hoeft u zich nergens zorgen over te maken. Ik ben ook geen verslaggever van de *Globe*. Ik ben niet van plan het in de krant te zetten. Ik wil alleen geen beloften doen waaraan ik me niet kan houden.'

'Hij kent mensen bij de politie. Veel mensen. Hij heeft contactpersonen die hem vertellen wat er gebeurt.'

Kenyon glimlachte raadselachtig en knikte.

'Wat?' zei ik. 'U kijkt sceptisch.'

'Nee, ik ben niet sceptisch. Ik zal niet tegen u liegen. Ik zou graag zeggen dat zulke dingen niet kunnen gebeuren, maar het is een feit... Nou, ik kan het wel geloven. Wij zijn zo lek als een mandje. Militaire types als uw vriend kennen soms veel mensen in het korps.'

'Geweldig,' zei ik somber. 'Als hij ontdekt dat ik zelfs maar met u heb gepraat, doet hij mijn vrouw iets aan. Hij werkt voor Bedrijfsbeveiliging – hij weet de namen van iedereen die hier komt en gaat. U hebt waarschijnlijk uw naam opgegeven bij de receptie? U hebt uw naam genoteerd en erbij gezet dat u van de politie bent? En dat u voor Jason Steadman kwam?'

'Zo is het niet. Ik ben hier om met veel mensen te praten.'

'Oké.'

'Ik wil dingen van u weten. Bijvoorbeeld die "clandestiene dingen" die Semko deed. Waren sommige daarvan gericht tegen Allard of Gleason?'

Ik voelde me opgelucht. 'Absoluut.'

Hij sloeg een bladzijde van zijn notitieboekje om. Hij stelde me vragen. Ik praatte, en hij maakte veel aantekeningen.

'Misschien kunnen we elkaar helpen,' zei hij. Hij gaf me zijn kaartje, nadat hij een nummer op de achterkant had geschreven. 'Mijn directe nummer en mijn mobiele nummer. Als u me op het bureau belt, neemt mijn collega Sanchez soms op. U kunt hem vertrouwen.'

Ik schudde mijn hoofd. 'Als ik u bel, wil ik mijn naam niet achterlaten. Als ik nu eens een valse naam gebruikte...? Ik noem me...' Ik dacht even na. 'Josh Gibson.'

Hij glimlachte met die witte tanden. 'Josh Gibson? U denkt aan *de* Josh Gibson? De zwarte baseballer?'

'Een van de grootste slagmannen aller tijden,' zei ik.

'Ik zal die naam onthouden,' zei Kenyon.

53

IK HAD EEN lunchpresentatie met een van onze dealers en Rick Festino, in een poging een order te redden die hij dreigde kwijt te raken. Ik was er niet helemaal met mijn gedachten bij – ik werd te veel afgeleid door brigadier Kenyon – en had waarschijnlijk niet moeten gaan.

Meteen na de lunch ging ik niet naar kantoor terug, maar reed ik naar een Starbucks op een paar kilometer afstand van het Entronicsgebouw. Ik bestelde een grote cappuccino – ik weiger die nepbenamingen van Starbucks te gebruiken, zoals 'venti' en 'grande' – vond een comfortabele stoel in een hoek en zette mijn laptop aan. Ik kocht voor een maand aan draadloze internettoegang en had binnen een paar minuten een stel nieuwe e-mailadressen.

Ik twijfelde er niet aan dat Kurt zo ongeveer alles te weten kon komen wat ik online deed als ik op kantoor was. Maar hij zou niet zo gemakkelijk achter deze internetaccount kunnen komen, en zelfs als hij erachter kwam, zou hem dat tijd kosten. En zo snel als de dingen nu gingen, had ik niet meer dan een paar dagen nodig.

Jij weet niet dat je een pion bent, had Kurt gezegd. *Vraag het integratieteam van McKinsey maar of ze hier zijn om de vestiging in Framingham te redden of het gebouw te verkopen. Het is verbazingwekkend wat je kunt vinden als je maar zoekt.*

Wilde dat zeggen dat de MegaTower al die tijd al van plan was om mijn verkoopafdeling te sluiten? Was dat besluit al genomen? Als dat zo was, waarom had Dick Hardy er dan zo hard bij ons op aangedrongen om te presteren, om nieuwe orders binnen te halen?

Ik begreep het niet. Wat voor logica zat hierachter? Entronics zou over een paar weken een enorme transactie sluiten, de overname van de Amerikaans plasma- en lcd-activiteiten van Royal Meister. Waarom zou iemand in Tokio zich druk maken om de prestaties van hun eigen Amerikaanse concernonderdeel als ze dat toch gingen sluiten?

Welk stukje van de puzzel had ik nog niet?

De antwoorden waren waarschijnlijk te vinden in de vertrouwelijke strategiedocumenten van Entronics, de documenten over de acquisitie van de Meister-activiteiten en de plannen daarmee. De meeste van die documenten waren waarschijnlijk in het Japans en lagen opgeslagen in een ontoegankelijk bedrijfsintranet.

Maar er waren andere manieren.

Zoals het adviesbureau McKinsey en het fusie-integratieteam dat sinds kort door onze gangen sloop.

Ik kende die mensen niet, maar ik kende wel een paar namen. En na wat snel onderzoek op hun website vond ik de naam van de consultant die over hun Entronics-account ging. En toen vond ik ook de naam en het e-mailadres van zijn secretaresse.

Toen stuurde Dick Hardy haar een mailtje. Hij gebruikte zijn Hushmail-account.

Nou, eigenlijk kwam het mailtje van *rhardy@hushmail.com.*

Een account dat ik had opgezet. Dick Hardy mailde namelijk vanaf zijn jacht. Hij was de laatste versie van het fusie-integratierapport kwijtgeraakt en wilde graag dat hem meteen een nieuw exemplaar gemaild werd. Natuurlijk naar het e-mailadres van hem privé.

Ik dronk mijn cappuccino op en nam nog een zwarte koffie, en terwijl ik op het antwoord van McKinsey wachtte, ging ik naar de website van het Militair Strafrechtelijk Hooggerechtshof terug en vond daar Kurts krijgsraadgegevens. Ik herinnerde me dat de militaire recherche een rapport over het incident met de fragmentatiegranaat had geschreven en dat in het kader daarvan hun onderzoeker met alle andere leden van Kurts Special Forces-team had gepraat.

Iedereen in het team, op één na, had tegen de onderzoeker gezegd dat hij dacht dat Kurt de moord had gepleegd. Ik noteerde de volledige namen van alle teamleden. De enige die Kurt had verdedigd, was een zekere Jeremiah Willkie.

Ik dacht aan de avond waarop ik Kurt had ontmoet. Hij had me toen naar een schadebedrijf gereden dat eigendom was van een vriend en Special Forces-maat van hem. Hij had naar de eigenaar gevraagd en die had Jeremiah geheten.

Zoveel Jeremiahs waren er niet bij de Special Forces, dacht ik.

Willkie Auto Body had mijn Acura gerepareerd. En Kurt had gezegd dat hij daar ook opslagruimte voor zijn gereedschap en dergelijke had.

Ik zocht vlug met Google naar Willkie Auto Body en ontdekte iets interessants. Willkie Auto Body bleek eigenaar te zijn van een sleepbedrijf dat M.E. Walsh Tow heette. Dat was het bedrijf waar Kurt vroeger voor werkte, herinnerde ik me. Hij zei dat het van een vriend van hem was.

Toen voerde ik de namen van de andere leden van de Special Forces Operationele Sectie Alpha 561 op Google in. Sommige namen, zelfs met een tweede voorletter tussen voor- en achternaam, doken in verschillende delen van het land op. Dat betekende dat mijn zoekterm te ruim was. Was James W. Kelly tegenwoordig softwareontwikkelaar in Cambridge, Engeland? Ik dacht van niet. Accordeonist en componist? Arts? Hoogleraar in de oceanografie en meteorologie? Fulltime blogger?

Een paar namen waren zo ongewoon dat ik er zeker van kon zijn de juiste man gevonden te hebben, en enkelen van hen hadden een biografie online staan. Een van hen was brandweerman in een klein plaatsje in Connecticut. Een ander werkte voor een bewakingsfirma in Cincinnati. Weer een ander doceerde militaire geschiedenis aan een college in de staat New York.

Ik kon de e-mailadressen van de laatste twee gemakkelijk vinden. Ik dronk nog wat koffie om mijn hersenen in een hogere versnelling te krijgen. Ik mocht aannemen dat ze een hekel aan Kurt hadden, want ze waren allebei door de krijgsraad opgeroepen en hadden tegen Kurt getuigd. Daarom schreef ik een mailtje naar elk van hen. Met behulp van een derde mailadres en onder een valse naam vertelde ik hun dat Kurt Semko naast me was komen wonen en veel met mijn tienerdochter omging. Ik wilde discreet onderzoeken of het waar was dat hij in Irak een andere militair had gedood.

Een van hen, degene die voor de bewakingsfirma werkte, antwoordde meteen.

'Kurt Semko is een schande voor de Special Forces,' schreef hij. 'Hij is gevaarlijk en labiel. Als het mijn dochter was, zou ik haar van Semko vandaan houden. Nee, waarschijnlijk zou ik verhuizen.'

Ik bedankte hem en vroeg hem of hij me kon vertellen wat Kurt precies had gedaan.

Ik wachtte, maar er kwam geen antwoord.

Toen riep ik de Hushmail-account van Dick Hardy op. De secretaresse van McKinsey had geantwoord. Er zat een attachment met het rapport van het fusie-integratieteam bij. Ik downloadde het.

Het McKinsey-rapport ging een eeuwigheid door, maar alles stond in de samenvatting aan het begin.

En het was allemaal waar.

Ze keken niet of Dallas het beter deed dan Framingham. Ze vroegen zich niet af welke eenheid gesloten zou worden en welke mocht blijven voortbestaan.

Er was al besloten dat de vestiging in Framingham zou worden gesloten. In het rapport werd uiteengezet hoe dat moest gebeuren.

Die onderlinge wedstrijd waarover Gordy en Hardy hadden gesproken, was alleen maar een list. In het McKinsey-rapport werd er met geen woord over gerept.

We waren allemaal om de tuin geleid.

Maar waarom?

Waarom die zogenaamde wedstrijd? Waarom was Framingham tegen Dallas opgezet? Waarom hadden ze de zweep zo hard laten knallen?

Een van de aanhangsels van het McKinsey-rapport waren de vertrouwelijke condities van de overname van Meister door Entronics. Alle geheime bijzonderheden. Misschien was het antwoord daar te vinden.

Als je wist hoe je het moest lezen.

Ik wist dat niet, maar ik kende iemand die het wel wist.

Een kwartier later kwam Festino de Starbucks binnen. Hij keek om zich heen en zag me in mijn comfortabele stoel in de hoek zitten.

'Je hebt me hier niet uitgenodigd voor een Iced Caramel Macchiato, neem ik aan,' zei hij mopperig.

'Ga er maar een halen,' zei ik. 'Op je eigen kosten.'

'Ja, baas. Hé, nog bedankt voor de lunch. We hebben de order binnen.'

'Blij dat te horen,' zei ik, al kon het me op dat moment niet schelen.

Hij kwam na een paar minuten met zijn drankje terug en ging naast me zitten. 'Jezus, moet je dat stoelkussen eens zien. Kun je je voorstellen hoeveel vieze reten erop gezeten hebben?' Hij keek er argwanend naar en liet zich er toen met tegenzin op zakken. 'Nou, wat is er?'

Ik vertelde hem over de wedstrijd die geen wedstrijd was.

Zijn mond ging open en zijn gezicht werd rood. 'De schoften. Het was allemaal een wrede grap?'

'Daar lijkt het op.'

'Dus over een maand sta ik hamburgers te bakken bij McDonald's? Hadden ze me dit in juni niet kunnen vertellen, toen McDonald's personeel aannam? Geef me je laptop.' Hij tuurde even naar het scherm. 'Hoe ben je hieraan gekomen?'

'Ik geloof dat ze het "sociale technieken" noemen.'

'Van de vampiers zelf?'

'Het fusie-integratieteam? Min of meer.'

'Hé, dit zijn de condities van de Meister-overname. Wat cool.'

'Ja.'

'Dit moet eigenlijk achter slot en grendel worden bewaard. Dubbel geheim. Jij weet écht hoe je aan informatie moet komen, hè?'

'Soms.'

Hij zweeg nog een tijdje. Toen mompelde hij woorden als 'compensatie' en 'wisselkoers' en 'slotnotering', en hij zei: 'Man, dit is een ingewikkelde transactie. Weet je, als de prijs van Entronics op de sluitdatum is gedaald, moeten ze meer aan Meister betalen. Als de aandelen Entronics omhooggaan, betalen ze minder. Véél minder, zo te zien. Oké... Ik heb een theorie. Laat me...' Hij was op internet aan het zoeken. 'Ja. Daar gaan we. Kijk, sinds de dag dat de Meister-overname werd bekendgemaakt heeft Hardy welgeteld drie interviews gegeven. In het Japans.'

'In het Japans?'

'Ik bedoel, aan Japanse kranten. Een in het Engels aan de *Japan Times*. Een aan de *Asahi Shimbun*. En een aan de *Nihon Keizai Shimbun*. En hij was steeds optimistisch. Hij pochte over de goede zaken die Entronics in de Verenigde Staten met flatscreens deed.'

'Nou?'

'Waarom denk je dat hij alleen met Japanse journalisten praatte?'

'Dat is simpel. Entronics is een Japans bedrijf. Hij dacht dat zijn bazen de interviews zouden lezen en onder de indruk zouden zijn.'

'Kom nou, Jason. Zijn bazen kenden de cijfers al eerder dan de *Nihon Keizai Shimbun*. Weet je, als je met een fusie of overname bezig bent, hebben de beursautoriteiten liever niet dat je met de pers praat. Maar ze kunnen je er niet van weerhouden om in het buitenland met buitenlandse journalisten te praten. En wie leest er nou Japanse kranten? Behalve mensen die Japans spreken?'

'Ik kan je niet volgen.'

'De Japanse kantoren van sommige van de grootste Amerikaanse beleggingsfondsen? Die pikken een stukje nieuws over Entronics op, denken dat ze een voorsprong hebben op de rest van de wereld en beginnen te kopen. Binnen de kortste keren doen computerprogramma's van andere fondsen mee. Algauw gaan de aandelen Entronics omhoog.'

'Dus Dick Hardy hielp Entronics om veel geld te besparen op de Meister-deal?'

'Precies.'

'En dus geeft hij ons een schop tegen onze kont, zet hij ons onder druk om orders binnen te halen. Hij zegt dat we anders onze baan kwijtraken, maar in werkelijkheid doen we niets anders dan Entronics aan een koopje helpen.'

'Precies. Duivels, hè?'

'We weten niet of Dick Hardy dat in opdracht van de MegaTower deed of dat het zijn eigen idee was.'

'Wat maakt dat uit? In beide gevallen krijgt hij een grote beloning,' zei Festino. Hij haalde een gloednieuw miniatuurflesje handreiniger tevoorschijn, maakte het open en kneep een grote klodder op de palm van zijn linkerhand. 'En wij worden verneukt.'

'Aha.'

'Je kunt er niets tegen doen, weet je. Voor het geval je iets van plan bent. Dit gaat heel ver boven jouw macht.' Hij wreef zijn handen koortsachtig over elkaar. 'Moet je de vlekken op die armleuning zien. Het is walgelijk. En ik geloof niet dat het koffie is.'

'Misschien heb je gelijk. Misschien kan ik niets doen.'

'Ach, ik vond de frites van McDonald's altijd al lekker. Ook toen ze niet meer in rundvet werden gebakken. Kom je morgenavond?'

'Morgenavond?'

'De softbalwedstrijd. Weet je nog wel? We hebben in geen twee weken gespeeld. En nu ik coach ben, komt het allemaal op mij neer. We zijn twee spelers kwijt.'

'Festino.'

'Sorry. Maar het is zo.'

'Ik zal er zijn,' zei ik.

54

KORT VOOR HALFZES reed ik het parkeerterrein van Entronics op. Een zwarte Mustang stopte met gierende banden op de plek naast me, en Kurt sprong eruit.

Ik wilde in de auto blijven wachten tot hij wegliep, maar hij maakte de deur aan mijn passagierskant open en stapte in.

'Hoe verloopt de strijd?' zei hij.

'Moeilijke dag. Er is thuis iets heel vreemds gebeurd. We hadden een ratelslang in onze slaapkamer.'

'O ja?' zei hij. 'Ik wist niet eens dat er ratelslangen in Massachusetts waren. Zo leer je er steeds wat bij. Maar ik dacht dat jij naar Californië ging.'

'Mijn vlucht gemist,' zei ik.

'Dat is jammer.'

'Ach, zulke dingen gebeuren. Gefeliciteerd met je promotie.'

Hij knikte en glimlachte. 'Het is leuk om de baas te zijn.'

'Ik ben onder de indruk. Dick Hardy moet wel een hoge dunk van je hebben.'

'Dick Hardy wil dat ik tevreden ben. Hij denkt dat ik van onschatbare waarde ben.'

'Je weet iets over hem, hè?' Ik glimlachte en knikte, alsof ik waardering voor zijn slimheid had. Hij had een groothandelaar kunnen zijn die tegen me pochte over een slimme manier om een ander voor verzendkosten te laten opdraaien.

'Hij heeft me zelfs op zijn jacht uitgenodigd. Ooit op zijn jacht geweest?'

'Hij heeft me uitgenodigd,' zei ik. 'Maar ik kon niet.'

'Het is een Lazzara van vijfentwintig meter, heb ik gelezen. Een koopje voor 2,3 miljoen. Toch leek die boot me een beetje duur voor iemand met zijn salaris. En dus ben ik aan het spitten gegaan. Het blijkt dat Hardy een centje bijverdient door in aandelen te handelen. Hij heeft een trust op de Kanaaleilanden, de Samurai Trust. *Samurai* is ook de naam van zijn jacht, weet je. En Samurai Trust koopt en verkoopt *out-of-the-money*-opties op aandelen Entronics op de Australische beurs. Telkens wanneer een persbericht van Entronics de deur uitgaat, telkens wanneer er een beetje goed nieuws is, rinkelt de kassa bij Samurai Trust. Het levert een fortuin op. Als er slecht nieuws is, verdient hij natuurlijk ook geld, maar dan met shorts. Erg slim, en het was bijna onmogelijk dat hij betrapt werd. En dat alles om voor zijn jacht te betalen. Man, hij zou nu wel tien jachten kunnen kopen.'

Eindelijk begreep ik het. Dick Hardy probeerde misschien veel geld voor Entronics te besparen op de Royal Meister-deal, maar dat was niet zijn enige motief. Hij was ook zijn eigen zak aan het spekken.

'Het is een slimme kerel,' zei ik.

'Slim genoeg om zijn persoonlijke bankzaken over een versleutelde Hushmail-account te laten lopen. Niet slim genoeg om te beseffen dat ik toegang tot zijn harde schijf had en dus de mailtjes kon lezen die hij via de bedrijfscomputer verstuurde.'

'Goh. Wat cool.'

'Iedereen heeft een geheim. Jij hebt ook je geheimen. Ik ken ze toevallig. En dus nu werken jij en je Band of Brothers je uit de naad om te proberen jullie verkoopafdeling te redden. Terwijl jullie in feite alleen maar bezig zijn om zijn jacht af te betalen. Of zijn nieuwe huis in de Highland Park-wijk van Dallas.'

'Dallas?'

'Denk daar maar eens over na, jongen. Vraag je maar eens af waarom hij naar Dallas verhuist.'

'Je hebt gelijk. Ik was een pion.'

Hij haalde zijn schouders op.

Ik liet mijn schouders zakken. Ik keek op en schudde spijtig met mijn hoofd. 'Je probeerde me alleen maar te helpen. En ik vond het allemaal vanzelfsprekend. Idioot die ik was. Terwijl Gordy en Hardy me als een schaakstuk over het bord schoven. Jij bent mijn enige bondgenoot.'

Hij keek me aan. Ik kon niets van zijn gezicht aflezen.

Het was vreemd om me te herinneren hoe marginaal hij er had uitgezien toen ik hem voor het eerst ontmoette, als een oude hippie, iemand die uit de boot was gevallen. Het sikje, de halsdoek, de mullet, de rafelige T-shirts. Nu was hij goed gekleed en zag hij er succesvol uit: goed pak met das, formele schoenen.

'Ik meen het,' zei ik. 'Het kan me geen moer schelen wat je met Trevor en Brett hebt gedaan. Ik ging door het lint, dat geef ik toe. Ik heb de politie gebeld – ik zal niet tegen je liegen. Dat was stom.' Ik klonk zo oprecht berouwvol dat ik er bijna zelf in geloofde. 'Ik zou kunnen zeggen dat ik spijt heb, maar dat is niet genoeg. Je bent een goede vriend voor me geweest. Al die tijd. Alleen zag ik dat niet in.'

Hij keek recht naar voren door de voorruit.

Ik zweeg. Mijn oude verkoopgoeroe, Mark Simkins, wiens cd's ik keer op keer speelde, had het altijd over de strategische stilte. De belangrijkste vaardigheid bij het verkopen, zei hij, is stilte.

En dus zei ik niets. Ik liet mijn woorden op hem inwerken.

God, wat hoopte ik dat Kates theorie juist was: dat Kurt gek was op bewondering.

Kurt keek me even aan en staarde toen weer voor zich uit.

Ik drukte mijn lippen op elkaar. Keek naar het stuur.

'Je hebt met die politieman gepraat,' zei Kurt. Zijn stem was zachter. 'Kenyon. Heb ik je niet gewaarschuwd dat je je mond moest houden?'

'Dat heb je. En dat heb ik. Maar die kerel kwam naar me toe. Hij zei dat hij met iedereen praatte die met Trevor en Brett had samengewerkt. En dus heb ik hem een hoop onzin verteld. Hij vroeg naar jou en ik zei tegen hem dat jij, voor zover ik wist, goed met die twee overweg kon. Dat je met ze softbalde en dat ze grote bewondering voor je hadden.'

Kurt knikte. 'Dat is goed,' zei hij.

Het werkte. Goddank. Ik voelde me immens opgelucht.

'Dat is erg goed. Erg glad. Ik zie nu waarom je zo goed kunt verkopen.' Hij draaide zich om. Zijn gezicht was nu enkele centimeters van het mijne verwijderd. 'Want je bent een verrekte leugenaar!' schreeuwde hij. Zijn stem was oorverdovend hard. Zijn speeksel sproeide op mijn gezicht. 'Ik weet verdomme precies wat je tegen die politieman hebt gezegd. "Hij kent veel slimme manieren om mensen te vermoorden," zei je.'

Nee. Had Kenyon met een collega gepraat die Kurt kende?

'"Ik moet u vertrouwen,"' ging hij verder. '"Kan ik dat?" Nee, lul, je kunt níémand vertrouwen. Denk je dat je ergens in dat gebouw kunt praten zonder dat ik het weet?'

Natuurlijk. Met alle apparatuur van Bedrijfsbeveiliging die hij tot zijn beschikking had kon hij de vergaderkamer ook afluisteren.

'Ik zeg dit maar één keer. Als je nog één keer iets achter mijn rug om doet – in het bedrijf, met de politie, met wie ook – kom ik erachter. Je kunt niets doen zonder dat ik het weet. En als je over de streep gaat... één centimeter over de streep...'

'Ja?' Mijn hart bonkte snel en hard.

'Een goede raad? Je denkt dat jij en je vrouw in een veilige buurt wonen. Maar in dat deel van de stad wordt vaak ingebroken. Mensen dringen in huizen binnen. Schurken stelen dingen. Soms maken ze zelfs onschuldige mensen dood. Zulke dingen gebeuren. Je hebt een vrouw en een ongeboren kind, Jason. Je moet heel voorzichtig zijn.'

55

In Graham Runkels woning hing nog steeds een lucht als van een waterpijp, en zijn Volkswagen Kever uit 1971 stond nog in de tuin. Zo te zien was hij ermee aan het werk.

'Hoe gaat het met de Kever?' zei ik. 'El Huevito.'

'Ik ben hem aan het opvoeren. Turbo. Wacht even.'

Hij kwam terug met een zakje marihuana. 'Het laatste van de White Widow. Een vredesaanbod. Welkom terug.'

'Nee, dank je. Zoals ik al zei, doe ik dat niet meer.' Ik gaf hem een pakje.

'Wat is dat?'

'Een cadeau omdat ik me schuldig voel. Omdat ik een zak ben.'

Hij scheurde het open. 'Alle afleveringen van *The Prisoner* op dvd? Hartstikke goed, Steadman.' Hij keek vol bewondering naar de foto van Patrick McGoohan op de voorkant van de doos. Toen we nog in Worcester woonden, kwam Graham altijd naar mijn huis als mijn ouders op hun werk waren, en dan werden we high en keken naar oude herhalingen van die klassieke Britse spionageserie. 'Wat is de bijzondere gelegenheid? Ben ik jarig? Dat vergeet ik vaak.'

'Nee,' zei ik. 'Ik wil je om hulp vragen, en ik voel me een klootzak omdat ik na al die maanden weer eens kom opdagen. Ik dacht dat je nu misschien een beetje minder kwaad op me zou zijn.'

'Het helpt zeker,' zei hij. 'Maar wat jij echt nodig hebt, is de troost van de White Widow. Je bent zo gespannen als... nou ja, wat er maar gespannen kan zijn.' Grahams bruine haar hing tot op zijn schouders en zag er vuil uit. Hij droeg zijn oude rode T-shirt met goudgele McDonald's-bogen. Er stond MARIHUANA en MEER DAN 1 MILJARD STONED.

'Als je iets met iemands auto wilde doen waardoor die kapotging terwijl hij erin reed, wat zou je dan doen?'

Hij keek me onderzoekend aan. 'Kapotging?'

'Crashte.'

'De remleidingen doorsnijden? Is dit een quiz?'

'Als je de remleidingen doorsneed, zouden de remmen dan niet slap aanvoelen als je ermee begon te rijden?'

'Waar heb je het over, J-man?'

Ik vertelde hem in het kort over Kurt en de dingen die Kurt volgens mij had gedaan. Graham luisterde, zijn bloeddoorlopen ogen wijd open. Dit was de man die geloofde dat de DEA zendertjes in elk exemplaar van het blad *High Times* deed, en hij geloofde ook meteen in mijn theorie.

'Het was een Porsche?' zei hij.

Ik knikte. 'Een Carrera 911. Gloednieuw. Hooguit een jaar oud.'

'Was de bestuurder dronken?'

Ik schudde mijn hoofd.

'Hij verloor gewoon de macht over het stuur? Er was geen andere auto bij betrokken?'

'Zo is het.'

'Hmm. Ja, nou, je zou de remleidingen niet doorsnijden. Dat zou de bestuurder meteen merken. Je zou de moeren van de wielen ook niet losser maken, want dan zou de auto heen en weer waggelen zodra hij op de weg kwam. Maar weet je, tenzij ze bij de politie volslagen debiel zijn, is dat het eerste waar ze naar kijken: wielmoeren die ontbreken, banden waarin gesneden is, een moer die in het stuurblok ontbreekt, doorgesneden remleidingen. Dat soort shit.'

'Dat zou allemaal gemakkelijk te zien zijn,' zei ik.

'Maar als iemand met de stuurkogels ging knoeien... mán.'

'Wat?'

'Dan zou de bestuurder de auto opeens niet meer kunnen besturen.'

'Met de stuurkogels knoeien? Hoe? Ze doorzagen? Zou dat niet te goed zichtbaar zijn?'

'Nee, niet doorzagen. Eraan schaven of vijlen of zoiets. Je kunt ze op de een of andere manier verzwakken. Dus toen de auto...'

'Verzwakken?' zei ik. 'Hoe verzwak je metaal?'

'Shit, dat weet ik niet. Op een hoop manieren, denk ik.'

'Metaal verzwakken,' zei ik hardop, maar vooral tegen mezelf. Ik dacht aan dat verhaal dat Kurt me eens had verteld: hoe zijn team iets uit een buisje op delen van een talibanhelikopter in Afghanistan had geschilderd. 'Ik denk dat ik het weet.'

'Oké, man. Goed. Zullen we het vieren?' Hij pakte het zakje met marihuana. 'Laatste kans,' zei hij.

Ik was om ongeveer halfacht thuis. Susie en Ethan aten een afhaalmaaltijd in de keuken – blijkbaar hadden ze een sushi-restaurant gevonden dat thuisbezorgde – en Kate lag in bed en klikte een eind weg op internet.

'Kate, ben je vandaag wel buiten geweest?'

'Buiten?' Ze keek me verbaasd aan.

'Je ziet eruit alsof je wel wat frisse lucht kunt gebruiken.'

'Frisse lucht?' Toen zag ze dat ik mijn wijsvinger op mijn lippen legde. Ze knikte. 'Goed idee,' zei ze.

Ze kwam uit bed en ik tilde haar op. Dat was verrassend gemakkelijk, waarschijnlijk door al die krachttraining in Kurts sportschool. Ik droeg haar de trap af en het huis uit. Ethan kwam de keuken uit, zag me Kate dragen en rolde met zijn ogen.

Ik bracht haar naar onze kleine achtertuin. 'Sorry, maar ik moet ervan uitgaan dat Kurt onze slaapkamer kan afluisteren.'

Ze zette grote ogen op. 'Nee!'

'Ik weet het niet. Ik moet er gewoon van uitgaan. Zeg, hoe lang heeft Susie dat huis op Nantucket gehuurd?'

Ze hield haar hoofd schuin. 'Waarschijnlijk tot het eind van september. Hoezo, denk je dat we het misschien een paar dagen kunnen lenen? Eigenlijk ben ik niet in een conditie om vakantie te houden.'

'Ik heb het niet over vakantie. Denk je dat het veilig voor je is om daarheen te vliegen?'

'Vliegen kan wel. Zolang ik me maar niet inspan. Maar waar heb je het over?'

'Ik wil dat Susie en Ethan naar Nantucket teruggaan en jou meenemen. Zo gauw mogelijk. Morgenochtend in alle vroegte.'

Ze keek me aan. De ene na de andere uitdrukking kwam op haar gezicht: verwarring, scepsis, geamuseerdheid.

Toen zag ik besef. 'Het is Kurt, hè?' zei ze.

Susie, Kate en Ethan gingen de volgende morgen met een taxi naar het vliegveld Logan, vanwaar ze naar Nantucket zouden vliegen. Ik ging naar kantoor, en toen ik om negen uur een paar minuten de tijd had tussen twee besprekingen in, beantwoordde ik een telefoontje van de president-directeur van de Red Sox, die een heel aardige kerel bleek te zijn – ik denk dat ik een soort George Steinbrenner met een Bostons accent had verwacht of zoiets. Hij wilde dat ik een demonstratie van het PictureScreen voor hem hield en hem wat cijfers te zien gaf. We spraken af elkaar over een week te ontmoeten.

Zodra ik had opgehangen, nam ik de lift naar de hal. Ik verliet het Entronics-gebouw, reed een paar blokken, haalde brigadier Kenyons kaartje tevoorschijn en belde hem met mijn mobiele telefoon.

Iemand met een norse stem en een Spaans accent nam op: 'Staatspolitie, agent Sanchez.'

Kantoorgeluiden op de achtergrond, rinkelende telefoons, stemmen.

'Kan ik brigadier Kenyon spreken?' zei ik.

'Met wie spreek ik?'

Ik wachtte maar even. 'Josh Gibson.'

Even later nam Kenyon op. 'Meneer Gibson,' zei hij. 'Laat me even naar mijn kamer gaan.' Hij zette me in de wacht en nam enkele ogenblikken later weer op.

'Nou, dat is toevallig,' zei Kenyon. 'Ik wilde u net bellen om u het nieuws te vertellen.'

'Het nieuws?'

'De technische recherche heeft niets gevonden.'

'Ze hebben niets gevonden,' zei ik. Daar had ik even niet van terug.

'Nee. Geen sporen van een misdrijf. En dat betekent dat er geen onderzoek komt. Het betekent dat ik op een andere zaak word gezet.'

'Maar ik weet dat Kurt... ik wéét dat hij iets met de auto heeft gedaan.'

'Als de technische recherche zegt dat er niets aan de hand is, kan ik niet veel doen.'

'Ze hebben niet goed genoeg gezocht.'

'Dat zou best kunnen. Ik weet het niet. Ze hebben het druk. Veel te doen.'

'Het is er. Hij heeft het gedaan. Ik weet het. Heeft iemand de stuurkogels onderzocht?'

'Ik weet niet wat ze hebben onderzocht. Ik weet alleen dat ze niets hebben gevonden.'

'Waar is het wrak?'

'Als schroot afgevoerd, denk ik.'

'Als schroot?'

'In elk geval uit het systeem verwijderd. Dat doen ze altijd.'

'Wie?'

'De slepers. Het wrak is nu van hen. Meestal vragen ze de nabestaanden van de overledene of die het willen hebben, en als het total loss is, zeggen de nabestaanden altijd "nee", en dan verkopen ze het wrak als schroot. Hoezo?'

'U moet uw mensen van de technische recherche er nog een keer naar laten kijken voordat het wordt vernietigd.'

'Het is niet meer in mijn handen. Het wrak is ook niet meer bij de politie.'

Korte stilte. Kenyon lachte. 'Nee. Vergeet het maar.'

Ik gooide het over een andere boeg. 'Als u Kurt Semko's huis doorzoekt, wed ik dat u buisjes vindt met iets wat LME heet. Liquid Metal Embrittlement. De Special Forces beschikken daarover.'

'LME, hè? Nou, weet u wat het probleem is? Er komt geen huiszoeking. Als er geen sporen van een misdrijf zijn, komt er geen onderzoek en dan komt er ook geen huiszoekingsbevel. Zo gaat dat in de echte wereld.'

'Hij heeft het spul daar. Ik heb het gezien. Dat is uw bewijsmateriaal.'

'Laat me u iets uitleggen, meneer Steadman, want u weet blijkbaar niet hoe het systeem werkt. Als je een huiszoekingsbevel wilt, moet je daar een rechter om vragen. De rechter zal niet zo'n bevel uitvaardigen als daar geen gerede aanleiding voor is, zoals dat heet.'

'Ik heb dat spul bij hem thuis gezíén.'

Een korte stilte. 'Ik weet niet wat u hebt gezien, maar ik heb het gevoel dat u een eerlijk man bent. Bent u bereid mijn informant te zijn?'

'Ja, in vertrouwen. Maar niet met mijn naam. Voor geen goud. Kurt kent overal mensen. Hij zou erachter komen. Hij had ook afluisterapparatuur aangebracht in de kamer van Entronics waar u en ik dat gesprek hadden, weet u. Hij heeft elk woord gehoord.'

'Jezus.'

'Die kerel is gevaarlijk. U begrijpt waarom ik niet als uw informant in de papieren wil komen.'

'Zo werkt dat niet, meneer Steadman. De rechter gebruikt iets wat de Aguilar-Spinelli-test heet.'

'De wat?'

Hij zuchtte. 'Het komt erop neer dat de rechter geen huiszoekingsbevel zal uitvaardigen op grond van informatie uit de tweede hand. Als je de aanvraag van zo'n bevel baseert op informatie die je van een informant hebt gehoord, moet je de naam van die informant vermelden of duidelijk maken dat hij een lange voorgeschiedenis van betrouwbaarheid heeft. Als vertrouwelijke informant. Dat is bij u niet het geval. Nou, als u bereid bent uw naam op het huiszoekingsbevel te laten zetten...'

'Geen denken aan. Dat doe ik niet.'

'Dan komt er geen huiszoekingsbevel.'

'Wilt u deze zaak niet oplossen?'

'Luistert u eens, meneer Steadman. Mijn handen zijn gebonden. Wat de politie betreft, ís er geen zaak meer. Het spijt me.'

'Dus Kurt blijft ongestraft?'

'Het spijt me, meneer Steadman.' Ik belde het inlichtingennummer, kreeg het nummer van J & A Towing – het bedrijf dat Trevors auto had weggesleept – en belde ze.

'U hebt de Porsche van mijn broer,' zei ik tegen de vrouw die opnam.

'Pardon?'

'Van Trevor Allard.'

'Een ogenblik.'

Toen ze weer aan de lijn kwam, zei ze: 'Hé, het schijnt dat we al hebben gepraat met uw broers... weduwe. Ze zei dat ze het wrak niet wilde. Ze ging ermee akkoord dat we het als schroot verkochten.'

'Shit,' zei ik. 'Dat was de auto van mijn broer.'

'Zijn vrouw stond genoteerd als naaste verwant. Waarschijnlijk is hij al opgehaald. Ik wou dat ik u kon helpen.'

'Kunt u nagaan of hij al is opgehaald? Ik vind het vervelend dat ik u lastigval... alleen... Nou, het was de auto van mijn broer. En als ik er iets van kan houden... nou, dat zou dan... sentimentele waarde hebben. Hij gaf heel veel om die auto.'

'Een ogenblik.'

Ik wachtte.

Een man nam op. 'Met Ed.'

'Ed, ik ben...'

Maar hij praatte door. 'We hebben ons aan alle procedures gehouden, meneer. We hebben zijn vrouw in kennis gesteld, en ze gaf ons toestemming het wrak als schroot af te voeren. Het wrak wordt vanmiddag opgehaald door Kuzma Auto Salvage...'

'U hebt het nog?'

'Zoals ik al zei: het wordt opgehaald.'

'Luister. Dit is heel belangrijk voor mij. Wat geeft dat bedrijf u ervoor?'

'Dat zou ik u niet kunnen zeggen. We hebben indertijd een regeling met dat bedrijf getroffen.'

'Kom nou.'

'Dat kan honderd, tweehonderd dollar zijn.'

'Ik geef u driehonderd.'

'U wilt dat wrak echt hebben, hè?'

'Als ik er iets van kan houden – wat dan ook – omwille van mijn broer...'

'Ik denk dat u met driehonderd dollar niet ver komt, als u begrijpt wat ik bedoel. We hebben een vaste relatie met dat bergingsbedrijf, en we hebben al veel auto's op gewicht verkocht.'

'Ed, ben je eigenaar van je sleepbedrijf?'

'Ja.'

'Driehonderd voor je bedrijf en nog eens driehonderd voor jou persoonlijk als je dit voor me regelt.'

Hij grinnikte. 'Zo belangrijk is het voor u, hè?'

'Hebben we een deal? Of moet ik het wrak van Kuzma Auto Salvage kopen? Ik wed dat ik het van hen voor een fractie van dat bedrag kan krijgen.'

'Het is een Porsche, weet u.'

'Een Porsche of een Kia – het is nu een berg staal en aluminium.'

'Cash?'

'Als je hem naar mijn terrein in Cambridge sleept, krijg je zeshonderd dollar cash. Tenzij die Porsche van titanium is, doe je daarmee een heel goede zaak.'

Hij grinnikte weer. 'Ik laat een van de jongens hem morgen naar u toe slepen.'

'Vandaag,' zei ik. 'Om twee uur vanmiddag. Voordat ik bij mijn positieven kom.'

56

MIJN COMFORTABELE STOEL in de hoek bij de Starbucks was nog beschikbaar.

Ik stuurde een bericht naar Yoshi Tanaka's persoonlijke e-mailadres – dat stond op de achterkant van zijn kaartje, dat ik in mijn portefeuille bewaarde. De afzender was *Kurt_Semko@yahoo.com.*

'Kurt' wilde Yoshi wat verontrustende informatie over Dick Hardy verstrekken. Hij had iets ontdekt toen hij een routinematige veiligheidscontrole deed: Hardy's Hushmail-account, de Samurai Trust op de Kanaaleilanden, het verhandelen van Entronics-opties op de Australische effectenbeurs. 'Kurt' voelde er niet veel voor om dit via de normale communicatiekanalen van de onderneming te rapporteren, aangezien niemand, zelfs hij als nieuwe directeur Bedrijfsbeveiliging niet, het zou durven op te nemen tegen de machtige president-directeur van Entronics USA. Maar hij vond dat Yoshi ervan moest weten. Kurt stond erop dat niets van dit alles ooit door de telefoon of persoonlijk zou worden besproken. Hij zei tegen Yoshi dat die niet naar zijn e-mailadres bij Entronics moest schrijven.

Ik hoopte dat Yoshi beter Engels kon lezen dan hij het sprak.

Als Kurt me de waarheid vertelde – en ik had geen reden om eraan te twijfelen dat hij inderdaad die dingen over Dick Hardy had ontdekt, want daar was hij goed in – was het niet alleen illegaal wat Hardy deed, maar ook weerzinwekkend.

Ik was er zeker van dat de top van Entronics in Tokio absoluut niet wist wat hij in zijn schild voerde. De Japanners waren veel te behoedzaam, veel te scrupuleus voor zulke vuile, achterbakse spelletjes. De spelletjes die zij speelden, bevonden zich op een veel hoger plan. Ze zouden dit nooit tolereren. Ze zouden de zaak grondig uitzoeken, Hardy op het matje roepen en hem binnen een minuut Tokio uit schoppen.

Trevor Allards verongelukte Porsche zag er verschrikkelijk uit. De voorkant was zo erg verkreukeld dat hij bijna onherkenbaar was. De kap stak een heel eind omhoog, het portier aan de bestuurderskant hing zo ongeveer uit zijn scharnieren, en beide voorbanden waren leeg. Het chassis was uit elkaar getrokken. Je zag meteen dat niemand dat ongeluk kon hebben overleefd.

Graham en ik stonden er ernstig naar te kijken.

'Mijn huisbaas krijgt een rolberoerte,' zei Graham. 'Heb ik gezegd dat je hem hierheen mocht laten brengen?'

'Ja. Vanmorgen.'

'Dan moet ik hebben geslapen. Ik dacht... ik weet niet wat ik dacht.'

'Zodra je het beschadigde deel hebt gevonden, laat ik hem weghalen.'

'En als ik niets vind?'

Ik haalde mijn schouders op. 'Dan moet hij hier blijven staan tot je iets vindt.'

Hij wist niet of ik een grapje maakte. 'Dan ga ik maar aan het werk.'

Hij haalde zijn gereedschapskist tevoorschijn en begon het wrak uit elkaar te halen. Na een tijdje zei hij: 'Dit is niet leuk. Geen wonder dat ze niets konden vinden.'

Hij haalde het linkervoorwiel weg en porde in de donkere wielkast. 'Deze is oké,' zei hij. 'Geen schade aan de stuurkogels.'

Toen ging hij naar het andere wiel en deed hetzelfde. Een paar minuten later zei hij: 'Deze is ook in orde.'

'Wat kan het nog meer zijn?'

'Dat is lastig. Ik zeg dit niet graag, maar misschien heb ik me in de technische recherche vergist. Misschien hebben ze echt wel goed gekeken.'

Ik stond in zijn achtertuin te telefoneren, terwijl hij nog anderhalf uur in het wrak bleef zoeken.

Ten slotte stond hij op. Zijn werkhandschoenen zaten onder het vet. 'Niks,' zei hij. 'Er is niks aan de hand. Nu moet ik naar Cheepsters.' Dat was de platenzaak waar hij werkte.

'Nog even,' smeekte ik. 'Een halfuur.'

'Geef me mijn mobieltje. Misschien kan ik een uur inruilen voor een uur slavernij later.'

Ik hielp hem de motorkap opentrekken – die was zo erg beschadigd dat de elektrische motorkapopener zelfs niet zou hebben gewerkt als Graham een externe accu op de zekeringkast had aangesloten. Maar daar was blijkbaar ook niets aan de hand.

'Dit is frustrerend,' zei hij. Hij maakte het portier aan de bestuurderskant open en wurmde zich op de ingeklapte stoel. Hij bleef daar een tijdje zitten. 'De snelheidsmeter is blijven steken op honderd kilometer per uur,' zei hij. 'Ze reden niet zo hard.'

Hij trapte op de rem. 'Die doet het goed.'

Hij draaide aan het stuur. 'Hé,' zei hij.

'Wat is er?'

'Dat draait een beetje te gemakkelijk. Bewegen de wielen mee?'

Ik ging een paar stappen achteruit en keek. 'Nee.'

'Dat zou het probleem kunnen zijn. Je rijdt met honderd kilometer per uur over een snelweg en de weg maakt een bocht. Je stuurt, maar je wielen gaan gewoon rechtdoor. Je crasht tegen de vangrail.'

'Wat is daar de oorzaak van?'

'Het kunnen een paar dingen zijn.' Hij bukte zich en deed iets met de draden onder het dashboard. Met een lange moersleutel maakte hij twee airbagschroeven achter het stuur los. Hij ging met een schroevendraaier naar de achterkant van het stuur en verwijderde de airbagunit uit het midden van het stuur, en toen de airbagconnector.

'De airbags zijn niet in actie gekomen,' zei hij. Nu verwijderde hij de moeren van het stuur. Hij trok aan het stuur, maar dat kwam niet in beweging. Hij pakte een rubberen hamer uit zijn gereedschapskist en sloeg een paar keer van achteren tegen het stuur, en daarna tilde hij het eruit.

Een tijdje later hoorde ik hem zeggen: 'Hé, dat is vreemd.'

'Wat is er?'

'Moet je hier eens kijken.' Hij haalde er een dunne staaf van ongeveer dertig centimeter uit, met een U-verbinding aan het ene eind. Het andere eind was scherp en verbogen.

'Wat is dat?'

'Stuurkolom.'

'Kleiner dan ik dacht.'

'Ja, want het is maar de helft van de stuurkolom. Dit...' Hij trok een bijpassend stuk uit het wrak. 'Dit is de andere helft.'

'Gebroken?'

'Die dingen zijn ervoor gemaakt om ongelooflijk veel druk te weerstaan,' zei Graham. 'Ik heb nog nooit zoiets gezien. Het staal is niet afgeknapt. Het ziet eruit alsof het gescheurd is. Als een stuk drop of zo.'

'Je had bij de politie moeten gaan,' zei ik.

Toen ik naar mijn werk terugreed, belde ik Kenyon.

'Staatspolitie, agent Sanchez.' Spaans accent.

Ik vroeg naar Kenyon.

'Ik kan u zijn voicemail geven of ik kan een boodschap aannemen,' zei Sanchez. 'Tenzij het iets is waarmee ik u kan helpen.'

Ik vertrouwde hem niet, alleen omdat ik hem niet kende, hem nooit had ontmoet. Niet wist wie hij was.

Ik vroeg om Kenyons voicemail en ik vroeg Kenyon 'Josh Gibson' op mijn mobieltje terug te bellen.

Toen belde ik naar Kates mobieltje. Ze zei dat ze net in Susies huis was aangekomen en dat de reis goed was verlopen. Ze deed nu kalm aan.

'Er was een boodschap op de voicemail thuis van het ziekenhuis,' zei ze. 'De resultaten van de punctie zijn binnen, en alles is helemaal in orde.'

'Krijgen we een jongen of een meisje?'

'Dat wilden we toch niet weten?'

'O nee.'

'Wat gebeurt er daar – met Kurt?'

Ik zei tegen haar dat ik haar over een paar minuten zou terugbellen met een andere telefoon, en ik legde uit waarom.

Het plasmalaboratorium was leeg, wist ik. Ik hield mijn vinger op de biometrische lezer. Hij piepte en liet me binnen.

Op de een of andere manier was er nu waarschijnlijk ergens een alarm afgegaan en wist Kurt waar ik was.

Ik nam de telefoon in het hoekkantoor dat vroeger van Phil was en belde Kate op haar mobieltje.

'Hé,' zei ik. 'Ik wilde je niet vanuit mijn kamer bellen. Ik weet niet of dat veilig is.'

'Waarom niet?'

'Schat, luister nou. Ik heb eens nagedacht. En die kwestie met Kurt – ik bedoel, hij luistert mijn telefoon af, dat wel. Maar dat... dat met Trevors auto... Dat zou hij nooit doen.'

'Je denkt van niet?' Ze kon uitstekend acteren en ze speelde haar rol perfect.

'Nee. Echt niet.'

'Waarom niet?'

'Het is krankzinnig. Ik moet niet overal complotten zien. De politie heeft het wrak onderzocht en ze hebben niets gevonden.'

'Dan vind ik dat je je bij hem moet verontschuldigen. Je ziet hem vanavond toch op de softbalwedstrijd? Je moet hem vertellen dat het je spijt.'

'Ja,' zei ik onwillig. 'Maar dat kan ik niet doen. Dan krijg ik het eeuwig van hem te horen.'

Ik was niet bereid me te verontschuldigen. Blijkbaar was ze aan het improviseren. Kurt zou me nooit geloven als ik tegen hem zei dat ik tot de conclusie was gekomen dat hij onschuldig was. Aan de andere kant zou het me verbazen als Kurt níét meeluisterde met dit telefoongesprek. En hij zou alleen maar geloven dat ik het echt meende als hij meeluisterde.

Ik zou wel zien.

Brigadier Kenyon liet een boodschap op mijn mobieltje achter. Ik nam de lift naar de hal, reed een paar straten en belde hem terug. Ditmaal nam hij zelf op.

'Ik heb naar LME geïnformeerd,' zei Kenyon zonder eerst te vragen waarom ik belde. 'Misschien hebt u het bij het rechte eind. Liquid Metal Embrittlement is griezelig spul. Ik weet niet waar je dat spul zou kunnen kopen – bij een bedrijf van lassersbenodigdheden misschien?'

'Of je kunt het uit een legermagazijn halen. Ik heb een vraag voor u. Laten we zeggen dat het me op de een of andere manier gelukt is om uit Trevor Allards auto een onderdeel te halen waarmee te bewijzen is dat ermee geknoeid is, dus dat er een soort sabotage is gepleegd. Zou dat een bewijs zijn dat u op de rechtbank kunt gebruiken?'

'De auto is als schroot afgevoerd. Dat heb ik u verteld.'

'Even in die veronderstelling.'

'Wat hebt u gedaan?'

'Ik vraag u of dat bewijs toelaatbaar zou zijn.' Ik had mijn portie *Law and Order* op de tv gezien.

'Het is ingewikkeld. Ik bel u daar later over terug. Ik moet het eerst aan het parket vragen.'

'Zodra u kunt,' zei ik.

Hij belde me tien minuten later terug. 'Goed,' zei Kenyon. 'Een van de officieren van justitie heeft me verteld dat hier in Massachusetts de regels over bewaring van bewijsmateriaal betrekking hebben op het gewicht dat aan het bewijs moet worden toegekend, niet op de toelaatbaarheid.'

'U zult Engels moeten spreken.'

Kenyon lachte. 'En ik hoopte nog wel dat ú het míj kon uitleggen.'

'Sorry.'

'Het betekent dat de zaak daarmee niet rond is. Juridisch gezien hoef je niet elke schakel van de keten te laten zien. Een goede verdediger zal met allerlei argumenten komen, maar een rechter moet het bewijsmateriaal toelaten. En dus... heb ik uw vraag beantwoord. Geeft u nu antwoord op een paar vragen van mij. Hebt u dat onderdeel of niet?'

'Ik heb het.'

'Oké. En u zegt dat daarmee sabotage bewezen is. Hoe weet u dat? Met alle respect, u bent manager. Geen metaaldeskundige.'

'Ik kan u niet met honderd procent zekerheid zeggen dat het bewijst dat er sabotage aan de auto is gepleegd. Maar ik kan u ook vertellen dat het eruitziet als een lolly die verwrongen en daarna afgescheurd is. Het is geen normale metaalbreuk.'

'Wat voor onderdeel is het?'

Ik aarzelde. 'De stuurkolom.'

'Nou, laten we even aannemen dat u gelijk hebt. Op zichzelf zou het me alleen vertellen dat er met de auto is geknoeid. Maar dan zit ik nog steeds met een probleem. Een groot probleem.'

'En dat is?'

'Het verband met Kurt Semko. Het moet dan nog worden vastgesteld dat hij over het middel beschikte om dit te doen – die LME. Dat hij dat spul had of erbij kon komen.'

'Hij heeft het spul thuis,' zei ik. 'Ik heb het gezien. U hoeft alleen maar zijn huis te doorzoeken.'

'Daar hebben we het al over gehad,' zei Kenyon. 'Als u niet met name genoemd wilt worden, geeft de rechter ons geen huiszoekingsbevel. Was er maar een andere manier. Hij heeft u nooit een reservesleutel van zijn huis gegeven of zoiets?'

'Nee, natuurlijk niet.'

'En hij zal u vast niet meer uitnodigen.'

'Nog in geen miljoen jaar.'

'Hoe kunt u dan bewijzen dat hij dat spul heeft?'

'Hoe ik dat kan bewíjzen?'

'Dat is misschien de enige oplossing. Zoals u ook op eigen kracht aan die stuurkolom bent gekomen.'

'Misschien is er een andere manier,' zei ik.

Natuurlijk was die er. Daar werkte Graham Runkel aan.

'Wat dan?'

'Daarover neem ik nog contact met u op,' zei ik.

57

KURT ZWAAIDE VANUIT de verte naar me en keek me met een vriendelijke glimlach aan. Ik glimlachte net zo vriendelijk terug en zei: 'Hallo.'

Hij stond al op de werpheuvel om zijn spieren warm te maken. De lichten van het stadion waren aan. De tegenstanders, een allegaartje van de Bear Stearns-effectenmakelaars, waren onze knuppels al aan het inspecteren. Het nieuws had zich verspreid. Blijkbaar beseften ze niet dat met uitzondering van Kurt de overgebleven leden van het Entronics-teams niet goed genoeg waren om betere prestaties te kunnen leveren met een knuppel waarmee geknoeid was. Maar daar zouden ze nog achter komen. Festino overlegde met de andere jongens.

Mijn mobieltje ging. Omdat ik wist wie het was, liep ik een eind van de anderen vandaan voordat ik opnam. Het ging net voor de derde keer over.

'Ik ben binnen,' zei Runkel.

'In het huis?'

'Je hebt me gehoord.'

Hij had ingebroken in Kurts huurhuis in Holliston. Ik kon het me voor de geest halen op grond van mijn ene bezoek: alles netjes en goed onderhouden, erg steriel.

'Geen probleem?' vroeg ik.

'De deuren hadden dubbele sloten, maar de garagedeur stond open. De deur van de garage naar het huis is altijd de zwakke schakel. Gemakkelijk te forceren.'

'Geen alarm?'

'In zo'n huurhuis? Dat had ik niet verwacht. Maar er is vast wel een goed rookalarmsysteem. Daar zorgt de huisbaas voor.'

'Weet je waar je moet zoeken?'

'Dat heb je me verteld.' Zijn stem trilde een beetje toen hij door het huis liep. 'De logeerkamer naast de huiskamer, hè?'

'Ja.'

'Wil je weten wat ik ga gebruiken om het rookalarm te laten afgaan? Een joint.'

Kurt zwaaide weer naar me, en Festino ook. 'Kom op, Teigetje,' schreeuwde Festino. 'De werkdag is voorbij. We beginnen.'

Ik stak mijn wijsvinger op.

Als Graham de gestolen wapens en explosieven van Kurt had gevonden, zou hij de deur openlaten naar de kamer waar die dingen bewaard werden. Desnoods zou hij het slot forceren. Maar hij zou de deur openlaten.

Wanneer de brandweer op het rookalarm afkwam en de gebruikelijke schade aanrichtte, zouden ze de illegale wapens zien en de politie bellen. In deze tijd van terrorisme zou die de zaak heel serieus nemen.

En dan hadden we Kurt te pakken. Er was geen arrestatiebevel meer nodig en alles was volkomen legaal.

'Gevonden?' zei ik.

'Nee,' zei Runkel.

'Wat bedoel je, nee?'

'Er is hier niets.'

'Oké,' zei ik. 'Als je naar de haard in de huiskamer kijkt, is het de deur aan de rechterkant. Die holle deur. De enige in die muur.'

'Daar ben ik. Ik zie welke deur je bedoelt. Maar er liggen daar geen wapens.'

'Ze zijn er,' zei ik wanhopig. Kurt liep in mijn richting. Ik dempte mijn stem. 'Ik heb ze gezíén.'

'Ik ben in die kamer,' zei Runkel. 'Er is een eenpersoonsbed, en verder is er niets. De kamer ruikt misschien een beetje naar kruit. Alsof er hier wel iets wás. Maar er ís hier niets.'

'Dan heeft hij ze verplaatst. Kijk in de kelder. Kijk overal. Het moet er zijn.'

'Laten we gaan, Jason,' zei Kurt zo'n drie meter van me vandaan. 'Je laat iedereen wachten.'

'Geef het niet op,' zei ik, en ik hing op.

Shit.

'Je hebt het druk,' zei Kurt. 'Wie was dat?'

'Het ging over een contract,' zei ik. 'Iemand is het kwijt.'

'Dat is vervelend. Nou, jij speelt eerste honk. Kun je dat?'

'Ja,' zei ik. 'Kurt. Over al die... al die dingen die ik tegen je heb gezegd. Over de auto en zo.'

Hij schudde zijn hoofd. 'Niet nu.'

'Nee, ik wil me verontschuldigen. Ik ging over de schreef.'

'Laat maar,' zei hij. 'Dat is verleden tijd. Kom, we gaan het veld in.'

Hij sloeg zijn arm om me heen alsof hij nog in dienst was en ik een medesoldaat was.

Toch kon ik merken dat er iets aan hem veranderd was. Hij was hard en onbuigzaam en terughoudend.

Hij geloofde me niet.

Kurt had zijn gestolen Special Forces-wapens en oorlogstrofeeën verplaatst.

Dat was te begrijpen. Hij stond onder verdenking en wilde geen huiszoeking riskeren.

Waar had hij die dingen heengebracht?

Het antwoord schoot me te binnen toen ik bij het eerste honk stond, en het lag zo voor de hand dat ik er meteen aan had moeten denken. Willkie Auto Shop. Dat bedrijf was van Kurts vriend en Special Forcesmaatje, Jeremiah Willkie, en Kurt had mijn auto daarheen gebracht op de avond dat ik hem had leren kennen. Hij had zijn gereedschap en dergelijke daar in het magazijn liggen.

Daar moest ik zijn.

Ik probeerde me op de wedstrijd te concentreren. De effectenmakelaars van Bear Stearns waren niet erg goed. Zonder Kurt zouden wij dat natuurlijk ook niet zijn. Kurt gooide de eerste twee spelers uit, en toen lukte het hun derde man, die Kurts worpen had bestudeerd, om een lage bal naar de rechterkant van het infield te slaan. Letasky probeerde hem te vangen, maar hij stuiterde tegen zijn handschoen. Kurt rende de heuvel af om hem op te halen en gooide hem naar me toe.

Ik ving hem, maar hij gleed uit mijn handschoen en de loper haalde het eerste honk.

'Kom óp, man,' schreeuwde Kurt geërgerd. Voordat hij naar de werpheuvel terugging, draafde ik naar hem toe, pantomimede een verontschuldiging en deed alsof ik hem de bal gaf. Hij keek me vreemd aan, maar liep langzaam, op zijn dooie akkertje, naar de werpheuvel.

Ik ging naar het eerste honk terug, de bal verborgen in mijn handschoen. De loper, een dikke man met een bril, keek me met een zelfvoldane glimlach aan. Hij zag dat Kurt niet keek en nog niet eens op het rubber terug was. Zag zijn kans om het tweede honk erbij te pikken, hebberig als hij was.

En zodra hij van het honk wegliep, tikte ik hem aan.

Hij was uit.

'Hé!' riep hun coach, die het veld in rende. 'Dat is een schijnworp!'

Festino en Letasky en de anderen keken verbaasd toe. Festino barstte in lachen uit en schreeuwde: 'Teigetje!'

De scheidsrechter waggelde het veld op. 'Hij is uit. De oude truc van de verborgen bal.'

'Dat is te vergelijken met een schijnworp!' zei de coach van Bear Stearns.

'Dit heeft niets met een schijnworp te maken,' zei de scheidsrechter. 'Jij weet niet eens wat dat is.'

'Niemand weet wat een schijnworp is,' zei Festino.

'Het is de truc van de verborgen bal,' zei de scheidsrechter, 'en die is volkomen toegestaan. De pitcher was niet op de heuvel. Nou, spelen.'

'Dit is kwajongenswerk!' protesteerde de pitcher van Bear Stearns. Alsof dit een wedstrijd van profs was.

Letasky lachte en zei: 'Steadman, waar heb je dat vandaan?'

'Een paar jaar geleden zag ik het iemand van de Marlins tegen de Expos doen,' zei ik.

Toen we van het veld af gingen, kwam Kurt naar me toe. 'Klassieke misleiding,' zei hij. 'Nooit gedacht dat jij het in je had.'

Ik knikte alleen maar en haalde bescheiden mijn schouders op.

Toe maar, dacht ik. *Onderschat me maar.*

Ik excuseerde me, haalde mijn mobieltje tevoorschijn, liep een eindje van de anderen vandaan en belde Graham. De telefoon ging maar en ging maar, zes keer, en toen kreeg ik zijn voicemail.

Vreemd, dacht ik. Het mobiele netwerk in en bij Kurts huis was volkomen in orde.

Waarom nam Graham niet op? Ik moest weten of hij de illegale wapens had gevonden.

Ik belde opnieuw. Zijn toestel ging weer zes keer over en toen kreeg ik de voicemail.

Waar was hij?

Kurt kwam naar me toe. 'Kom op, Sprinkhaan. Wij zijn aan slag.'

'Nog even,' zei ik. Ik belde opnieuw.

Geen reactie.

Waar was Runkel?

'Jason,' zei Kurt. 'Kom op. Tijd om te spelen. Laat ze eens zien wat je kunt.'

58

ZODRA DE WEDSTRIJD was afgelopen – we sleepten er nog net een overwinning uit – nam ik Festino apart en vroeg hem Kurt uit te nodigen om met de rest van de Band of Brothers iets te gaan drinken. Zorg dat hij dat doet, zei ik. Ik gaf hem geen reden, en hij vroeg daar niet naar.

Toen ik in de auto op weg naar Cambridge was, probeerde ik Runkels mobiele nummer, en daarna zijn nummer thuis. Ik kreeg geen antwoord, en dat zat me steeds meer dwars. Het was niets voor hem om zomaar onbereikbaar te zijn. Hij was een verstokte wietroker, maar hij was iemand met verantwoordelijkheidsgevoel en hij was bij de inbraak in Kurts huis systematisch te werk gegaan.

Waarom nam hij de telefoon dan niet op? Ik wilde niet het ergste denken: dat hem iets was overkomen. Trouwens, ik wist dat Kurt hem niets kon hebben gedaan, want ik was al die tijd bij Kurt geweest.

Hij was ongedeerd. Dat moest wel.

Ik was twee keer bij Willkie Auto Body geweest – op de avond dat ik Kurt had ontmoet en later om mijn auto op te halen – en ik wist dus nog ongeveer waar het was. Evengoed wist ik absoluut niet wat ik ging doen als ik daar aankwam. Ik was er vrij zeker van dat Kurts opslagruimte zich in het achterste gebouw bevond, een magazijn voor auto-onderdelen en verf en wat ze verder nog nodig hadden. In het voorste gebouw, dat eruitzag als een verbouwd oud benzinestation, bevonden zich de wachtruimte voor klanten, het kantoortje en de werkplaats, waar ze het uitdeukwerk en spuitwerk en zo deden.

Willkie Auto Body zag er troosteloos en armoedig uit. Er stond een hoge draadgazen omheining omheen, maar het hek aan de voorkant stond open. Ik wist dat het bedrijf nog laat open was, maar ik wist niet of er vierentwintig uur per dag iemand was, of alleen tot middernacht, of wat dan ook.

De plastic rode blokletters van het bord met de naam waren donker. De randverlichting was uitgezet, alsof ze iemand die kwam aanrijden wilden ontmoedigen. Het grootste deel van het bakstenen voorste gebouw was ook donker, behalve de receptie.

Toen ik het terrein op reed, zette ik de koplampen uit. Ik reed heel langzaam en bleef helemaal aan de rechterkant van het parkeerterrein, in de hoop dat ik niet vanuit het gebouw te zien was. Een paar meter voorbij het voorste gebouw hield het asfalt op en reed ik over aangestampt gruis.

Het achterste gebouw was ongeveer een halve verdieping hoger dan het voorste. Het had golfmetalen wanden die in een lichte kleur waren geschilderd, en het zag eruit als een ijsbaan. Hier aan de achterkant brandden geen lampen. De enige verlichting kwam van de bijna volle maan. Ik zette de motor uit en rolde door tot ik naast een vuilcontainer tussen de twee gebouwen tot stilstand kwam.

Enkele minuten zat ik alleen maar in de auto te luisteren. Er klonken hier ook geen geluiden. Er was niemand. Waarschijnlijk was er nog maar één personeelslid aan het werk, degene die nachtdienst had en in de receptieruimte zat.

Ik pakte mijn sporttas van de voorbank en stapte zachtjes uit de auto. Duwde het portier dicht.

Toen stond ik daar een tijdje te luisteren. Geen voetstappen. Er kwam niemand aan. Geen geluiden, behalve zo ongeveer elke tien seconden een auto die voorbijreed. Als de man die nachtdienst had en in het voorste gebouw zat me had horen rijden, had hij waarschijnlijk gedacht dat het alleen maar verkeer op de weg was.

Toen mijn ogen aan het schemerige licht wenden, zag ik een Mercedes s-klasse op het asfalt aan de achterkant staan, op een aangegeven plek. Hij glansde als gepolijst lavaglas. Waarschijnlijk een net voltooid karwei. Daarnaast stond een Pontiac Firebird uit de jaren zestig met vlammen die over de hele lengte waren gespoten. Ik heb nooit begrepen waarom iemand dat met een prima sportwagen zou willen doen.

Nu liep ik langzaam naar het achterste gebouw. Er waren geen ramen, alleen stalen deuren, elk met een bord: ONDERDELEN en VERF MENGEN. Een stel benzinetanks waarvan ik aannam dat ze leeg waren, anders zouden ze binnen hebben gestaan. Een laadplatform aan de zijkant, met ONTVANGST GOEDEREN. Ik liep erheen. Een betonnen platform ruim een meter boven de grond, een roestige ijzeren ladder. Op een houten pallet ernaast lag een slordige stapel weggegooide, langgerekte kartonnen dozen.

Graham Runkel, een eersteklas inbreker tot hij gepakt werd, had me verteld dat laadplatforms altijd kwetsbaar waren. Vooral onder werktijd, als in de meeste bedrijven niemand wist wie er kwamen en gingen. Maar zelfs 's nachts, had hij gezegd. Laadplatforms waren gebouwd met het oog op gemakkelijke toegang en snelle aflevering. De deur van dit platform was een soort garagedeur die naar boven toe werd opgevouwen, waarschijnlijk van staal. Er zat een zwarte afsluiting omheen die eruitzag als rubber. Ik betwijfelde of er serieuze beveiligingsmaatregelen in dit gebouw waren geïnstalleerd, want alle waardevolle dingen – de auto's – bevonden zich in de werkruimten in het voorste gebouw. Mensen gingen niet inbreken om een ongelakt achterpaneel of zoiets te stelen.

Maar de vraag bleef: hoe kwam ik binnen?

Ik ging naar de voorkant terug en probeerde een van de stalen deuren, alleen om me geen idioot te voelen als ik later zou merken dat hij niet op slot zat. Hij zat op slot. Ik probeerde de andere deuren, en die zaten ook allemaal op slot. Oké, dat was geen verrassing.

De deur van het laadplatform had een hangslot. Ik beklom de roestige ladder naar het platform en maakte de rits van mijn sporttas open. Er zat wat elementair gereedschap in dat ik onderweg bij een Home Depot had gekocht, zoals een MagLite-lamp en een vijfendertig centimeter lange zware draadschaar van wolframcarbide, waarvan Graham me had verzekerd dat hij door zo ongeveer elk hangslot ging alsof het boter was. Ik bukte me om het hangslot van dichterbij te bekijken, en plotseling werd ik verblind door een fel licht.

Ik keek op.

Een felle zaklantaarn was van zeven meter afstand op me gericht. Er ging een schok van angst door me heen.

Ik was erbij.

Terwijl ik mijn ogen met mijn hand afschermde, kwam ik overeind. Diep in mij kwam iets in actie, een of ander overlevingsinstinct. 'Hé, waar was je nou?' riep ik.

'Wie ben jij?' Een mannenstem, een accent uit het Midden-Oosten. De stem kwam me bekend voor.

'Hebben jullie me niet gehoord?' ging ik verder. 'Heb je de boodschap niet doorgekregen?'

'Hoe heet je?' vroeg de man uit het Midden-Oosten.

'O, kom nou,' zei ik. 'Ben jij Abdul of zoiets?'

'Ja. Wie ben jij?'

Ik slenterde de ladder af, de sporttas op mijn schouder. 'Heeft Kurt je niet verteld dat ik kwam? Heeft hij je niet verteld dat Kenny vanavond langskwam om wat spullen uit zijn opslagruimte te halen?'

Ik dacht snel na, probeerde me Willkies voornaam te herinneren. Die kwam meteen bij me op: hoe kon ik 'Jeremiah' vergeten?

'Jezus christus,' zei ik. 'Ik dacht dat Kurt en Jeremiah het hadden geregeld.'

'Wat geregeld?' De zaklantaarn scheen niet meer in mijn ogen, maar naar de grond. De man kwam dichterbij.

'Shit, mag ik dan jullie telefoon gebruiken? En jullie plee, als je het niet erg vindt. Ik heb veel te veel bier gedronken.'

'De wc is aan de voorkant,' zei Abdul. 'Heeft Kurt met Jeremiah gepraat?'

'Ja, ja,' zei ik. 'Breng me eerst even naar de plee. Mijn blaas staat op springen.'

Hij liep voor me uit naar het voorste gebouw, haalde een grote sleutelring tevoorschijn en maakte de achterdeur open. 'De gang door en dan rechts.'

Ik gebruikte het urinoir en haalde toen een pen en Kurts visitekaartje uit mijn portefeuille. Op de achterkant van Kurts kaart schreef ik in Kurts precieze handschrift, alleen hoofdletters: 'WILLKIE AUTO BODY', en het adres. En toen: 'Abdul is aan de achterkant.' En: 'Bel me als ze moeilijk doen. Bedankt!'

Ik deed het kaartje in mijn zak, spoelde het urinoir door en kwam naar buiten.

'Aaah,' zei ik. 'Bedankt. Zo, nu kan ik weer helder denken. Ik was vergeten dat ik mijn mobieltje bij me had – ik heb je telefoon niet nodig. Wacht even.' Ik haalde mijn mobieltje tevoorschijn, zette hem weer aan en belde toen mijn kantoornummer.

'Ik ben hier,' zei ik tegen mijn antwoordapparaat. 'Oké, wanneer kom je nou? ... Maar je hebt ze hier toch ingeseind? Goed. Goed. Tot later.' En ik maakte een eind aan het gesprek en zette de telefoon af.

Ik greep in mijn zak, pakte Kurts kaartje en gaf het aan Abdul. 'Ben jij dit?' vroeg ik. 'Aan de achterkant?'

Hij keerde het om. Las het handschrift. 'Je had naar de voorkant moeten komen,' zei hij.

Langs de muur van het achterste gebouw bevond zich een rij opslagboxen, drie meter breed en hoog en zeven meter diep. Sommige waren open en leeg, en een paar zaten op slot met een oude stalen ketting die door ijzeren beugels en vervolgens door grote oude chromen hangsloten was geleid. Abdul haalde zijn sleutelring weer tevoorschijn en maakte een van de hangsloten los.

'Als je iets nodig hebt, kom je me maar halen,' zei hij, en hij liet me alleen.

Ik trok de ijzeren deur open en zag dat alles daar lag, keurig opgestapeld in dozen en kisten.

Het was zelfs nog veel meer dan wat ik die dag bij hem thuis had gezien. Meer dan alleen zijn antieke geweren en nagemaakte handvuurwapens. Een compleet geplunderd arsenaal.

Op kleurrijke spoelen stond PRIMACORD DETONATIEKOORD in feestelijke oranje en gele letters, de kleur van kinderfrisdrank. Een doos met M60-detonators. Een doos met SLAGHOEDJES, ELEKTRISCH M6.

Een stapel blokken van zo'n vijfentwintig centimeter lang, vijf centimeter breed en vier centimeter dik, verpakt in olijfbruine Mylar-folie. Ze hadden een opschrift op de bovenkant met DEMOLITIESPRINGSTOF M112 (1.25 lbs comp c4).

Ik wist wat dat was. C-4 kneedbare springstof.

Kurts autogereedschap lag daar ook, in twee gereedschapskisten, maar dat negeerde ik.

Ik vond een bak met kleine buisjes. Op de etiketten stond LIQUID METAL EMBRITTLEMENT AGENT (LME) – KWIK/INDIUMAMALGAAM.

Ik pakte een van de buisjes op. Mijn bewijsmateriaal.

Toen bleef ik staan, keek naar de hele voorraad en besefte dat ik nog een paar andere dingen kon meenemen.

59

TOEN IK MEER dan de helft van de afstand naar Boston had afgelegd, stopte ik langs de kant van de weg en belde ik brigadier Kenyon op zijn mobieltje.

'Ik heb al het bewijsmateriaal dat u nodig hebt om hem te arresteren,' zei ik nadat ik hem snel op de hoogte had gesteld. 'Genoeg om hem in verband te brengen met de moord op Allard en Gleason.'

'Misschien,' zei hij.

'Misschien? U zei dat het genoeg zou zijn als ik het buisje LME had.'

'Ja. En misschien is dat ook zo. En misschien niet.'

'Jezus nog aan toe,' zei ik. 'U bent de politieman. Ik niet. Waarom stuurt u niet meteen een paar kerels naar Willkie Auto Body? Er is daar in het achterste gebouw een opslagbox waar Kurt genoeg explosieven en munitie heeft om het John Hancock Building te laten instorten.'

'Uw informatie uit de tweede hand is niet genoeg.'

'O nee?' zei ik fel. 'Je moet het zo zien, Kenyon. Als je níéts met deze kleine tip van mij doet, kom je tot je nek in de stront terecht. Zo'n fout zou het eind van je carrière betekenen. Misschien heb je liever dat ik de FBI bel, dat ik tegen ze zeg dat de staatspolitie van Massachusetts geen zin had om iets met mijn melding van gestolen legermunitie te doen? Ik denk dat die zich na 11 september niet al te druk meer maken om formele procedures.'

Kenyon zweeg. Ik hoorde ruis op de lijn. 'Ik kan wat mensen sturen,' zei hij.

'Dat zou een verstandige zet zijn.'

'Is te bewijzen dat het Semko's opslagbox is?'

'Praat maar met Abdul,' zei ik. 'Zet hem onder druk. Vraag hem naar zijn verblijfsvergunning. Of naar zijn cel van Arabische terroristen. Kijk maar eens hoeveel medewerking je dan krijgt.'

Mijn mobieltje piepte. Iemand die mij belde. Ik keek naar het schermpje en zag dat het Graham niet was; er stond KURT.

'Laat me je terugbellen,' zei ik.

Ik ging op Kurt over en zei: 'Ja?'

Luidruchtige cafégeluiden op de achtergrond. Harde stemmen en gelach.

'Hé daar, jongen. Ik kreeg net een telefoontje van Abdul. Je kent Abdul.'

Mijn maag kwam in opstand. Ik gaf geen antwoord.

'En ik dacht nog wel dat je een beetje ging meewerken.'

'Kurt,' begon ik.

'En toen we vanavond aan het spelen waren, is er nog iets grappigs gebeurd. Er brak iemand bij me in.'

'O ja?'

'Een vriend van je.'

'Niet dat ik weet.'

'Hmm. Graham-en-nog-wat. Runkel?' Nonchalant, bijna luchtig. 'Jouw telefoonnummer stond in zijn mobieltje geprogrammeerd. Moet een vriend zijn.'

Er ging een huivering door me heen. Hij wist Grahams naam, wist van de connectie. Wist wat er in Grahams mobieltje zat.

'Het laatste nummer dat hij met zijn mobieltje belde, was dat van jou. Was hij het met wie je onder de wedstrijd praatte?'

'Dit is nieuw voor mij,' zei ik.

'Het is een nieuwsgierige klootzak. Hij beging de fout dat hij in mijn opbergkist keek. Er staat honderdtien volt op het slot van dat ding. Mijn kleine beveiligingsmaatregel. Hij was meteen buiten westen.'

De tranen sprongen in mijn ogen.

Ik beet op mijn lip. 'Waar is hij?'

'Dat had je niet moeten doen. Je bent één keer te vaak over de schreef gegaan.'

'Waar is hij, Kurt?'

'Hij ligt heel comfortabel, Jason, ouwe jongen. Vastgebonden en opgesloten in een grote oude hutkoffer die ik had staan. Daar blijft hij tot ik iets anders heb geregeld. Nou ja, misschien is het niet zo comfortabel. Er zit niet veel lucht in. Waarschijnlijk heeft hij de meeste lucht al verbruikt. Je weet dat je in paniek sneller gaat ademhalen, hè?'

'In jouw huis.'

'Nee. Ergens anders. Laten we het een onbekende locatie noemen.'

'Ik heb iets wat jij wilt hebben,' zei ik abrupt.

'O ja?'

'Een stukje bewijsmateriaal. Een beschadigde stuurkolom van een Porsche Carrera.'

Hij lachte. 'En nu wil jij een koehandeltje drijven, hè? Je wilt ruilen.'

'Laat Graham vrij en ik geef je dat onderdeel.'

'Geef jij me dan de stuurkolom, Jason?' zei Kurt, weer lachend.

'Gelijk oversteken,' zei ik. 'Mijn vriend in ruil voor de garantie dat je niet voor de rest van je leven achter de tralies gaat. Dat lijkt me een vrij goede deal.'

Hij aarzelde even, dacht na. Ik wist dat zijn geest rondwervelde als een cd. Hij was van nature argwanend, veel meer dan ik ooit zou zijn. Alles kon een list, een truc zijn. Ik moest het zo verkopen dat ik echt wilde ruilen. Dat het geen valstrik was.

Ik moest het zo verkopen dat ik hem echt iets probeerde te verkopen. Dit was een spiegel die een spiegel weerspiegelde.

'Goed,' zei hij ten slotte. 'Ik heb daar geen probleem mee.'

Ik sloeg de bal terug. 'Nee, jíj hebt daar geen probleem mee. Ik geef je de stuurkolom, jij laat Graham vrij, en dan ga je naar Hilliard Street en vermoordt mijn vrouw en dan mij.'

'Waarom zou ik dat nou doen, Jason? Nadat je me zo'n mooi cadeau hebt gegeven?'

Als Kurt wist dat Kate niet meer in ons huis was, zou hij dat misschien hebben gezegd. Ik vroeg me af of hij wist dat ze weg was.

'Weet je wat het is, Kurt? Ik neem niets meer voor vanzelfsprekend aan. Dat onderdeel dat ik heb – die stuurkolom – is mijn kracht. Mijn wapen. Alsof ik zo'n primitieve Amazonekrijger ben en dit mijn knuppel is, weet je wel? Zonder mijn knuppel kan ik niets beginnen. Ik vind dat geen prettig gevoel.'

Hij zweeg weer. Nu was hij echt verbaasd. Het ene moment was ik lichtgelovig, het volgende moment argwanend. Hij wist niet wat mijn echte houding was.

'Je bedoelt dat mijn woord niet goed genoeg voor je is?'

Ik lachte. 'Dat was het ooit wel. Nu niet meer. Die stuurkolom is een belangrijk bewijsstuk. Zonder dat ding heeft de politie geen gerede aanleiding om je te arresteren. Geen bewijs, geen arrestatiebevel. Dan ga je vrijuit. Maar hoe zit het dan met mij?'

'Nou, denk eens na,' zei hij. 'Zonder je knuppel kun je niets beginnen. Dat betekent dat je dan geen bedreiging meer vormt.'

Ik glimlachte. Dat was precies wat ik hem wilde laten zeggen, precies de conclusie waartoe ik hem wilde laten komen. Maar ik wilde dat het zijn eigen idee was. Net als Freddy Naseem; net als Gordy. Laat de ander het zeggen, dan is het zijn besluit.

'Maar ik weet dingen,' zei ik. 'Dingen van jou. Die heb ik in mijn hoofd zitten. Hoe weet jij dat ik niet opnieuw naar de politie ga?'

'Hoe weet jij dat ik niet naar Hilliard Street ga? Om een bezoek te brengen aan je vrouw en baby? Dit is een heel bijzondere situatie. Het heet wederzijdse verzekerde vernietiging. Een militaire doctrine uit de Koude Oorlog.'

Ik glimlachte weer. Precies.

'Daar zit wat in,' zei ik. 'Ja. Nou?'

'Nou, we ontmoeten elkaar.'

'Waar? Het moet op een neutrale plaats zijn. Een veilige plaats. Zonder publiek. Niet bij jou thuis. Niet bij mij thuis.'

Ik wist wat hij zou zeggen. Op die manier kwam je tot zaken. *Het Mark Simkins-college Verkopen voor gevorderden.* Je zorgt ervoor dat de klant een eis stelt waaraan je kunt voldoen.

'De zaak,' zei hij. 'Het Entronics-gebouw.'

Waar hij zich op zijn gemak voelde. Waar hij de situatie beheerste.

'Over een uur,' zei ik. 'Met Graham.'

'Twee uur. En je verkeert niet bepaald in een onderhandelingspositie. Je geeft me dat stuk schroot en ik vertel je waar hij is. Zo doen we het. Als de condities je niet bevallen, zoek je maar een andere leverancier.'

'Goed.'

'Denk erover na. Neem de tijd. Ik heb alle tijd van de wereld. O ja, je vriend niet. Hij heeft nog drie of vier uur lucht. Als hij rustig is en normaal ademhaalt. En dat valt niet mee als je vastgebonden bent en in een kist op een onbekende locatie ligt, hè?'

60

IK BELDE KENYON terug.

'Ik heb net een deal gemaakt met Kurt Semko,' zei ik, en ik legde het uit.

'Ben je gek geworden?' zei hij.

'Heb jij een beter idee?'

'Ja. Ik stuur een eenheid naar dat schadebedrijf. Zodra ze die explosieven vinden, hebben we genoeg bewijs om Semko te arresteren.'

'Hoe lang doe je erover om zo'n eenheid bij elkaar te krijgen en van uitrusting te voorzien, daarheen te sturen en terug te laten komen en een arrestatiebevel te krijgen?'

'Zes uur, zou ik zeggen, als we een rechter uit zijn bed kunnen krijgen.'

'Nee,' zei ik. 'Dat is niet goed. Dan haalt mijn vriend het niet. En dus ga ik naar Kurt toe, of je dat nu prettig vindt of niet. En ik wil dat je me een zendertje meegeeft. Ergens op mijn lichaam. Ik krijg hem wel aan het praten.'

'Wacht eens even,' zei Kenyon. 'Punt één, onze mensen van Bijzondere Diensten werken midden in de nacht niet. Er is pas morgen weer iemand om die apparatuur professioneel aan te brengen.'

'Je bedoelt dat jullie geen zendertje hebben en een microfoontje dat te verbergen is?'

'Dat wel. Maar dan gaat het nogal primitief.'

'Dat moet dan maar.'

'Punt twee, als je denkt dat je Semko zo'n bekentenis als in een film kunt laten doen – je weet wel, "Nu ik je toch ga doden, zal ik je eerst nog vertellen wat voor snode plannen ik heb" – nou, dan moet je eens naar betere films gaan kijken.'

'Natuurlijk niet. Hij "bekent" niets. Maar we hebben alleen een gesprek nodig. Een paar woorden over en weer. Genoeg om duidelijk te maken dat hij het heeft gedaan. En als iemand hem aan het praten kan krijgen, ben ik het.'

Ruis op de lijn. Lange stilte. 'Ik weet het niet. Ik zou je in groot gevaar brengen. Het is heel ongebruikelijk.'

'Groot gevaar? Heb je het over groot gevaar? Een vriend van me ligt ergens langzaam te stikken in een hutkoffer. Ik ga naar Kurt toe. Als ik mijn eigen lullige cassetterecordertje moet gebruiken en een microfoontje op mijn borst moet plakken, dan doe ik dat.'

'Nee,' onderbrak Kenyon hem. 'Ik zal zien wat ik bij elkaar kan krijgen.'

'Goed.'

'Maar weet je zeker dat je hem aan het praten kunt krijgen?'

'Ik ben verkoper,' zei ik. 'Het is mijn vak.'

61

Ik ging naar een Starbucks en deed kort voor sluitingstijd nog wat onderzoek op internet. Een halfuur later ontmoette ik Kenyon in een dag en nacht geopende Dunkin' Donuts bij het Entronics-gebouw. Het was net elf uur geweest. Er zaten een paar dronken kerels met Red Sox-petjes en korte broeken die zo laag hingen dat je hun boxershorts kon zien. Er was een gespannen kijkend stel dat zachtjes ruziemaakte aan een tafeltje. Een dakloze die draagtassen vol rotzooi rond zijn tafel had staan. Er gaat niets boven een Dunks laat op de avond.

Kenyon droeg een marineblauw sweatshirt en een katoenen broek. Hij zag er moe uit. We namen grote koppen koffie en toen bracht hij me naar een nieuw wit busje. Hij maakte de achterdeuren open en we stapten erin. Hij deed het plafondlicht aan.

'Dit is het beste wat ik op korte termijn kon krijgen,' zei hij, en hij gaf me een rol draad.

'Kurt weet hoe je naar verborgen microfoons en zendertjes moet zoeken,' zei ik.

'Natuurlijk,' zei Kenyon. 'Dus kom niet te dichtbij.'

'Ik zal mijn best doen.'

'Dan moeten we maar eens aan het werk gaan.' Hij keek naar mijn T-shirt. 'Heb je iets met lange mouwen?'

'Niet bij me.'

Hij trok zijn sweatshirt uit. 'Doe dit dan aan. Als ik het maar een keer terugkrijg, goed?'

Als ik nog leef, zal ik het graag teruggeven. Ik knikte.

'Doe je shirt uit.'

Ik deed het. Hij maakte het zendertje onder op mijn rug vast met breed plakband dat hij om mijn borst wond. Het was kleverig en het zou vast en zeker mijn borstharen meenemen als ik het weghaalde.

'Als hij je team maar niet ziet,' zei ik. 'Vergeet niet dat hij een professional is.'

'Dat zijn zij ook.'

Ik ademde diep in en liet de lucht langzaam ontsnappen. 'Gaat dit werken?'

'Het zendertje werkt prima. De rest... nou, dat hangt van jou af. Of je het voor elkaar krijgt. En dat maakt me juist zo bang.'

'Ik kan het,' zei ik. 'Heb ik ook een soort paniekknop?'

'We luisteren mee. Als je ons nodig hebt, zeg je gewoon iets. Een frase die we afspreken. En dan komen we er meteen aan.'

'Een frase. Bijvoorbeeld: "Ik heb hier geen goed gevoel bij"?'

'Mij best,' zei hij. 'Oké. We gaan.'

Het kostte me nog eens drie kwartier om me op mijn ontmoeting met Kurt voor te bereiden. Ik parkeerde achter een 7-Eleven die gesloten was en werkte vanuit de kofferbak van mijn auto.

Het Entronics-gebouw was grotendeels donker, met hier en daar wat licht achter ramen. Misschien nog een paar schoonmakers. Een paar kantoormensen die erg lang doorgingen, zoals Phil Rifkin vroeger deed.

Ik zag dat er licht brandde in mijn hoekkamer op de twintigste verdieping. Ik had het uitgedaan toen ik wegging. De schoonmakers kwamen daar meestal om negen of tien uur, dus die konden het niet zijn. Niet om één uur 's nachts.

Het moest Kurt zijn. Hij wachtte op me.

62

KWART VOOR ÉÉN 's nachts.

Een kwartier voor de afgesproken tijd kwam ik mijn kamer binnen. Ik zette meteen mijn sporttas en koffertje neer. Het licht was al aan. Mijn computer ook.

Kurt had hem gebruikt, nam ik aan, maar waarvoor?

Ik ging achter het bureau staan om naar de monitor te kijken en hoorde Kurts stem. 'Je hebt iets voor me.'

Ik keek op. Knikte.

'Laten we dit snel afhandelen.'

Ik bleef staan en keek in zijn ogen. 'Welke garantie heb ik dat ik Graham vind op de plaats waar jij zegt dat hij is?'

'Er zijn geen garanties in het leven,' zei Kurt. 'Je zult me op mijn woord moeten geloven.'

'Wat heb jij eigenlijk aan dat ding?' vroeg ik. 'Het is maar een stuk schroot.'

'Het heeft geen waarde voor mij.'

'Waarom wil je dan zaken doen?'

Een aarzeling op het laatste moment. Dat maakte je in het zakenleven steeds weer mee. Hoeveel klanten werden niet plotseling nerveus als ze op het punt stonden hun handtekening te zetten? Als ik het zag aankomen, gooide ik er meestal een onverwacht voordeel bij, een aangename verrassing. Dat werkte bijna altijd. Maar je moest het wel aanvoelen.

'Waarom? Omdat ik liever niet wil dat de politie het in handen krijgt. Niet dat ik me er dan niet uit zou kunnen redden. Mijn vrienden bij de politie zouden zo'n bewijsstuk kunnen "verliezen". Maar ik ga graag grondig te werk.'

'Wie zegt dat de politie zelfs weet wat dit is?'

Hij haalde zijn schouders op. 'Misschien niet. Je hebt gelijk.'

'Misschien weten ze niet eens dat het uit een Porsche komt.'

'Daar kunnen ze wel achter komen. Er hoeft maar één forensische onderzoeker te zijn die sporen kwik vindt, of wat er maar op zit. Of het breukpatroon – ik weet het niet. Het kan me ook niet schelen. Maar waarom zou ik het risico nemen? Jij en ik kunnen het eens worden. En dan leven we nog lang en gelukkig.'

Ik knikte.

Het was gelukt.

Dit was genoeg. Meer zou ik niet krijgen, maar het was genoeg om zijn schuld te bewijzen.

'Ik neem een enorm risico,' zei ik.

'Het leven is een risico. Geef me dat ding.'

Ik zweeg een hele tijd.

Echte verkoopkampioenen, zei Mark Simkins, *kunnen desnoods de hele dag zwijgend blijven zitten. Dat valt niet mee. Je wilt iets zeggen. Maar doe dat niet! Houd je mond dicht.*

Toen er genoeg tijd was verstreken, pakte ik de sporttas op en trok de rits los. Ik haalde het stuk metaal eruit, dat ik in plastic en tape had verpakt.

Ik gaf het aan hem.

'Goed,' zei hij. Hij trok aan de tape en haalde de lagen plastic van de stuurkolom. Hij liet het plastic op de vloer vallen en hield de verwrongen dikke stalen staaf met U-verbinding omhoog. Woog hem in zijn hand, keek er bewonderend naar. Het ding was zwaar.

'Goed,' zei ik. 'Waar is Graham?'

'Je weet de oude fabriek van General Motors.'

'Aan Western Avenue, een kleine twee kilometer hiervandaan?'

'Ja. Dat lege terrein daar.' Hij gaf me een klein sleuteltje. Van de hutkoffer, nam ik aan. 'Vreemd dat je leven kan afhangen van een klein stukje metaal,' zei hij. Hij liep langzaam naar de grote glazen ruit.

'Net als een kogel. Die kan je leven redden.' Hij keek nu uit het raam. Toen draaide hij zich snel om. 'Of hij kan je dood worden.'

Op dat moment zwaaide hij met de stuurkolom naar de ruit.

Het glas explodeerde met een harde knal en duizend scherven regenden op de vloerbedekking neer. 'Goedkoop gehard glas,' zei hij. 'De aannemer had op zijn minst voor gelaagd glas moeten kiezen, in zo'n mooi gebouw.'

'Ik heb hier geen goed gevoel bij,' zei ik tegen de verborgen microfoon.

Kom als de bliksem hierheen, wilde ik schreeuwen.

'Jezus!' schreeuwde ik. 'Wat doe je nou?'

Een koude wind vloog de kamer in, met wat regendruppels.

'Oké,' zei hij. 'Je hebt onder grote spanning gestaan. Plotseling gepromoveerd naar de top. Je stond van alle kanten onder druk, probeerde de divisie te redden – je wist niet dat het allemaal een truc was. Een spel op hoog niveau. Je kwam achter de waarheid, en toen werd het je te veel.'

Ik hoorde dat niet graag, maar ik wist wat hij wilde doen.

'En nu verliezen honderdvijftig mensen door jou hun baan. Ja, je staat onder grote druk. Je gaat zelf je baan ook verliezen, en je vrouw is zwanger. En dus doe je het enige wat logisch is. In jouw wanhopige situatie. Je springt. Het is een goede dag om dood te gaan, vind je niet?'

De wind vloog door de kamer, blies papieren in het rond, gooide ingelijste foto's van mijn bureau, van het dressoir. Ik voelde de koude regenspatten.

'Spreek namens jezelf,' zei ik.

Ik greep in de sporttas en haalde Kurts colt tevoorschijn. Een semiautomatische .45 van het leger.

Kurt zag het en glimlachte. Hij praatte door alsof ik alleen maar met mijn vinger naar hem wees. 'Je hebt een zelfmoordbriefje achtergelaten,' zei hij kalm. 'Op je computer. Dat gebeurt tegenwoordig steeds vaker.'

Het pistool voelde zwaar en onhandig aan. Het koude blauwzwarte staal, de ruwe kolf. Mijn hart bonkte zo hard dat mijn hand trilde.

'De politie hoort elk woord dat we zeggen,' zei ik. 'Ik heb een zendertje bij me, mijn vriend. Je zelfmoordtruc werkt niet. Sorry.'

Kurt negeerde me. 'Het wapen in één hand?' zei Kurt verrast. 'Dat is niet gemakkelijk.'

Ik bracht mijn andere hand omhoog om het pistool met beide handen vast te houden. Ik verlegde het wapen in mijn handen, bewoog mijn vingers, probeerde een tweehandige greep te vinden die goed aanvoelde.

'Je hebt je verontschuldigd bij je vrouw en je ongeboren dochter.

Tenminste, dat is het volgens de punctieresultaten. Een meisje. Gefeliciteerd.'

Een ogenblik was ik sprakeloos. Ik verstijfde. Toen ging ik verder.

'Net als die zogenaamde zelfmoord van Phil Rifkin,' zei ik. 'Hij heeft zich niet verhangen. Je hebt hem met die kabel gewurgd en het doen voorkomen alsof het ophanging was.'

Kurt knipperde met zijn ogen. Zijn glimlach verzwakte een heel klein beetje.

'Want hij betrapte je toen je naar het plasmalab ging om iets te doen met het plasmascherm dat Trevor bij Fidelity zou demonstreren. Je verwachtte niet dat hij daar op zondag zou zijn. Je wist niet dat hij op vreemde uren werkte.'

'Alsjeblieft, zeg nu dat je daar niet pas op dit moment achter komt,' zei Kurt.

'Ik denk dat ik het al een tijdje weet. Ik wilde het alleen niet aan mezelf toegeven.'

Mijn linkerhand ondersteunde mijn rechter bij de pols. Ik had geen idee of dit de juiste houding was. Waarschijnlijk niet: wat wist ik ervan? Richten en schieten. De trekker overhalen. Als ik naast schoot, moest ik opnieuw richten en de trekker overhalen. Uiteindelijk zou ik hem raken. Een gelukkig schot, een ongelukkig schot, ik moest hem in zijn borst raken, misschien zelfs in zijn hoofd. Mijn handen trilden.

'Heb je het geladen, Jason? Weet je wel hoe dat moet?'

Kurt grijnsde. Zijn gezicht had nu iets vaderlijks, alsof hij trots en geamuseerd naar de verrichtingen van een grappige peuter keek.

'Man, als je de patronen verkeerd in het magazijn doet, of het magazijn er op de verkeerde manier in doet, kun je het wel schudden. Het wapen kan in je handen exploderen. Dan ga jij eraan, in plaats van ik.'

Ik wist dat hij loog. Zoveel wist ik er wel van. Maar waar bleef Kenyon? Kon hij mij niet horen? Hoe lang deden ze erover om hier boven te komen?

'Je hebt een goed wapen gekozen, Jason,' zei hij. Hij kwam een paar stappen naar me toe. 'Model 1911 A1 Serie 70. Een voortreffelijk wapen. Ik vind het nog beter dan de Glock.'

Hij kwam dichterbij.

'Blijf staan, Kurt.'

'Goede beveiliging. Veel beter dan de Beretta M9 die het leger tegenwoordig heeft, want dat is een ding van niks. Voortreffelijke stopkracht.'

Hij kwam nog dichterbij. De afstand was nu nog maar drie meter. Erg dichtbij. Nu was het geen probleem meer.

'Blijf staan of ik schiet je overhoop!' riep ik.

Ik kromde mijn wijsvinger om de trekker. Die voelde verrassend licht aan.

'Je had mijn aanbod om je schietlessen te geven moeten aannemen, Jason. Zoals ik al zei, weet je nooit wanneer je zoiets nodig hebt.'

'Ik meen het,' zei ik. 'Nog één stap en ik haal de trekker over.'

Waar bleven ze nou?

'Jongen, zoals jij dat wapen vasthoudt, vliegt de schuif achteruit en kost dat je je duim. Je moet voorzichtig zijn.'

Ik aarzelde, even maar.

'Jij gaat me niet doodschieten, Jason. Jij hebt nog nooit iemand gedood en daar ga je nu niet mee beginnen. Iemand als jij berooft nooit iemand van het leven.' Hij sprak zacht en kalm. Bijna sussend. 'Met die nachtmerrie wil je niet leven. Op zo'n korte afstand krijg je bloed en hersenweefsel over je heen, en stukjes bot. Dat achtervolgt je de rest van je leven.'

'Wacht maar af,' zei ik, en ik haalde de trekker over.

Hij bewoog niet. Dat was het vreemde. Hij bleef daar met zijn armen langs zijn zij staan.

En er gebeurde niets.

Het pistool schoot niet.

Ik haalde de trekker opnieuw helemaal over, en er klikte niets.

Plotseling schoot zijn rechterhand uit. Hij duwde het pistool opzij, greep het vast en trok het uit mijn handen – dat alles in één soepele beweging.

'Verrekte amateur,' zei hij. Hij draaide het pistool om en richtte het op mij. 'Je hebt het geladen, maar je haalde de veiligheidspal niet over.'

Ik draaide me snel om en rende weg.

Ik rende hard. Zo hard als ik kon. Alsof ik de trappen van het Harvard Stadium op rende, alsof ik langs de Charles liep te sprinten. Elke trillende vezel van mijn hele lichaam werkte mee aan de wanhopige poging om mijn leven te redden.

Achter me hoorde ik hem zeggen: 'Een colt is voor een amateur niet gemakkelijk te gebruiken. Je moet tegen de *backstrap* drukken als je de trekker overhaalt.'

De kamer uit, door het labyrint van het kantoor.

Hij riep: *'Je had het van me kunnen leren.'*

De liften. Ik vloog op het wandpaneel af, drukte op alle knoppen, liet ze oranje oplichten.

'Je kunt nergens heen,' zei Kurt. Hij klonk dichterbij. Waarom schoot hij niet op me?

De pingtoon van een naderende lift. Goddank. De liftdeuren gleden open en ik sprong erin terwijl ik Kurts voetstappen hoorde. Ik drukte op de knop van de hal, drukte en drukte erop tot de deuren, tergend langzaam, eindelijk dichtgingen.

Een aarzeling. De lift kwam niet in beweging.

Nee, alsjeblieft.

Toen was er een lichte schok en ging hij omlaag.

Zo verrekte langzaam. De knoppen van de verdiepingen lichtten in een bedaard tempo de een na de ander op. Negentien... zeventien. Het flatpanelscherm was donker en de lichten in de liftcabine waren zwak. Ik keek naar de cijfers alsof ik ze kon dwingen sneller te gaan.

Waar bleef Kenyon nou?

De lift kwam huiverend tot stilstand. De oranje knop van de negende verdieping bleef oplichten.

Ik drukte weer op de knop van de hal, maar er gebeurde niets.

Toen werd alles donker. Ik zag niets. Pikzwart.

Op de een of andere manier had hij de lift uitgezet. De stroom uitgeschakeld. Ik tastte in het donker om me heen, op zoek naar de knoppen, vond ze met mijn vingers. Bewoog mijn vingers eroverheen, drukte op de ene na de andere knop. Niets.

De noodknop zat onder op het paneel. Ik kon hem niet zien, maar ik wist waar hij zat. Was het wel een knop of een schakelaar? Volslagen blind betastte ik het paneel. Ik liet mijn handen over de twee rijen knoppen glijden tot ik de benedenrand van het stalen paneel vond. Hij voelde aan als een tuimelschakelaar. Ik drukte hem omhoog.

Niets. Geen alarm, geen geluid, niets.

Er waren daar beneden nog meer knoppen. Was het soms een knop? Ik drukte op de onderste rij knoppen, maar er gebeurde niets. Stilte.

Er ging een golf van paniek door me heen. Ik stond in volslagen duisternis in die liftcabine. Ik voelde de koude gladde stalen deuren. Mijn beide handpalmen gleden over het metaal tot ik de spleet tussen de twee deuren vond.

Een kleine spleet, niet breed genoeg om mijn vingertoppen erin te krijgen. Het zweet prikte in mijn voorhoofd en mijn nek.

In mijn frustratie bonkte ik op de deur. Schopte ertegen. Het staal was koud en hard en onbeweeglijk.

Ik vond mijn mobieltje en klapte het open. Het scherm gaf licht en ik toetste 911 in.

Dat tsjilpende geluidje om je te laten weten dat je geen verbinding kreeg.

Er was hier geen signaal.

Mijn hart bonsde. Het zweet liep over mijn wangen, in mijn oren, over mijn hals. Speldenprikjes van licht dansten voor mijn ogen, maar ik wist dat het geen echt licht was. Het waren willekeurige flitsen van neuronen in mijn hersenen. Ik ging achteruit, sloeg met mijn armen om me heen, tastte naar de wanden van de lift.

Die wanden kwamen dichterbij.

Ik stak mijn handen omhoog, tastte naar het plafond, moest opspringen om erbij te kunnen. Wat was er daarboven? Waren daar schroefjes of zoiets? Kon je ze losmaken? Waren daar panelen, een luikje, een nooduitgang?

Ik voelde de roestvrijstalen leuning die langs drie wanden van de lift leidde en een paar centimeter uit de wand stak. Misschien tien centimeter.

Ik sprong opnieuw, streek met mijn handen langs het plafond. Voelde iets ronds, een gat. Herinnerde me dat het plafond verzonken lampen had. Geen schroeven die naar buiten staken. Een glad, stalen plafond met halogeenlampen in een regelmatig patroon. Die nu uit waren.

Maar er moest een noodluik zijn. Ja toch? Dat was toch bij de wet verplicht?

En als er een noodluik was en ik zag kans het open te krijgen – wat dan? Wat moest ik dan doen? In de liftschacht naar boven klimmen als James Bond of zoiets?

Het zweet liep nu in stralen. Ik moest hier uit. Ik probeerde mijn voet op de leuning te krijgen, maar die was te hoog.

Ik zat in de val.

Plotseling gingen de plafondlichten aan.

Toen lichtte het beeldscherm blauw op, en wit, en...

Kurts gezicht verscheen.

Een close-up van zijn gezicht, een beetje wazig. Een brede glimlach. Zijn gezicht nam het hele scherm in beslag.

'Het woord van de dag is "vergelding",' zei Kurt. 'Mooi woord, hè?'

Ik keek naar zijn gezicht op het scherm. Hoe deed hij dat?

'Jongen, jij bent drijfnat,' zei hij. 'Warm daarbinnen, hè?'

Ik keek op en zag de zilverige zwarte bol in een hoek van het plafond. De grote zwarte oogbal van een camera.

'Ja,' zei Kurt. 'Dat ben ik. En jij lijkt net een verdronken rat. Je hoeft niet op de noodknop te drukken. Die heb ik buiten gebruik gesteld, en trouwens, er is niemand in de controlekamer. Ik heb Eduardo naar huis gestuurd. Ik zei dat ik het overnam om wat diagnostische tests te doen.'

'Wat ga je doen, Kurt? Laat je me hier de hele nacht zitten?'

'Nee, ik wilde je wat videobeelden laten zien. Kijk maar.'

Zijn gezicht haperde, knipperde en het scherm werd donker. Toen verscheen er een ander beeld, wazig en onduidelijk, maar ik herkende binnen enkele seconden mijn eigen slaapkamer. Het beeld zoomde langzaam in op het bed. Daar lag Kate. Haar hoofd op het kussen.

Er flikkerde een vreemd blauw licht over haar gezicht.

'Daar is het vrouwtje,' zei Kurt. 'Een paar avonden geleden. Ik denk dat ze voor de televisie in slaap viel terwijl jij ergens heen was. Misschien keek ze naar *Desperate Housewives*. Ze is zelf een wanhopige huisvrouw.'

Mijn hart deed van ka-dunk, ka-dunk, ka-dunk.

'Gelegenheid genoeg om de camera te installeren. Ze nodigde me steeds weer uit. Het leek wel of ze zich tot me aangetrokken voelde. Een echte man. Geen zielige nepfiguur zoals jij. Een wannabe. Jij bent altijd een leunstoelsporter geweest, en een leunstoelkrijger.'

Er kwam een ander beeld. Kate en ik in bed. Zij keek tv, ik las een tijdschrift.

'O, wacht,' zei hij. 'Ik heb ook nog oude beelden. Van voordat ze naar het ziekenhuis ging.'

Kate en ik in bed. Het liefdesspel.

Het was een groenig beeld, alsof je het door een nachtkijker zag.

'Geen commentaar op je seksuele techniek, jongen,' zei Kurt. 'Laten we zeggen dat ik veel van jullie twee heb gezien.'

'Ik neem aan dat je de andere helft niet wilt hebben,' zei ik.

'De andere helft?' Het beeld van Kate ging over in Kurts gezicht. Een grote, dreigende close-up. Een vragende uitdrukking.

'De stuurkolom van de Porsche Carrera is vijfenveertig centimeter lang,' zei ik. 'Het stuk dat ik je heb gegeven, was... vijfentwintig centimeter lang? Reken maar uit.'

'Aha.' Hij grinnikte. 'Heel mooi. Misschien heb je toch nog iets geleerd.'

'Ik leerde het van de expert,' zei ik. 'Hij leerde me het hard te spelen. Als je die andere helft wilt, moet je me naar de twintigste verdieping terugbrengen. Naar mijn kamer. Ik haal hem uit zijn schuilplaats en geef hem aan jou. En dan laat je me gaan. Ik haal Graham op. En het is voorbij.'

Kurts grote gezicht staarde me aan. Hij knipperde een paar keer met zijn ogen.

'Hebben we een deal?' zei ik.

Hij glimlachte. Zijn gezicht trok zich terug en ik zag mijn eigen kamer. Hij zat achter mijn computer. Misschien had hij daar een camera mee verbonden. Of misschien was het de verborgen camera. Dat wist ik niet en het kon me ook niet schelen.

Het ging mij er nu alleen om dat het blijkbaar zou lukken.

Er ging een schokje door de lift en hij kwam in beweging.

Ik wendde me van het oog in het plafond af. Zag de knoppen op het paneel een voor een oplichten: 12... 13...

Ik nam mijn mobieltje en toetste 911 in. Ditmaal kreeg ik verbinding. Hij ging één keer, twee keer over.

'Politie.' Een mannenstem, kortaf.

'Ik sta in een lift in het Entronics-gebouw in Framingham,' zei ik. 'Mijn naam is Jason Steadman. Mijn leven is in gevaar. Er is iemand op de twintigste verdieping die me probeert te vermoorden.'

'Een ogenblik, alstublieft.'

'Stuur iemand!' riep ik.

Het oranje knopje van 20 lichtte op. Een gongslag. De liftdeuren gingen open.

Er kwam een andere stem door de telefoon. 'Agent Sanchez.'

Ik begreep het niet. 'Sanchez? Waar is Kenyon?'

'Met wie spreek ik?' zei Sanchez.

Ik zag een silhouet in de schaduw van de hal op de twintigste verdieping. Dat moest Kurt zijn.

'Jason Steadman,' fluisterde ik. 'Ik ben... Ik ken Kenyon. Ik ben in het Entronics-gebouw. U moet Kenyon oproepen en metéén iemand hierheen sturen. Schiet op!'

'Steadman?' zei Sanchez. 'Dat kloterige stuk stront?' Zijn Spaanse accent was nu nog zwaarder.

Er doken twee figuren uit de schaduw op. Kurt hield een mobieltje bij zijn oor. 'Wilt u brigadier Kenyons voicemail?' zei Kurt grijnzend met zijn Sanchez-stem.

Nog een man. Hij had een pistool.

Ray Kenyon.

Kenyon zwaaide met het pistool naar mij. 'Laten we gaan,' zei hij. 'Schiet op. Geef me de andere helft.'

Ik keek verschrikt. Ik had 911 ingetoetst. Negen, een, een. Het alarmnummer. Daar was ik zéker van. Ik had niet op REDIAL gedrukt; ik had Kenyon niet gebeld.

'Jerry,' zei Kurt. 'Geef me het wapen. Ik neem het over.'

Jerry. Jeremiah. Jeremiah Willkie. Zijn maat van de Special Forces. De man die niet tegen hem wilde getuigen. Die eigenaar was van het autoschadebedrijf.

Die 'Ray Kenyon' was.

Jeremiah Willkie gaf Kurt het wapen. Het leek de colt die ik uit Kurts opslagruimte had gestolen, maar daar was ik niet zeker van.

'De jongens zullen dit nooit geloven,' zei Willkie/Kenyon.

'Nee,' zei Kurt, en hij richtte het wapen op Jeremiah Willkie en schoot. 'Want ze zullen het nooit te horen krijgen.'

Willkie zakte op de vloer. Er kwam bloed uit zijn linkerslaap. Zijn ogen bleven open.

Ik keek Kurt aan.

'Jeremiah heeft een drankprobleem,' zei Kurt. 'Als hij een paar glazen wodka op heeft, praat hij te veel. Maar als politieman was hij erg overtuigend, nietwaar? Hij wilde altijd al bij de politie. Zijn oom was politieman.'

'Ik belde 911.'

'Dat heet *phreaking*. Ik kloonde je telefoon, zodat ik naar al je gesprekken kon luisteren. En ook uitgaande gesprekken kon oppikken.

Je oude mobieltje, je nieuwe mobieltje, het maakte geen verschil. Nou, laten we het hier afmaken.'

Hij richtte het pistool op mij. 'Je zei dat je dat onderdeel in je kamer had verborgen. Altijd vol streken, jij. Laten we gaan.'

Ik liep naar mijn kamer en hij volgde me. Ik ging de kamer binnen, bleef in het midden staan en dacht koortsachtig na. De wind joelde. De vloer was bedekt met papieren en wittige stukjes glas.

'Nou, ik weet dat het niet in je bureau ligt,' zei Kurt. 'Of in je boekenkast. Of op een van de gebruikelijke schuilplaatsen.'

Ik keek heel even naar het koffertje. Het stond er nog.

'Plafondpaneel,' zei ik.

Hij had mijn ogen gezien.

'Nee, dat denk ik niet,' zei Kurt. 'Geef me dat onderdeel en je kunt gaan.'

'Ik ga dat raam niet uit,' zei ik.

'Geef me de rest van de stuurkolom.'

Onwillekeurig keek ik weer even naar het diplomatenkoffertje naast mijn bureau.

'Ik heb je hulp nodig,' zei ik. 'Ik heb een ladder of zoiets nodig om bij het plafondpaneel te komen.'

'Een ladder?' zei hij. 'Nee, ik geloof echt niet dat je een ladder nodig hebt.' Hij ging naar mijn bureau toe en pakte het koffertje van Engels leer. 'Heb ik je niet geleerd over de "tell"? Die kleine signalen op iemands gezicht? Je bent er goed in om ze af te lezen, maar niet om ze te verbergen.'

Ik probeerde het koffertje van hem af te pakken, maar natuurlijk was hij veel sterker en hij ontworstelde het aan mijn handen. Hij had zijn beide handen nu op het koffertje, en toen hij het open probeerde te maken, werd hij daar even door afgeleid. Ik ging meteen wat verder van hem vandaan.

'Je kunt nergens heen, Jason,' zei Kurt, luid maar zakelijk. Terwijl hij eerst een van de koperen sluitingen openmaakte, en toen de andere, ging ik langzaam achteruit tot ik met mijn rug tegen het deurkozijn stond. Op zes of zeven meter afstand.

Een zacht schrapend geluid.

Ik zag het besef op Kurts gezicht, een uitdrukking van woede in combinatie met iets wat ik nooit eerder op zijn gezicht had gezien.

Angst.

Dat duurde maar een fractie van een seconde, want toen slokte de explosie hem op en spatte hij uit elkaar. Armen en benen vlogen door de lucht. Het was een gruwelijk bloedbad zoals je misschien in een oorlogsfilm zou verwachten. De immense explosie wierp mij naar achteren, gooide me tegen iets hards aan, en toen ik viel, voelde ik dat er harde dingen tegen mijn gezicht regenden, misschien stukjes hout en pleisterkalk en wie weet wat nog meer.

Ik krabbelde overeind. Mijn oren galmden en mijn gezicht deed pijn.

Een blok van Kurts eigen C-4 kneedbare springstof was verbonden met de ontsteking van de confettibom die hij die dag in mijn koffertje had gedaan. Die had ik in dat koffertje laten zitten en ik was mijn oude koffertje weer gaan gebruiken.

En hij had gelijk: een beetje C-4 was genoeg. Ik wist dat hij geen enkele kans maakte het te overleven.

Toen ik bij de liften kwam, bleef ik staan. Dat ging ik niet opnieuw proberen.

De trap. Twintig verdiepingen was niets. Dat had ik geleerd. Ik had nu een geweldige conditie.

Nou ja, niet echt. Mijn rug deed pijn en een paar van mijn ribben protesteerden; die waren gekneusd, misschien wel gebroken. Ik leed pijn, maar ik had ook een ontzaglijke energie.

Ik maakte de deur van het trappenhuis open en liep de twintig trappen af. Ik rende niet, maar liep. Ik liep mank en trok grimassen van pijn, maar ik wist dat ik het zou halen.

Geen probleem. Met gemak.

EPILOOG

KURT HAD NATUURLIJK gelijk.

Het was een meisje. Negen pond. Een mooie, gezonde kleine meid. Nou ja, niet zo klein. Nogal groot. Ze leek wel wat op Jack Nicholson, met dat warrige zwarte haar en dat rare kapsel. En ik had altijd gehoopt dat als we een meisje kregen ze op Katharine Hepburn zou lijken. Net als haar moeder. Ach, het kwam er dicht genoeg bij.

De baby – Josephine, noemden we haar: Josie – was zo groot dat het een keizersnede werd. We wisten dus een paar dagen van tevoren wanneer ze geboren zou worden, en dat betekende jammer genoeg dat mijn zwager genoeg tijd had om uit Los Angeles te komen overvliegen om de blijde gebeurtenis met zijn vrouw, Kate en mij te delen.

Ik was zo gelukkig dat ik me bijna niet aan Craig stoorde.

Ik had toch al veel aan mijn hoofd.

Het politieonderzoek nam een paar dagen in beslag. Graham Runkel en ik brachten vele uren op het hoofdbureau door, waar we keer op keer vertelden wat er die avond was gebeurd. Graham vertelde hun dat Kurt hem in een hutkoffer had opgesloten, waar hij gestikt zou zijn als ik hem niet net op tijd had bevrijd.

Ze wilden weten hoe ik had geleerd een bom te maken. Ik vertelde hun dat Kurt het meeste werk voor me had gedaan en dat ik de rest online te weten was gekomen. Het is verbazingwekkend wat je allemaal op het internet kunt vinden.

Nu Kurt dood was, was het vrij gemakkelijk zijn Special Forcescollega's aan het praten te krijgen over het soort mens dat hij was geweest. Het beeld dat daaruit naar voren kwam, was consistent, en het was niet fraai. Zo ongeveer alle rechercheurs die me ondervroegen, zeiden dat ik van geluk mocht spreken dat ik niet was gedood.

Geluk. Ja, zeg dat wel.

Niet lang nadat Yoshi aan Tokio had doorgegeven hoe de president-directeur van Entronics USA, Dick Hardy, zich zijn jacht en zijn huis in Dallas kon veroorloven, werd Hardy aan de kant gezet.

De raad van bestuur nam een unaniem besluit en gaf de juridisch adviseur opdracht de beursautoriteiten in te lichten, en zo kwam de bal aan het rollen. De beursautoriteiten haalden er algauw de FBI bij, en toen bemoeiden de belastingen zich ermee, en algauw had Dick Hardy te maken met wat Gordy altijd een 'gangbang' van civiele en strafrechtelijke en fiscale aanklachten had genoemd. Hardy bood zijn jacht te koop aan op *Robb Report*, maar twee dagen later legde de belastingdienst er beslag op.

Ik werd naar New York gevlogen om onze bestuursvoorzitter, Hideo Nakamura, en een stuk of tien andere kopstukken, zowel Japanners als Amerikanen, te ontmoeten en naar Dick Hardy's baan te solliciteren. Ik moest het opnemen tegen een stel andere interne kandidaten, allemaal ouder en ervarener en veel beter gekwalificeerd. In plaats van het allemaal over me heen te laten komen en me aan een kruisverhoor door Nakamura-san te onderwerpen besloot ik het erop te wagen en een PowerPoint-presentatie voor mijn ondervragers te houden. Hardy had me verteld dat ze allemaal gek waren op PowerPoint.

Met mijn presentatie pleitte ik ervoor het hoofdkantoor van Entronics in Santa Clara te sluiten, het waardevolle en veel te dure onroerend goed in Silicon Valley te verkopen en het hoofdkantoor te verplaatsen naar het fraaie Framingham, Massachusetts, waar Entronics al een gebouw had. Er hoefden alleen wat herstelwerkzaamheden aan de twintigste verdieping te worden verricht, waar een explosie mijn hoekkamer in een zwartgeblakerde grot had veranderd.

Mijn slide waarop te zien was hoe het kantoor van Royal Meister in Dallas met enorme winst kon worden verkocht, gaf de doorslag. De Dallas Cowboys wilden namelijk een nieuw stadion, en ze wilden royaal voor de grond betalen.

Dat maakte indruk op hen, denk ik.

Ik vertelde er niet bij dat ik mijn persoonlijke redenen had. Bijvoorbeeld het feit dat Kate weigerde uit Cambridge te vertrekken. Ze had nu eindelijk haar droomhuis, en ze had de kinderkamer al ingericht en vertikte het om te verhuizen. Ik kon dus twee dingen doen: zonder mijn geweldige vrouw en baby naar Santa Clara vertrekken of de baan afwijzen. Maar dat ging ik hun niet vertellen. Dat zou niet goed zijn voor mijn imago als killer.

De gesprekken verliepen goed, als je op gelaatsuitdrukkingen mocht afgaan. Ik verstond geen woord van wat ze zeiden. Yoshi Tanaka zat voortdurend naast me, bij elk gesprek, alsof hij mijn advocaat was.

In het laatste gesprek voerden ze blijkbaar een nogal verhitte woordenwisseling. Yoshi sprak in rad Japans met Nakamura-san en een ander bestuurslid, terwijl ik erbij zat te glimlachen als een imbeciel. Het leek erop dat ze een felle discussie voerden. Toen zei Yoshi iets en knikten ze allemaal.

Ten slotte keek Yoshi mij aan en zei: 'O, neem me niet kwalijk, ik ben vreselijk onbeleefd.'

Ik keek hem verbaasd aan. Hij sprak met een bekakt Brits accent. Hij klonk als Laurence Olivier of misschien Hugh Grant.

'Weet je, ze noemen je steeds *nonki*, en dat betekent zoiets als "gemakkelijk in de omgang", en een *gokurakutonbo*, een woord dat moeilijker te vertalen is. Misschien wil het zeggen dat je onbekommerd bent. Maar jammer genoeg is geen van beide woorden een compliment in het Japans. Ik moest hun uitleggen dat jouw mensen je als meedogenloos beschouwen. Ze spreken met een zekere angst over je. Ik zei dat me dat zo goed aan jou bevalt. Jij hebt het killersinstinct.'

Later, toen Yoshi en ik zaten te wachten tot de benoemingscommissie klaar was met overleggen, gooide ik eruit: 'Je spreekt geweldig goed Engels. Daar had ik geen idee van.'

'Míjn Engels? Kerel, nu overdrijf je. Ik heb mijn scriptie op het Trinity College, Cambridge, over de late romans van Henry James geschreven. Dát was nog eens een meester in de taal.'

Op dat moment drong het tot me door. Natuurlijk. Die truc van hem was de beste manier om mensen vrijuit te laten spreken waar hij bij was.

'Dus toen ik je alles over mijn grote idee voor het PictureScreen vertelde, en je alleen maar voor je uit staarde...'

'Met verbijstering en bewondering, Jason-san. Toen besefte ik dat jij iemand met visie was. Ik vertelde dat meteen aan Nakamura-san, en hij stond erop je in Santa Clara te ontmoeten. Maar helaas, het mocht niet zo zijn.'

Uiteindelijk boden ze me Dick Hardy's baan aan, en na een paar zenuwslopende weken, waarin Kate en ik er volgens afspraak niet over praatten, gingen ze ook akkoord met mijn voorstel om het Amerikaanse hoofdkantoor naar Framingham te verplaatsen. En ook om de toppresteerders van Royal Meister naar Framingham over te plaatsen, dat wil zeggen: degenen die uit Dallas wilden vertrekken. Nu werkte Joan Tureck voor mij, en zij en haar partner waren heel blij in Boston terug te zijn.

Nou, waar was ik?

O ja. In het ziekenhuis. Craig behandelde me met nieuw respect. Hij praatte steeds weer over de Entronics Invitational in Pebble Beach, en hoe fantastisch hij het vorig jaar had gevonden toen Dick Hardy hem met al die andere beroemdheden had uitgenodigd, en hoe cool het was geweest om een paar holes met Tiger Woods en Vijay Singh te spelen. Ik denk dat ik een beetje door onze pasgeboren baby werd afgeleid, maar na een tijdje besefte ik dat Craig naar een uitnodiging voor dit jaar hengelde. Nu ik president-directeur van Entronics was. Die arme Craig probeerde bij me in het gevlij te komen.

Ik was zo vriendelijk als ik maar kon zijn. 'We proberen het aantal genodigden dit jaar te beperken,' zei ik, 'maar er valt vast wel iets te regelen. Neem maar contact op met mijn assistent, Franny Barber. Dan komt het vast wel goed.'

Ik moet zeggen dat ik ervan genoot.

We zaten allemaal in Kates kamer te kijken hoe baby Josie zich aan Kates tieten vastklampte en als een ware kampioene aan het zuigen was. Ten slotte viel ze in slaap en kwam de zuster haar in het wiegje leggen.

Ik gaf Kate een kus en zei: 'Ik ben met de geweldigste vrouw getrouwd, en ik heb de geweldigste baby, en ik voel me de gelukkigste man van de wereld.' Ik kon mijn emotie bijna niet bedwingen.

'Zei jij niet dat een mens zijn eigen geluk moet maken?' zei ze met opgetrokken wenkbrauwen.

'Ik denk dat ik dat niet meer geloof,' zei ik langzaam. 'Soms maakt het geluk de mens.'

Ethan zat in een hoek van de kamer een boek over grote militaire blunders uit de geschiedenis te lezen. Dat was zijn nieuwste obsessie. Blijkbaar had Kurt Semko's opmerking over de slag bij Stalingrad hem aan het denken gezet.

'Oom Jason,' zei hij, opkijkend van zijn boek. 'Wist u dat de Eerste Wereldoorlog is begonnen doordat een chauffeur een verkeerde afslag nam?'

'Ethan,' zei zijn moeder waarschuwend.

'Ethan,' zei Craig. 'De volwassenen praten.'

'Een verkeerde afslag?' vroeg ik aan Ethan.

'Ja. De chauffeur van de aartshertog van Oostenrijk-Hongarije sloeg een straat in die hij niet had moeten inslaan, en daar stond iemand met een pistool te wachten, en hij schoot op de aartshertog en zijn vrouw, en dat leidde tot een hele wereldoorlog.'

'Nee, dat wist ik niet,' zei ik. 'Maar nu denk ik positiever over mijn eigen rijstijl.'

Kate en Susie praatten over kindermeisjes. Kate zei dat ze een aantal veelbelovende Ierse kandidates had gevonden op de website van de krant *Irish Echo*. Susie zei dat je altijd een Filippijns kindermeisje moest nemen. Zo ging het nog een tijdje heen en weer, en natuurlijk moest Craig zich ook met de discussie bemoeien. Mij was het natuurlijk om het even. Ik moest steeds weer aan Festino's waarschuwing denken: dat het thema van *Sesamstraat* de hele tijd in mijn hoofd zou zitten en dat ik naar tekenfilms zou moeten kijken.

Maar toen ze het erover hadden wat beter was, een inwonend of uitwonend kindermeisje, mengde ik me erin: 'Ik wil echt niet dat een vreemde onder ons dak woont,' zei ik.

'Als we haar eenmaal kennen, is ze geen vreemde meer,' merkte Kate op.

'Dat is nog erger.'

'Het moet mogelijk zijn dat je de baby bij het kindermeisje achterlaat als jullie uitgaan,' zei Craig. 'Dat was zo geweldig aan Corazon. We konden Ethan altijd bij haar achterlaten. We zagen hem nauwelijks.'

'Dat is geweldig,' zei ik. Kate en ik wisselden een blik.

Hij ging niet op mijn sarcasme in. 'Als hij midden in de nacht huilde,' zei Craig, 'kwam Corazon vlug aangerend om zijn luier te verschonen of hem voeding te geven of weet ik veel.'

'Ik kolfde mijn moedermelk af en deed die in de vriezer,' zei Susie knikkend. 'Corazon hoefde die kleine flesjes alleen maar in de magnetron te zetten. Maar je moet het wel goed doen. Eigenlijk is er maar één borstpompje goed.'

'Dat weet ik,' zei Kate. 'Ik heb alle babywebsites bekeken.'

'Kunnen we over iets anders dan borstpompjes praten?' zei ik. 'Ik wil het weer over het inwonende of uitwonende kindermeisje hebben.'

'Waarom?' zei Kate. 'Dat is al besloten.'

'Welnee. Je hoeft het niet eens te proberen.'

Kate zag de vastbeslotenheid op mijn gezicht. 'O, ik ben nog maar net begonnen,' zei ze met die begrijpende glimlach waarvan ze wist dat ik er altijd voor bezweek.

'Oei,' zei ik. 'Nu is het oorlog.'

DANKBETUIGINGEN

DE FICTIEVE ENTRONICS Company is opgebouwd uit stukjes en beetjes van de gigantische elektronicabedrijven die ik heb bezocht en waarnaar ik onderzoek heb gedaan, maar geen van die ondernemingen was zo behulpzaam, gastvrij en interessant als NEC. Haar divisie Visual Display is een van de grootste producenten van plasmaschermen ter wereld en bovendien een geweldig en innovatief bedrijf. Ron Gillies, de vroegere directeur en general manager (tegenwoordig werkzaam voor Iomega) was enorm behulpzaam en geduldig bij het beantwoorden van mijn meestal absurde en domme vragen. Hij stelde me ook in de gelegenheid met allerlei mensen daar te praten, zowel verkopers als mensen van de techniek. Het was me een groot genoegen om hem en zijn geweldige, charismatische opvolger Pierre Richer te leren kennen. Ik dank ook Keith Yanke, product manager van Plasma Displays; Patrick Malone, districtsmanager; Ken Nishimura, general manager; Bill Whiteside, verkoop binnendienst; Tim Dreyer, pr-manager; en vooral Jenna Held. Ik heb daar geen Gordy ontmoet, noch een Dick Hardy, noch een Festino, noch een Trevor, noch een Rifkin. Elders wel, maar niet bij NEC. En als ik er met mijn feiten finaal naast zit – nou, daarom noemen ze het fictie, nietwaar?

Andere voortreffelijke bronnen in de wereld van de hightechverkoop die me een indruk gaven van de cultuur, de belangen en de uitdagingen, waren: Bob Scordino, regiomanager, EMC Corporation; Bill Scannell, directeur Amerika, EMC Corporation; Larry Roberts van PlanView. Ze waren geestig, sympathiek en royaal met hun tijd.

Professor Vladimir Bulovic van MIT vertelde me over zijn opmerkelijke ontdekkingen op het gebied van OLED flatscreentechnologie. Ik heb me daarmee natuurlijk wat vrijheden gepermitteerd.

Voor de beste schurken heb je vaak de beste bronnen nodig, en tot mijn geluk beschikte ik voor Kurt Semko over mijn eigen Special Forces A-Team, onder wie sergeant-majoor (b.d.) Bill Combs van het William F. Buckley Memorial Chapter van de Special Forces Association, die me aan allerlei mensen voorstelde; adjudant (b.d.) Rick Parziale, voormalig teamsergeant van ODA 2033; en vooral Kevin 'Hognose' O'Brien, sergeant eerste klas, die bij de 20th Special Forces Group in Afghanistan heeft gediend. Voor hen is het duidelijk, maar ik moet het toch publiekelijk zeggen: Kurt Semko vertegenwoordigt beslist niet de toegewijde, moedige en vriendelijke Special Forces-leden die ik heb leren kennen. Wat de omstandigheden van Kurts krijgsraadveroordeling betreft, heb ik enorm veel te danken aan de militair-juridische bronnen die mij bij het schrijven van *De krijgsraad* terzijde stonden: David Sheldon en Charles Gittens. Jim Dallas van Dallas Security gaf me tips over het opsporen van verborgen militaire gegevens. Linda Robinsons uitstekende boek *Masters of Chaos* gaf me waardevolle informatie over de Special Forces.

Wat informatie over bedrijfsbeveiliging betreft, ben ik veel dank verschuldigd aan Roland Cloutier, directeur Information Security bij EMC, en Gary Palefsky, directeur Global Security bij EMC. Jon Chorey van Fidelity was ook heel behulpzaam. Jeff Dingle van het Lockmasters Security Institute verstrekte me veel bijzonderheden over de beveiliging van gebouwen.

Wat de financiële schelmenstreken bij Entronics betreft, kreeg ik veel informatie van de geduchte Eric Klein van Katten Muchin Rosenman in Los Angeles, expert op het gebied van fusies en overnames. Opnieuw hielp mijn oude vriend Giles McNamee, van McNamee Lawrence & Co. in Boston, me met zijn gebruikelijke creativiteit om verwikkelingen uit te denken. Darrell K. Rigby van Bain & Company in Boston hielp me begrijpen wat integratieteams doen. En mijn goede vriend Bill Teuber, *CPO* van de EMC Corporation, hielp me op allerlei manieren.

Matthew Baldacci, vice-president en *marketing director* van St. Martin's Press, hoort in deze dankbetuigingen eigenlijk op twee plaatsen thuis. Hij heeft me niet alleen consequent gesteund in zijn essentiële rol van uitgever, maar hij was bij dit boek ook een belangrijke adviseur op het gebied van baseball en softbal. Ik dank ook Matt Dellinger van *The New Yorker*, die onder andere manager van het personeelssoftbalteam is. En ik dank in het bijzonder mijn vriend Kurt Cerulli, softbalcoach en baseballjunkie, die mij tal van softbaltactieken aan de hand deed en ervoor zorgde dat ik ze goed verwoordde. Daniel A. Russell, Ph.D., van de Science and Mathematics Department van de Kettering University, adviseerde me over de trucs (en fysica) van het knoeien met knuppels. Dan Tolentino van Easton Sports legde me uit hoe softbalknuppels van composietmateriaal in elkaar zitten.

Gregory Vigilante van U.S. Army Armament Research, Development and Engineering Command, gaf me uitleg over Liquid Metal Embrittlement. Toby Gloekler van Collision Reconstruction Engineers, Inc., vertelde me hoe je met omgekeerde technologie een bijna onnaspeurbare oorzaak van een auto-ongeluk aan het licht kunt brengen. Ik dank ook Robert W. Burns, onderzoeker van ongevallen; brigadier Stephen J. Walsh van de Massachusetts State Police Collision Analysis and Reconstruction Section (de eenheid CARS); agent Mike Banks van de Massachusetts State Police; en brigadier Mike Hill van het Framingham, Massachusetts, Police Department. De gepensioneerde rechercheur Kenneth Kooistra, voorheen werkzaam voor de Grand Rapids Police, hielp me weer met bepaalde details van moordzaken.

Voor informatie over zwangerschap en placenta previa dank ik dokter Alan DeCherney, hoogleraar verloskunde en gynaecologie aan de David Geffen School of Medicine, UCLA, en Mary Pat Lowe, verpleegkundige op de afdeling spoedgevallen van het Massachusetts General Hospital.

Zoals altijd dank ik mijn oude bronnen en adviseurs, met name Harry 'Skip' Brandon van Smith Brandon in Washington, D.C., en mijn onmisbare wapenexpert, Jack McGeorge van de Public Safety Group in Woodbridge, Virginia. Mijn vroegere onderzoeker, Kevin Biehl, ging op het laatste moment weer (als het ware) op de thuisplaat staan met researchhulp van cruciale waarde.

Ik wil ook iedereen van mijn uitgeverij, St. Martin's Press, bedanken. Ze blijven in mij geloven en dringen steeds op nieuwe boeken aan, met een bijna ongekend enthousiasme dat ik toch nooit voor vanzelfsprekend aanneem. Op het gevaar af dat ik belangrijke mensen weglaat, noem ik in het bijzonder: directeur en uitgever Sally Richardson; John Sargent, president-directeur van Holtzbrinck USA; Matthew Shear, adjunct-directeur en uitgever van SMP's pocketdivisies; Matt Baldacci, *marketing director;* Ronni Stolzenberg van marketing; John Murphy, *publicity director* (en liefhebber van olijfbrood); Gregg Sullivan en Elizabeth Coxe van publiciteit; Brian Heller van pocketverkoop; George Witte; Christina Harcar; Nancy Trypuc; Alison Lazarus; Jeff Capshew; Andy LeCount; Ken Holland; Tom Siino; Rob Renzler; Jennifer Enderlin; Bob Williams; Sofrina Hinton; Anne Marie Tallberg; Mike Rohrig (nu bij Scholastic); Gregory Gestner; en Mary Beth Roche, Joe McNeely en Laura Wilson van Audio Renaissance.

Keith Kahla, mijn redacteur, verdient zijn eigen dankbetuiging. Dank je, vriend, voor alles wat je hebt gedaan. Je bent echt de beste.

Mijn agente, Molly Friedrich van de Aaron Priest Agency, was zoals altijd geweldig als ondersteuner en beschermer en kritisch lezer. Ik dank ook Paul Cirone van de firma.

Mijn vrouw, Michele Souda, was een waardevolle lezer en corrector van het manuscript. Onze dochter Emma moest het gedurende de laatste maanden waarin ik aan dit boek werkte niet alleen vaak zonder haar vader stellen, maar haar obsessie voor baseball inspireerde me ook tot een essentieel deel van dit boek.

En ten slotte mijn broer, Henry Finder, *editorial director* van *The New Yorker*: je hield een oogje in het zeil, zoals ze dan zeggen (maar zoals jij nooit zou zeggen). Vanaf de oorsprong van het verhaal tot aan de laatste correcties was je van onschatbare waarde. Ik kan je niet genoeg bedanken.